KB197848

판데르베익호의 침몰

일러두기

— 이 책은 《Tenggelamnya Kapal Van Der Wijck》(2017)을 옮긴 것이다.

— 인명, 지명 등은 한글맞춤법 외래어표기법을 따르되, 국내에서 이미 굳어져 사용
   되거나 현지의 발음과 너무 다른 경우에는 예외를 두었다.

— 본문의 각주는 옮긴이가 작성한 것이다.

INDONESIA
동남아시아
문학총서

2

판데르베익호의 침몰

함카Hamka 지음 | 배동선 옮김

HANSAE YES24
FOUNDATION

온몸에 뜨거운 젊은 피가 용솟음치던 서른한 살 무렵
(1938), 내 영혼이 상상력과 감수성으로 가득 차 있던 바로 그
때,《판데르베익호의 침몰》에 대한 영감이 떠올라 이를 정리
하고 써 내려간 것을 당시 내가 운영하던 잡지사《민중의 나
침반》에 연재했다.

그런 다음, 당시 귀한 책들을 출판하고 있던 젊은 동지 M.
샤르카위(M. Syarkawi)를 통해 발간한 2쇄도 금방 동나고 말
았다. "마치 내 이야기를 하는 것 같습니다" 하는 젊은이들이
많았고 "어쩌면 당신의 자전적 이야기인 듯하네요!"라고 말하
는 이들도 있었다.

사실 명색이 종교인이란 사람이 연애 소설을 쓰는 것은

---

1   이 글은《판데르베익호의 침몰》4쇄에 실렸다.

당시 통념에 어긋나는 일이었다. 처음에는 종교계의 비난이 거셌다. 하지만 10년쯤 지나고 나니 그런 공격과 비난은 저절로 가라앉았고 인간의 삶에 예술과 아름다움이 필요하다는 공감대가 점차 커졌다.

언제 또《카바의 보호 아래》,《판데르베익호의 침몰》등과 같은 작품을 쓸 것이냐 묻는 이들도 있었다.

이 질문에 뭐라 대답해야 할지 모르겠다. 난 여전히 원대한 꿈을 품고 있지만 점점 더 나이가 들고 있고 세상도 벌써 많이 변했기 때문이다. 젊은 시절에 넘치던 상상력과 감수성도 시간이 지날수록, 특히 파란만장한 '독립전쟁'에서 얻은 여러 경험에 그 자리를 내주고 있다.

이 책을 두 번 찍어낸(처음은 1939년, 두 번째는 1949년) M. 샤르카위 동지의 동의를 얻어 국가적 자산이자 이 땅의 도서 산업과 문예 발전을 위해 끊임없이 최선을 다하는 발라이 푸스타카(Balai Pustaka)**²**가 이미 지나간 구시대에도, 우리 조국

---

2   8쇄에 실린 머리말에서 작가는 이렇게 말했다. "오랜 역사를 가진 출판사 발라이 푸스타카의 동의하에 이번 8쇄부터 이 책은 민영 출판사인 누산타라 출판사(Penerblt Nusantara)에서 발간하게 되었다. 이 민영 출판사가 기술적 가치나 미학적 부분에 있어 그동안 발라이 푸스타카에서 발간된 판본들 못지않게 세심하게 관리하기로 약속한 바 작가인 본인 역시 흔쾌히 그들에게 발간을 의뢰하기로 했다."
8쇄 머리말에는 1961년 3월 자카르타에서 작가가 서명했다. 한편《판데

과 민족이 독립을 쟁취한 이후에도 줄곧 이 책의 중쇄 발간을 맡아 진행해주었다.

　이제 또다시 이 책을 중쇄하면서 난 두 가지 기회를 얻었다. 첫 번째는 이전 판본에서 인쇄가 잘못된 부분을 고치고 독립전쟁이 끝난 후 인도네시아어가 온전히 인도네시아 국민의 것이 된 지금 새로워진 철자법에 맞춰 단어들을 수정한 것이다.

　두 번째 기회는 수면 위에 비친 내 모습을 바라보는 것이었다. 이미 지나간 시대 속 과거의 나 자신을 들여다보니 당시 두 가지 요소가 내게 큰 영향을 끼쳤음이 분명했다. 하나는 넘쳐흐르던 감수성이었고, 또 다른 하나는 해방이 아직 요원하기만 하고 식민 침탈의 현실이 삶의 모든 부분을 짓누르던 시대적 분위기가 자아내던 압박감이었다. 그러한 것들이 고스란히 책 속에 남아 있어 스토리를 다시 읽어보아도 그 속에 녹아든 작품의 정수, 즉 작가의 감정은 조금도 변하지 않았다. 혈기 왕성하던 시절, 그리고 해방의 바람이 아직 조국에 닿기 전, 당시 창조해낼 수 있었던 최선의 정신적 풍요로움이 거기 있었다.

　　르베익호의 침몰》11쇄는 불란빈탕 출판사(Penerbit Bulan Bintang)가 맡아 1976년에 발간했다.

우리 세대가 빚어낸 결과물이 아무쪼록 다음 세대에서 더욱 진화하고 발전하길 바라 마지않는다. '독립의 문'이 비로소 열린 지금, 우리의 모든 기회 역시 활짝 열리리!

함카

목차

Tenggelamnya Kapal Van der Wijk

1. 유배지에서 낳은 아이

해가 넘어가고 있었다. 신비한 자연법칙에 따라 태양은 그렇게 수평선 너머 보이지 않는 바다 밑을 향해 천천히 침몰해갔다. 수평선을 따라 붉은빛이 번지기 시작하자 파도 한 점 없이 고요한 수면으로 그림자가 아름답게 드리워졌다. 오래된 흰 돛을 펼쳐 바람을 가득 안은 배들이 여기저기 보였다. 만다르 조각배를 탄 아이들이 부르는 〈일로호가딩〉이나 〈시오사양〉 같은 노랫소리가 레밥[3]이나 크차피[4]의 반주와 함께 해변까지 들려왔다.

선착장 중간쯤에 설치된 울타리 가까이에는 물 밑에 가라앉은 지 수십 년 된 선박의 돛대 꼭대기가 삐죽이 튀어나와 있었다. 그것은 마치 강고한 보초병처럼 보이기도 하고 신비로운 라야라야섬의 유령과 마물 들이 잠시 내려앉아 머무는 횃대처럼 보이기도 했다. 혹시라도 조류에 휩쓸려 익사하거나 살해당해 물속에 유기된 사람이라도 있으면 침몰한 지 오래된 그 배 안에서 간드러진 비명과 웅성거리는 소리가 들린다

---

3   자바의 전통 악기로, 두세 줄 바이올린과 비슷하다.
4   가야금과 비슷한 악기.

는 괴담도 나돌았다.

황혼이 질 무렵이면 멩카사르[5]에는 아연 활기가 돌았다. 뜨거운 낮 동안 일하며 무더위를 감당해야 했던 사람들의 피로감은 오후가 깊어지면서 마침내 태양이 수평선을 넘어가는 모습에 치유되었다. 바다 내음을 가득 안은 공기, 그 바람 냄새를 맡으려고 다리 위로 힘껏 달려가 보면 콤페니[6]가 세운 요새 가까이, 바다 위에 물감이 번진 듯 펼쳐지는 웅장한 파노라마에 큰 위안을 받았다. 그 요새는 약 90년 전 정치적 생명을 다한 디포네고로 왕자[7]가 감옥에 갇혀 말년을 보낸 곳이다.

요새의 동쪽으로는 광대한 카레보시 들판이 펼쳐지는데 멩카사르 주민들은 그곳을 신성하게 여겼다. 노인들 사이에 전해지는 이야기에 따르면, 종말의 날에 카라 엥 다타[8]가 카레보시 들판에 재림하고 그곳에서 일곱 개의 반얀나무[9] 줄기

---

5 현재 남부 술라웨시의 주도 마카사르의 옛 지명.

6 인도네시아 식민지화를 주도한 네덜란드 동인도 회사로, 1799년 파산한 뒤 네덜란드 정부가 넘겨받아 직접 운영했다. 이후 네덜란드와 총독부를 지칭하는 표현으로 인도네시아인들 사이에서 습관적으로 통용되고 있다.

7 1825~1830년 자바 전쟁의 주역. 전쟁 막판에 자바의 마글랑에서 네덜란드군에 나포되어 여러 감옥을 전전하다가 1834년 마카사르의 로테르담 요새로 이감된 후 1855년 그곳에서 생을 마감했다.

8 고아 왕국의 26대 왕.

9 쌍떡잎식물 뽕나뭇과의 교목. 인디언 반얀, 뱅갈고무나무라고도 불린다.

가 솟아나 그 위에 일곱 개의 궁전이 세워질 것이며 일곱 왕의 일곱 왕자가 카라 엥 다타의 곁을 지키게 되리라 했다. 내륙으로는 푸르른 롬포바탕산과 바와카라엥산의 굳건한 모습이 보였다.

　그 바닷가 철교에서 바라보는 광경에는 아름다운 자연과 인간의 기술이 절묘하게 어우러져 있었다. 바다는 그 자체의 아름다움을 간직했고 육지는 신의 위대함을 투영했다. 그 오른쪽으로 탄중페락,[10] 탄중프리옥[11] 다음으로 인도네시아에서 세 번째로 큰 신축 부두가 한눈에 들어왔다.

　캄풍바루 마을과 캄풍마리소 마을 사이 바닷가 쪽으로 멩카사르 전통 가옥이 한 채 서 있었다. 열아홉 살쯤 된 소년이 바다로 난 창문에 기대어 서서 깊은 생각에 잠겨 있었다. 크게 뜬 두 눈은 멩카사르 바다를 가득 담고 그 아름다움을 만끽하는 듯했지만 사실 그의 마음은 이 세상의 바다를 넘어 시선도 닿지 않는 머나먼 상상의 바다 위를 날고 있음이 분명했다.

　소년은 아버지가 눈을 감기 직전에 한 유언을 기억했다. 가물가물하긴 해도 어렴풋이 기억났다. 아버지는 자신의 고향이 멩카사르가 아니라 멀리 바다 건너에 있는데 그곳은 지금

10　수라바야의 부두 이름.
11　자카르타의 부두 이름.

13

사는 여기보다 훨씬 더 아름답다고 했다. 조상들의 묘지도 그곳에 있고 넓디넓은 가문의 영지도 그곳에 있다고.

"멀지… 멀고말고…."

아버지는 그렇게 중얼거렸다. 바다 건너 머나먼 그곳은 광대하고도 비옥해 언제나 농사가 풍년이었다고 했다. 아버지는 멩카사르에 롬포바탕산과 바와카라엥산이 있듯이 고향에도 축복 어린 두 개의 산이 있는데 므라피산과 싱갈랑산이라고 했다. 므라피산에는 마법의 개울물이 흐르고 싱갈랑산 정상 호수에는 검은 용이 산다고 했다. 사람들은 마로스 지역 반티무릉¹²의 아름다움을 찬양하지만 고향의 힘찬 샘물은 산위 더 높은 곳에서 솟아났다. 아버지가 한밤중에 자주 부르던 〈세란티〉라는 아름다운 노래를 소년은 아직도 기억했다. 노래 내용 전체는 정확히 알 수 없지만 그 감미로운 선율만은 마음속 깊이 각인되었다. 아버지가 〈세란티〉 선율에 실어 부르던 노래 가사 일부도 기억났다.

언덕이 무너져 숲째로 쏟아지면
옥수수 알곡은 물에 잠겨 못쓰게 되고
죄수가 된 이 한 몸 내쳐지고 나면

---

12   샘과 폭포로 유명한 마카사르 인근 계곡 유원지.

고향이 그리워 눈물짓게 되네.

목화 줄기가 잎사귀로 풍성해져도
뿌리는 땅에 심기던 그 시절 그리워하는데
난 이렇게 바다 건너 떠난 지 몇 년째
타향살이만 더 길어질 뿐이구나.

노래 가사 속 주인공은 대체 누구일까?

소년의 아버지는 그에게 자이누딘이란 이름을 지어주었다. 어린 시절부터 소년에게는 불운이 꼬리표처럼 따라다녔는데 그가 누구인지 제대로 알기 위해서는 예전 같으면 다른 왕국이었을 파당판장 지역 바티푸와 스폴루코토에서 한 사건이 벌어지던 약 30년 전으로 돌아가야 한다.

판데카르 수탄이란 호칭이 붙은 소년이 있었다. 가문의 최고 어르신 다툭 만타리 라비의 조카인 그가 어머니 쪽 유산의 우선 상속자가 된 것은 그에게 여자 형제가 없기 때문이었다. 모계 사회인 미낭카바우 지역에서 남자에게 구릉지의 계단식 논밭과 수예품 제작소, 창고, 주택, 축사 등 재산을 지켜주는 여자 형제가 없다는 것은 매우 불행한 일이었다.

어머니가 돌아가신 후 그 재산을 관리할 사람은 그와 삼촌 다툭 만타리 라비, 단둘뿐이었다. 삼촌은 누구에게 고개를 숙이거나 돈을 벌어본 적 없는 오직 돈 쓰기에만 급급한 인물이어서 이미 논 몇 마지기와 가보로 내려온 값비싼 징 같은 재산을 저당 잡힌 상태였다. 만약 판데카르 수탄이 재산을 팔거나 저당 잡혀 돈을 융통하려 하면 삼촌은 언제나 큰소리로 윽박지르며 동의해주지 않았다.

"네가 재산을 탕진해 없애는 꼴을 보느니 차라리 어딘가 다른 곳으로 없어져주면 좋겠구나."

삼촌은 이런 말도 서슴지 않았다.

당시 젊은 그에게는 아직 뜨거운 피가 흐르고 있었다. 그도 당연히 결혼하여 가정을 갖고 싶었고 또래 친구들이 깔보기라도 하면 자신을 증명해 보이고 싶었다. 하지만 삼촌은 그 모든 것을 방해했고 추수를 마친 논밭에서 곡식 다발을 모조리 자기 자식들 집으로 싣고 가버렸다. 그는 몇 번이나 재산을 담보로 돈을 빌리게 해달라고 부탁했으나 삼촌만이 아니라면 친척들까지 들고일어나 반대했는데, 특히 친척 여자들의 반발이 심했다. 그들로서는 이제 전통과 관례에 따라 그 재산의 마지막 한 치, 한 뼘, 한 자, 한 길까지 모두 자신들 손에 떨어지는 것은 시간문제일 뿐이라고 생각했다.

어느 날 삼촌과 조카 사이에 말다툼이 일어나면서 언젠가 터지고야 말았을 불행한 일이 실제로 벌어졌다. 판데카르 수탄은 신부를 데려올 지참금 마련을 위해 논 한 마지기를 저당 잡히겠다는 의지를 이례적으로 강력하게 주장했다. 이미 장성해 성인이 되었는데도 그는 '이잡카불', 즉 혼인식을 아직 올리지 못한 상태였다.

삼촌은 짜증을 내며 언성을 높였다.

"결혼하겠다고 물려받은 재산을 다 날릴 셈이냐? 미낭카바우의 논을 다 팔아치워도 충분치 않겠구나! 어린 것이 부끄러움도 모르고 이것저것 몽땅 저당 잡히자는 것이냐?"

삼촌이 이 말을 한 것은 사촌과 친척을 포함한 대가족이 모여 있는 자리에서였다. 판데카르 수탄은 수치심에 피가 끓어올랐지만 애써 분노를 억누르며 말했다.

"삼촌도 삼촌 자식들을 결혼시키려고 논들을 저당 잡혔잖아요. 이모가 갈고 앉은 논만 해도 몇 마지기예요? 하지만 나는 땅 한 평도 나눠 받지 못했어요."

"그런 소리는 하지도 마라! 그건 집안 어른으로서 당연한 내 권리야. 너희에게 분칠을 하든 똥칠을 하든, 높이 매달든 멀리 내다 버리든, 다 내 마음이란 말이다!"

"집안 어른이라도 그런 나쁜 짓을 해선 안 되는 겁니다."

"뭐라고? 나한테 지금 나쁜 짓이라고 했냐?"

격분한 다툭 만타리 라비가 크리스 단검을 뽑아 휘두르며 튀어오르듯 판데카르 수탄 앞으로 달려들었다. 하지만 불행하게도 그가 크리스를 제대로 휘둘러보기도 전에 판데카르 수탄이 급히 꺼내 든 단검이 먼저 그의 왼쪽 가슴을 깊숙이 파고 들어 정확히 심장을 찌르고 말았다.

"네가 나를 찌르다니… 제발…."

겨우 거기까지 말한 다툭 만타리 라비는 더 이상 아무 말도 할 수 없었다. 온 집안이 발칵 뒤집히고 말았다. 몇몇 사람이 판데카르 수탄에게 달려들었지만 그러는 족족 모두 나가떨어졌다. 그의 이름 앞에 붙은 판데카르[13]라는 호칭은 누가 그냥 붙여준 것이 아니라 실력을 통해 '판정'받아 얻어낸 것이었다. 집안의 모든 사람이 우왕좌왕하는 사이에 여자들의 아우성은 더욱 커졌다.

"싸움이 났다고?"

긴급 상황을 알리는 북소리가 울려 퍼지자 마을 사람들은 사달이 벌어진 것을 알고 속속 모여들었다. 이 사실은 이장에게 즉시 보고되었고 족장의 귀에도 들어갔다. 판데카르 수탄은 몇 시간 만에 붙잡히고 말았다. 한편, 다툭 만타리 라비는 칼에 찔리고 몇 시간 후 결국 숨을 거두었다. 재판은 파당판장 소재 토지청인 란드로드에서 열렸는데 잘못을 순순히 인정한 판데카르 수탄에게 15년 유배형이 내려졌다.

당시 자바섬의 칠라찹은 자바와 부기스 지역 죄수들의 단

---

13   무술 고수에게 붙이는 호칭.

골 유배지인 서부 수마트라의 사와룬토처럼 수마트라 죄수들이 흔히 유배되는 곳이었다. 그는 칠라찹에 유배되었다가 다시 부기스 땅으로 이송되는데 마침 악명 높은 보네 전쟁[14]이 벌어질 때였다. 자바의 네덜란드군은 그 지역을 공략하기 위해 용감하고 건장한 죄수들을 동원할 필요가 있었고 판데카르 수탄은 그때 이미 죄수들 사이에서 가장 강한 사람이란 의미로 '자고'라 불리고 있었다. 그는 네덜란드 군대를 따라 술라웨시에 들어가 멩카사르 땅을 밟았다.

그 강력한 일인자 판데카르 수탄은 원래부터 용맹스럽고 용서를 모르는 잔혹한 사람이었을까? 사실 한 사람의 용맹함이나 잔인한 습성이 꼭 어린 시절의 성격에서 기인하는 것은 아니다. 원래 판데카르 수탄은 온순하고 부드러운 성격의 소유자였다. 그렇지 않았다면 삼촌의 난행을 그토록 오랫동안 참아냈을 리 없다.

하지만 그는 상황에 떠밀렸다. 곧잘 생명을 위협당하는 감옥 안 인간관계에서 스스로를 지키려면 용맹을 과시해야만 했다. 마음속 양심의 소리를 애써 무시하며 폭력을 휘두르는 동안 그는 어느새 무서운 사람으로 통했고 다른 죄수들은 그를 슬슬 피해 다니기 시작했다. 실상 그는 생각이 깊고 말수가

---

14 1859~1860년 벌어진 네덜란드군의 술라웨시 보네 술탄국 정복 전쟁.

적으며 동료와의 신의를 지키는 사람이었다. 하지만 그의 과묵함과 종종 깊은 생각에 잠기는 모습은 그를 아는 이들에게 더 큰 두려움을 불러일으키곤 했다.

그는 보네의 함락과 고아 왕국의 항복을 목도했고, 파레 파레 항구에서 전함 제번 프로빈신호가 대포를 쏘아대는 모습도 직접 지켜보았다.

수감될 당시 판데카르 수탄은 스무 살이 갓 넘은 상태였다. 판데카르 수탄은 감옥에서 우연히 키스모라는 이름의 마흔 살도 넘은 마두라 출신 무기수와 어울려 지냈다. 그는 머리가 온통 하얗게 셀 정도로 오래 감옥에 갇혀 있었지만 이전에 이미 많은 나라를 다니며 견문을 넓혔고, 성스러운 삶이 어떠해야 하는지 아직 잊지 않은 것을 보면 내면의 수행도 깊은 사람 같았다. 판데카르 수탄은 그에게서 많은 것을 배웠다.

판데카르 수탄은 3년을 감형받아 멩카사르에서 형기를 마쳤다. 만약 그가 태어나서 자란 미낭카바우로 돌아가길 원했다면 당국은 당연히 그를 보내주었을 테지만 그는 멩카사르에 머물러 살기로 마음을 정했다. 고향으로 돌아가고 싶은 생각은 간절했지만 그는 눈물을 삼키며 마음을 접었고 고향 파당을 먹물로 검게 칠해 마음에서 아예 지워버리려 했다.

왜 그랬을까?

그에게는 형제가 없었고 무엇보다도 누나나 여동생이 없

다는 사실이 크게 작용했다. 남자를 품어 보호해줄 어머니 집안의 고향이지만 정작 어머니는 세상을 떠난 지 오래였다. 그가 돌아가 장손의 권리를 되찾는다면 고향 사람들은 겉으로는 웃으며 친절하게 맞겠지만 그들 마음속에는 쓰디쓴 앙금이 생길 것이다. 빈털터리인 그가 고향에 돌아가 그렇게라도 환대를 받는다면 가문의 친척들 마음은 질투심으로 썩어 문드러질 터였다.

탄중나무 메마르지 않으면
빨랫줄로라도 써먹겠지만
금붙이 한 조각 품지 못한 누이는
더 이상 여자도 뭣도 아니리.

그는 돌아가지 않기로 마음먹었다. 마음만은 고향이 그리워 목놓아 울고 있었지만 12년이란 실로 짧은 시간이 아니어서 어머니가 가꾸던 앞마당의 야자나무가 악의와 복수심으로 가득 찬 사람들의 크리스 칼날에 자디잘게 조각나 있을지도 모를 일이었다. 달걀 한 개 깨진 정도로 대수롭지 않은 일이라면 모를까 마을에서 떵떵거리던 사람이 죽어 나갔는데 그 대가로 그는 당연히 사라져야 했고 멀리 떠나야만 했다.

멩카사르에 몇 년간 머물게 된 그는 아침저녁 먹을 음식

21

을 마련하기 위해 여러 가지 일을 했다. 그는 약 400년 전 멩카사르에 이슬람을 처음 전파한 말레이족의 후손인 한 노인의 집에 얹혀 살았다. 판데카르 수탄의 처신과 용기 있는 행동에서 드러나는 성품은 매우 매력적이었고 심지어 간혹 주술에도 일가견을 보여, 노인은 그가 마음에 쏙 든 나머지 처녀인 자신의 딸 다엥 하비바와 혼인시켜 사위로 삼았다.

결혼하고 3~4년쯤 지나 그는 헌신적인 아내에게서 아들을 얻어 자이누딘이란 이름을 지어주었다. 이 이야기의 시작 부분에서 멩카사르 전통 가옥에서 바다로 난 창문에 기대어 깊은 생각에 잠겨 있던 소년이 바로 그의 외아들이다.

2. 천애고아

"얘기해줘요, 아주머니. 그 옛날이야기를 다시 해주세요. 정말 듣고 싶어요."

자이누딘은 지난 몇 년 동안 자신을 돌봐준 나이 지긋한 바세 아주머니를 졸라댔다. 벌써 몇 번이나 그 이야기를 해주었지만 자이누딘은 성에 차지 않았다. 시리 이파리가 무성한 정원에 마주 앉아 오래전 벌어진 일을 재미있게 풀어 이야기해줄 때마다 귀를 쫑긋 세운 자이누딘은 한없이 빠져들었다. 그것은 그가 가장 좋아하는 이야기였다.

"네가 아주 어릴 때 일이었어."

바세 아주머니는 이렇게 운을 떼곤 했다.

"네가 아직 바닥을 엉금엉금 기어 다닐 때였지. 나는 네 엄마 머리맡에 앉아 약을 떠먹여드리고 있었단다. 불규칙한 호흡은 더욱 가빠왔고 죽음을 피할 길 없어 결국 이 세상을 곧 떠나야 한다는 사실에 엄마는 무척 슬퍼했지. 네 아빠는 엄마 침대 가까이에서 베개에 얼굴을 파묻고 있었어. 너는 그때 태어난 지 고작 9개월 되었는데 그 어린 나이에 그런 불행을 겪어야 한다고 생각하니 나도 눈물이 쏟아졌단다. 갑자기 네 엄마가 내 손을 꽉 쥐길래 가까이 다가갔더니 내 머리를 잡고 귀에 이렇게 속삭이는 거야. 아, 그때 이미 네 엄마는 목소리를 잘 내지 못했어. '바세, 우딘[15]은 어디 있어요?' '여기 있어요, 아씨.' 나는 너를 엄마에게 데려갔지. 그래, 자이누딘! 너는 그때 여전히 천진난만하게 웃고 있었어. 엄마가 돌아가시면 영원히 너를 떠나게 된다는 걸 모른 채 내 무릎 위에서 웃으며 놀고 있었지. 너를 얼굴 가까이로 데려가자 네 엄마는 뼈와 가죽만 남은 앙상한 두 팔로 네 온몸을 감싸 안더구나. 엄마에게 손을 잡힌 아빠도 퉁퉁 부은 눈을 한 채 가까이 다가왔어. 그러자 엄마는 아빠 귀에 대고 이렇게 속삭였단다. '자이누딘을 부탁해요, 여보.' '저세상에서 우리를 걱정할 필요 없어요, 여보. 편한 마음으로 지켜봐줘요. 자이누딘은 내가 꼭 책임질 테니.' '아이가 제몫을 하는 사람이 되도록 잘 보살펴주세요. 아… 그리고 조상의 땅으로 돌아가 공부를 계속하도록 도와주세요.' 두 줄기 뜨거운 눈물이 엄마의 뺨을 타고 흘러내렸지만 천진난만한 너는 태연히 보고만 있었어. 그 눈물을 닦아준 아빠는 너를 데리고 나가라며 말없이 손을 저어 보였단다. 마음을 가다듬고서 네 엄마의 임종을 맞고 싶었던 거지. 얼마 지

---

15 자이누딘의 애칭.

24

나지 않아 호흡이 멈춘 엄마는 저세상으로 떠났어. 그곳에서 분명 창조주를 만나셨을 거야. 몇 개월 동안 병상에서 죽음과 분연히 싸운 건 어린 너를 두고 차마 떠날 수 없어서였어.”

이야기를 듣던 자이누딘은 눈물을 왈칵 쏟았지만 바세 아주머니는 이야기를 이어갔다.

“엄마가 돌아가신 후 아빠는 어찌할 바를 몰랐어. 불과 4년 정도의 결혼 생활이었지만 두 사람은 정말 깊이 사랑했거든. 그런데 갑자기 신이 엄마를 아빠에게서 앗아가버린 거지. 자신에게 닥친 운명을 한탄하던 아빠는 그때 거의 미친 사람 같았단다. 그는 자주 깊은 생각에 잠겼고 거의 매일 해질 무렵이면 제라 마을에 매장한 엄마 무덤에 가 있곤 했어. 네가 아빠 무릎에서 철없이 놀고 있으면 ‘아, 우딘! 이렇게 어린 네가 이런 일을 겪어야 하다니…’라고 탄식하며 눈물지었지. 그런 네 아빠를 보는 것이 가장 마음 아팠단다. 나는 몇 년 전부터 너희 집에서 보수를 받으며 일해주고 있었지만 아빠는 나를 가족처럼 대했단다. 그래서 이 집에서 떠날 생각을 하니 마음이 무거웠어. 고향 불룩움바로는 돌아가고 싶지 않았거든. 게다가 아빠 혼자서 너를 돌볼 걸 생각하니 발길이 떨어지지 않았어. 조만간 일용할 양식을 얻기 위해 어디로든 돈 벌러 나가야 할 텐데 네 아빠는 도무지 그럴 기미를 보이지 않았거든. 엄마가 돌아가시고 몇 달 뒤 나는 아빠에게 맹카사르 사람이

25

든 다른 지역 사람이든 좋은 여자를 만나 재혼하라고 했지. 하지만 네 아빠는 고개를 가로저을 뿐이었어. 우딘, 네가 다 크기 전에는 재혼할 마음이 없다는 거야. 아빠는 이렇게 말했지. 자기 심장의 절반은 엄마가 무덤 속으로 가져가버렸고 이제 자신은 남은 절반의 심장만 가지고 이 세상을 살아간다고. 그러고도 남았을 거야. 아빠는 그토록 엄마를 사랑했단다. 아빠는 외지인 파당 사람으로, 살인죄로 유배형을 마친 사람이었어. 12년 동안 감옥 생활을 하면서 그의 마음은 황폐해졌고 사람을 용서할 줄도 모르고 신조차 두려워하지 않는 거친 사람이 되어 있었어. 하지만 그가 형기를 마치고 풀려났을 때 네 할아버지는 아빠를 맞아주었고 엄마와 혼인까지 시켜주었어. 폭력으로 일그러진 아빠의 성품을 다시 부드럽게 만든 것도 엄마였고 메카의 성소를 향해 아빠의 고개가 향하도록 만든 것도 엄마였단다. 신 앞에 자신의 모든 죄와 잘못을 고백하고 용서를 빌도록 가르쳤지. 아, 자이누딘! 만약 네가 엄마 얼굴을 자세히 들여다보았다면 한없이 연약한 여인이었겠지만 그 눈가 언저리에는 아빠가 갈구하던 희망이 담겨 있었단다. 아가야, 네 엄마는 네 아빠에게는 여왕이었다. 엄마는 고귀한 집안의 후손이었어. 이곳 줌판당[16]에 처음 이슬람을 전

---

16   남부 술라웨시 주도 마카사르의 또 다른 이름.

파한 다툭 리 판당과 다툭 리 티로 가문 말이야. 엄마는 비록 학교를 다니진 않았지만 높은 덕목을 갖춘 귀족 여인이었어. 당연히 가문 전체가 아빠와의 혼인을 찬성하지 않았지. 그래서 그 혼인을 강행한 네 할아버지 다엥 마니피에게 비난이 쏟아졌고 결국 가문의 연까지 끊기고 말았단다. 네 아빠가 말하던 게 아직도 기억나는구나. '너무 밑지는 장사로 당신 희생이 컸소, 하비바.' 그 말에 네 엄마는 이렇게 대꾸할 뿐이었어. '희생이라 할 만한 게 있나요? 당신, 별소리를 다 해요.' 그게 다였단다. 세월은 그렇게 흘렀지. 나는 여전히 집에서 너를 돌봤고 아빠는 사방을 돌아다니며 그 유명한 파당의 픈착[17] 호신술을 가르치거나 가끔은 주술과 관련된 일을 봐주기도 했지만 나중에 가장 좋아한 건 종교를 가르치는 일이었어. 그의 복장도 출소하던 당시와는 비교할 수 없을 만큼 바뀌었지. 그는 더 이상 머리띠를 두르지 않았고 대신 무슬림이 사용하는 파당식 코피아 모자를 쓰고 하의에는 사룽 천을 둘렀는데 네 아빠 말에 따르면 파당 모스크에서 지내는 시악 사람 복식을 따른 거랬어. 그리고 반쪽 심장만 가지고 이 세상을 살아간다는 아빠 말은 사실이었어. 실제로 파당의 친인척들로부터 고향으로 돌아오라는 편지를 받은 일도 있었어. 전통과 관례에 따라

17　말레이-인도네시아 문화권의 전통 무술.

마땅히 *그가* 물려받아야 할 다툭 만타리 라비란 세습 호칭을 고향의 다른 사람이 대신 사용하고 있을 리 없었지. 하지만 미낭카바우에서는 고향 여인과 혼인하지 않으면 부끄러운 약점이 된다고 해. 타향에서 아내를 얻는 것은 애당초 존재하지도 않은 사람 취급을 받겠다는 것과 다름없대. 그런데 네 엄마가 죽었다는 소식을 어떻게 들었는지 고향으로 돌아오라는 편지가 끊이지 않았어. 네 아빠는 고향의 텔룩바유르 부두[18]와 바다 멀리서도 보이는 므라피산을 다시 보고 싶은 그리움 때문에 심장이 날카로운 칼날에 찢기는 듯한 심정이라고 나한테도 여러 번 얘기했단다. 하지만 네 엄마의 무덤과 스승의 무덤을 두고 떠날 수 없다고 했지. 너를 파당으로 데려가는 건 더더욱 원치 않았어. 멩카사르 여인에게서 얻은 아이를 친척들이 받아들일지, 아니면 결코 용납하지 않을지 알 수 없었기 때문이지. 풍문에 따르면 거기 관습은 여기 멩카사르와 아주 다르다고 하더구나. 네가 아기일 때 아빠는 칭얼거리는 너를 안아 달래면서 하늘을 올려다보곤 했어. 그가 〈세란티〉 선율에 자장가를 실어 노래하며 너를 달랠 때면 비록 내가 파당 방언을 잘 이해하진 못하지만 온몸에 솜털이 일어날 정도로 감동적이었어. '바세, 마음의 상처를 치료하는 약은 두 가지뿐이에요.' 네 아빠는 나

---

18   바유르만(灣) 파당에 소재한 부두.

한테 그렇게 말하곤 했지. '그중 하나는 깊은 밤 홀로 알쿠란[19]을 읽는 것이고 또 다른 하나는 내 고향, 내가 그리워해 마지않는 고향 파당의 노래를 불러 우딘을 달래는 것이죠. 파당은 정말 아름다운 곳입니다, 바세. 앙사두아섬 뒤로 멀리 나가면 바다 한가운데에 푸르른 공터처럼 보이는 판단섬이 나타나죠. 굽이치는 듯한 그곳 부두는 신이 직접 만든 피조물이라 해도 과언이 아닐 거예요. 그 모습은 내 조상들이 지어 부르던 노래에도 등장합니다. 그 가사를 떠올릴 때마다 나는 하비바 생각이 더욱 간절해져요.

앙사두아섬 뒤로 돌아 나가면
바다 한가운데 동떨어진 판단섬
한 몸이던 형제가 찢겨나가니
저 멀리 동생 모습 더욱 그립네.

하지만 신은 아빠가 네 커가는 모습을 끝까지 지켜보는 걸 허락하지 않았어. 네가 쪼르르 돌아다니며 놀기 시작하고 아빠와 엄마의 사랑을 듬뿍 받아야 할 나이가 되었을 때, 그리고 아빠의 사랑이 온전히 너에게만 집중되어야 할 시기에 덜

---

19   코란. 이슬람 경전.

컥 돌아가신 거야. 아무도 예측하지 못한 순간 아빠는 훨훨 하늘로 날아가듯 세상을 떠났어. 어느 목요일 저녁, 밤이 내렸을 때 평소처럼 매트를 깔고 그 위에서 신에게 기도하며 모든 죄를 회개하던 중 갑자기 돌아가신 거야. 그때 너는 벌써 슬픔이 뭔지 알 만한 나이가 되어 있었지. 너는 아빠를 애타게 부르고 애도하며 눈물을 뿌렸단다. 네 아빠는 죽기 몇 달 전부터 이미 오래 살지 못하리란 예감이 들었나 봐. 나한테 이렇게 말한 적이 있거든. '만약 내가 죽으면 자이누딘은 어떻게 하죠?' '내가 돌보면 되죠, 선생님.' 나는 그렇게 대답했어. '그렇죠. 하지만 내가 남길 유산은 그리 많지 않고, 우딘은 당신한테 분명 큰 짐이 될 거예요.' '그런 소리 하지 마세요, 선생님. 내가 뭘 먹든 자이누딘도 그걸 함께 먹으면 돼요.' 어느 날 아빠가 나를 부르더니 열쇠 한 묶음을 주면서 이렇게 말하더라. '이제부터 여긴, 바세, 당신이 관리하세요. 이 열쇠들도 당신이 맡아두고요. 이 흰색은 농 열쇠인데 그 안에 작은 상자가 하나 있어요. 하지만 내가 죽기 전에는 절대 열어봐서는 안 됩니다.' 나는 네 아빠의 말을 철저히 지켰어. 아빠가 돌아가신 뒤 상자를 열어보니 그 안에는 '자이누딘이 장성할 때까지의 보호자에게' 라고 아랍어로 적힌 작은 편지가 들어 있었어. 그 편지 옆에는 1천 루피아쯤 되는 지폐 뭉치가 있었지. 그 돈으로 너를 키우고 네 학비를 내고 있는 거야. 네가 이렇게 클 때까지….”

바세는 안으로 들어가 상자를 열어 보여주기로 했다. 그녀는 상자를 아무렇게나 열지 않았다. 나이 많은 그녀는 익숙한 무속 격식에 따라 멩카사르 특유의 향기가 섞인 막대 향을 먼저 태운 뒤 상자를 열고 지폐 뭉치 몇 개를 꺼내 자이누딘의 얼굴 앞에 내밀었다. 돈은 천 루피아가 아니라 거의 2천 루피아는 되어 보여 자이누딘은 의아했다.

"바세 아주머니, 돈이 왜 이렇게 많아졌어요?"

"내가 장사를 좀 했는데 운이 좋았단다. 장사 이윤만으로 네 학비를 낼 수 있었거든."

"아, 이 은혜를 어떻게 갚아야 하죠?"

자이누딘은 감격했다.

"딱 하나 방법이 있는데 나중에 내가 죽으면 목요일 밤마다 야신의 서(書)[20]를 읽어주렴."

자이누딘은 아주머니에게 다가가 이마에 입을 맞추며 기원했다.

"축복받은 여인이여, 아무쪼록 알라의 가호가 당신과 함께하시기를."

---

20 코란 36장. 주로 망자를 위해 낭독하는 경우가 많다.

3. 조상의 땅을 향해

"바세 아주머니, 여기 멩카사르에 남아 있는 한 내 세계는 비좁기 그지없어요. 넓은 세상은 저 멀리 있고 내세에 대해 가르침도 없는 이 숨 막히는 곳에서 내가 무슨 지식을 얻겠어요? 아빠와 엄마의 꿈을 이루게 해주세요. 나를 파당으로 보내줘요. 사람들 말로는 그곳에는 종교학교도 있고 내세에 대한 가르침도 훌륭하대요. 게다가 거기 싱갈랑산과 므라피산 정상에 오르면 얼마나 행복하겠어요? 나는 내 뿌리가 있는 곳을 직접 보고 싶어요. 아버지의 땅, 조상의 땅을 보고 싶다고요. 바세 아주머니, 파당이 멋진 곳이라고 말하는 사람이 많아요. 이슬람도 거길 통해 여기까지 들어왔다고 해요. 그곳에 갈 수 있도록 허락해주세요."

바세 아주머니는 수양아들이 끝없이 재잘거리는 소리를 들으며 한동안 생각에 잠겼다.

"보내주세요, 아주머니. 크게 걱정하실 것 없어요."

"어떻게 걱정하지 않을 수 있겠니? 어떻게 마음이 무겁지 않겠어? 너를 어릴 때부터 내 무릎 위에서 키웠는데. 나는 너랑 떨어져선 한시도 살 수 없을 것 같아. 게다가 네가 건너가려는 그 먼 데가 어떤 곳인지, 네게 맞는 곳인지도 알 수 없잖니? 아, 아가야, 네 엄마는 나와 형제 같았고 네 아빠는 내가 주인님처럼 여겼어. 나는 가난한 집안 출신이야. 아가, 하지만 오랫동안 네 아빠와 엄마를 알고 지낸 것이 얼마나 다행인지 몰라. 이제 네가 떠나고 나면 나는 누구를 품에 보듬고 누구를 바라며 살아야 하니? 그리고 너는 거기 도착하자마자 멩카사르를 완전히 잊고 말 거야. 아가야, 나는 그게 걱정이란다. 내가 만약 네 엄마의 유언을 지키지 않아도 된다면, 네 아빠의 꿈을 이루어드리지 않아도 된다면 너를 못 가게 하고 공부도 멩카사르에서 계속 시키고 싶구나."

"바세 아주머니, 우리 마음을 단단히 먹어야 해요. 이 세상 인과관계 속에서 영원히 슬픔도 이별도 없이 살아갈 사람은 아무도 없어요. 메카로 순례를 떠나는 이들에게도 사람들이 눈물을 보이곤 하지만 그렇다고 이별의 슬픔 때문에 순례를 연기하진 않잖아요."

"물론 그렇지."

바세 아주머니는 마지못해 대답했다.

결국 둘은 자이누딘이 아버지의 피붙이를 찾아 조상의 땅을 방문하고 세상과 내세에 대한 지식을 더하기 위해 파당으로 떠나는 것에 의견을 모았다. 물론 나중에 상황이 허락하면 멩카사르로 반드시 돌아온다는 단서를 붙였다. 바세 아주머니는 매트리스와 짐을 담을 나무 상자, 배에서 쓸 담요 등 아이

33

를 떠나보내기 위한 모든 물품을 직접 준비했다.

출발 당일, 배는 오후 5시에 출항할 예정이었다. 아침 9시에 자이누딘은 바세 아주머니와 함께 제라 마을에 있는 아버지 어머니 묘소를 찾아 하직 인사를 올린 뒤 집으로 돌아왔다. 점심식사를 하고서 바세 아주머니는 농 안에서 돈이 든 작은 나무 상자를 꺼내 그에게 내밀었다.

"이 돈을 전부 가져가거라. 이건 네 마땅한 권리고 네 아빠의 피와 땀이 담긴 거야."

"아니, 왜 이러세요, 아주머니? 이 돈은 평소처럼 장사하는 데 종잣돈으로 쓰세요. 나한테 필요한 건 파당까지 갈 뱃삯뿐이에요. 그 돈으로 장사해서 이익금으로 아주머니 필요한 것을 사고 나에게는 파당에서 쓸 생활비 정도만 보내주세요. 한 달에 20루피아, 아니 15루피아 정도면 돼요. 이 작은 집과 앞마당도 잘 지켜주시고요. 이 집은 우리 둘이 공동으로 소유한 거라고 생각하세요. 그래서 누구든 먼저 눈을 감으면 남은 사람이 유산으로 받는 거예요. 아주머니가 계속 여기 멩카사르에 머물면 좋겠어요. 불룩움바에 특별히 다른 할 일이 있는 것도 아니잖아요."

바세 아주머니는 재산 문제에 대해 자이누딘이 결정하는 것을 보고 감동해 말을 잇지 못했다. 그가 그토록 속이 깊은 줄 몰랐다. 그녀는 처음부터 모든 돈과 재산을 돌려줄 생각이었다. 젊은 시절 멩카사르에 흘러들어온 그녀의 머리에는 어느새 서리가 하얗게 내려앉았다. 그녀는 아직 빈곤에서 벗어나지 못하고 있는 불룩움바의 가족에게 돌아가야겠다고 마음먹었지만 자이누딘의 결정이 너무나 확고해서 반박할 수 없었다.

오후 5시에 출발하는 배는 수라바야, 스마랑, 자카르타, 벵쿨루를 거쳐 파당까지 가는 여정이었다. 출항 시간이 되자 바세 아주머니는 배 위까지 올라 자이누딘을 배웅했다. 둘은 부둥켜안고 한참을 울었는데 바세 아주머니는 다시는 자이누딘을 볼 수 없을 거란 생각에 마음이 한없이 무거웠다.

"이제 그만 울어요, 아주머니. 그렇게 울면 내가 이 넓은 바다를 건너가는 걸 주저하게 되잖아요. 내가 큰 꿈을 품고 떠난다는 걸 기억해주세요."

"내가 늙은이라서 그렇단다. 도무지 마음을 주체할 수가 없구나. 여자는 결국 눈물 말고는 줄 수 있는 게 없어. 게다가 이제 다시는 보지 못할 것 같다는 생각이 자꾸 드는구나. 내 등이 이렇게 굽은 걸 봐. 더 두려운 건 파당의 가족이 너를 제대로 반기지 않으면 어쩌나 하는 거야."

"아, 설마요. 그런 걱정은 하지 마세요. 나는 판데카르 수탄의 합법적인 아들이잖아요."

"그럼, 그렇고말고. 하지만 사람들 말이 파당에는 파당의 법칙이 있다는구나."

"아주머니, 염려할 것 없어요. 멩카사르 속담도 있잖아요. 사내아이를 너무 간섭해서는 안 되는 법, 노력 없는 삶이란 없다, 방향타를 중앙에 놓고 전진하기로 했으면 아무리 큰 파도가 와도 물러서지 마라, 키가 부러지고 돛이 찢어져도 돌아서는 건 부끄러운 일⋯."

배가 기적 소리와 함께 출항을 알렸다. 전송 나온 사람들이 배에서 내려야 할 때 바세 아주머니의 두 뺨이 또다시 눈물로 젖었다. 얼마 지나지 않아 배가 부두에서 멀어지기 시작하자 배와 육지에서 사람들이 흔드는 손수건만이 공중에 나부꼈다. 점점 더 멀어지면서 사람들은 하나둘 집으로, 객실로 돌아갔지만 자이누딘은 난간에 기대어, 자신을 오랫동안 키워준 유모가 선착장 울타리 가장자리에 돌이 된 듯 서 있는 모습을 한동안 바라보았다.

한참 뒤 라야라야섬이 거의 보이지 않게 되었지만 해변 쪽으로 고개를 돌리니 캄풍바루 마을 가까이 사람들 발길이 드문 고요한 바닷가에 그가 태어난 집이 선명히 보이는 듯했다. 그다음 갈레송도, 바와카라엥산도, 롬포바탕산의 정상도 더 이상 보이지 않았고 말리노마저 안개 속으로 사라져갔다.

그는 후미로 자리를 옮겨 서쪽으로 가라앉는 태양이 수평선을 바틱 문양으로 물들이고, 고귀한 다이아몬드나 값비싼 진주 같은 반짝임으로 장식한 붉은 기운이 엄청난 규모로 동쪽과 서쪽 하늘 언저리를 따라 번져가는 것을 바라보았다. 잠시 후 그 붉은색은 밤의 군대에 속절없이 패퇴했고 아직도 저 멀리 아련히 보이는 멩카사르 항구의 불빛은 마치 아기 천사의 영광처럼 점멸하면서 그 보일 듯 말 듯한 그림자를 바다에 드리웠다.

태양의 위대함이 스러지자 롬포바탕산 정상으로 살며시 떠오른 보름달이 온 세상을 밝히면서 아름다운 멩카사르, 수많은 사연과 역사가 숨쉬는 그 도시에 빛을 뿌렸다. 권능왕 하사누딘 아왈룰 이슬람, 처음으로 줌판당에 신앙고백을 전파했고 다툭 티로, 다툭 리 판당, 다툭 파 티만 등으로 이어져 내려오는 가문의 증표를 받은 제왕 만티로 리 아가마나의 영광이 빛나는 곳, 그 멩카사르 말이다.

희뿌연 파도
바다에서 밀려오는데
흰 손수건 나부끼던
멩카사르 땅은 이미 저 멀리.

4. 아버지의 고향

자이누딘은 목표한 파당판장에 도착하자마자 곧바로 바티푸 마을로 걸음을 재촉했다. 도중에 사람을 만나 물어본 바그곳이 아버지의 진짜 고향임을 알게 되었기 때문이다. 자이누딘이 아버지의 친척들을 만나 자신이 누구인지 밝히자 사람들은 갑자기 하늘에서 별이 떨어지기라도 한 것처럼 생각지도 못한 건장하고 잘생긴 청년의 출현에 난리법석을 떨었다.

미낭카바우 관습에 따르면 자이누딘처럼 아버지가 밖에서 낳아 온 자식을 '아낙피상'[21]이라 불렀다. 그곳 사람들이 새로 온 사람을 대하는 유별난 방식은 많이 알려져 있다. 하지만 겉만 번지르르한 정중함과 입바른 소리는 금방 싫증을 느끼게 한다. 그는 형제가 없고 아버지도 여자 형제가 없기에 그나마 가문에서 아버지와 촌수가 가까운 친척집에서 지내게 되었다.

마침내 꿈에 그리던 곳에 도착한 자이누딘은 처음에는 기쁨에 들떠 있었다. 하지만 한 달 또 한 달이 지나면서 그가 상

---

21   '바나나 아이'란 뜻으로, 바나나는 잔퉁피상(바나나나무의 심장)이란 곳에서 맺혀 자라난다. 미낭카바우 사람으로 인정하지 않는다는 의미가 깔려 있다.

상해온 것과 마주치는 현실이 다름을 깨달으면서 그 기쁨도 사라져갔다. 바세 아주머니의 헌신적인 마음이나 어머니와 아버지의 사랑 같은 것을 거기서는 느끼지 못했다. 물론 그곳 사람들이 그를 싫어한 것은 아니었다. 좋아하긴 하지만 겉과 속의 느낌이 사뭇 달랐다. 그는 마음속으로부터 온전한 미낭카바우 사람의 자식이라고 자부했지만 그곳 사람들은 여전히 그를 방문객, 외지인, 부기스족, 멩카사르 사람으로 치부했다.

하지만 자이누딘은 우울한 모습을 감춘 채 사람들이 논으로 가면 같이 가서 도와주고 불모지를 개간하러 가면 거기도 따라가 도와주었다. 그들과 종교 공부를 함께하는 것도 잊지 않았다. 그는 온건한 교육을 받은 사람으로 예술과 시에 조예가 깊었고 다른 사람의 필요를 먼저 챙기는 성품이었다.

어느새 그는 바티푸 마을에 산 지 6개월이 되었고 이제 밖으로 난 이웃집 부엌 문간에 앉아 또래 청년들과 허물없이 농담을 주고받는 사이가 되었다. 하지만 그들은 여전히 그를 자기들과 똑같은 사람으로 보지 않았고 늘 뭔가 조건이 좀 빠지는 사람 취급을 했다. 많은 시간이 지난 뒤에야 그는 비로소 자신이 배를 타고 떠나던 날 미낭카바우에는 미낭카바우만의 법칙이 있던 바세 아주머니의 말뜻을 깨달았다.

이곳의 법칙은 어머니의 가문을 따르는 것이다. 다른 지역 같으면 아이가 아버지의 가문과 부족을 잇는 게 당연하지만, 어머니가 다른 지역 사람이면 그게 타파눌리나 벵쿨루처럼 아무리 가까운 지역이라 해도 외지인 취급을 하는 게 미낭카바우의 법칙이었다. 그래서 그 운수 사나운 아이는 어머니의 고향에서도, 아버지의 고향에서도 객이 되고 만다.

자이누딘으로서도 스스로 파당 사람이라고 자신 있게 말하기에는 그의 혀가 미낭카바우 방언을 제대로 구사하지 못했다. 그 족속으로 인정받지 못했으므로 가문의 호칭조차 물려받을 수 없었다. 만약 그가 엄청난 부자라면 아버지의 가족으로부터 호칭을 하나 빌려 사용할 수도 있겠지만 빌린 호칭은 자식에게 상속할 수 없었다. 호칭을 받는다 해도 이를 위해서는 우선 나라에 밀린 세금부터 내야 하고 황소와 물소를 잡아 잔치를 벌이고 친인척은 물론 행사를 집전할 이슬람 울라마를 장터 한가운데로 모셔와 바글거리는 북새통에서 그 호칭을 다 같이 외치는 절차를 거쳐야 한다.

처음 그는 자신이 미낭카바우에 도착하면 할머니와 할아버지를 만나 후사를 이을 정당한 손자로서 그 집 밥을 얻어먹을 것이라 생각했다. 하지만 실제로는 그가 도착하자 사람들이 할머니를 좀 찾아보다가 뜬금없이 라당라와스 지역에 사는 어떤 사람에게 가보라고 했다. 그곳 작은 모스크에서 다툭 판두카 에마스라는 노인을 만났는데 그는 "오, 아민 녀석이 멩카사르에서 아이를 하나 남겼는가…"라고 중얼거리며 그를 데면데면 대했고 더 이상 아무 말도 없었다.

더욱이 그녀에게는 손자를 데리고 살겠다고 결정할 권한조차 없어 우선 집안사람들의 동의를 구해야 했다. 하지만 판데카르 수탄인 아민도 친인척과 관계가 소원했는데 하물며 부기스 사람인 아들이 환대받을 리 없었다. 할머니를 만난 것도 그때가 처음이자 마지막이었다. 할머니는 그 후 그를 다시 찾지 않았다.

그는 가슴이 답답해졌다. 진정한 문명이 있는 아름다운 땅 멩카사르의 모습과 순한 파도가 일렁이는 바다, 스쳐 지나가는 선박과 만다르 조각배가 눈앞에 선하게 떠오르면서 그는 곧바로 그곳으로 돌아가 그리운 바세 아주머니를 만나야겠다고 생각했다.

그러나… 신이 인간에게 품은 의도는 인간 스스로의 뜻과 꼭 일치하는 것은 아니다. 자이누딘은 벌써 미낭카바우가 지루해지기 시작했지만 곧 그 지루함이 사라져버리는 사건이 벌어지는데, 이는 인간이 살아가는 매일이란 스스로 만들어내는 것이 아니라 신이 쓴 각본대로 따라가는 것이기 때문이다.

아버지의 친척집에서 얼마 떨어지지 않은 곳에는 미낭카바우 관습에 따라 네 개의 곤종(gonjong)이 뿔처럼 높이 솟은 지붕과 야자 껍질에서 뽑아낸 섬유를 묶어 만든 이죽(ijuk)으로 지붕을 엮고 주석으로 마감하여 아름답고 튼튼하게 지

41

어진 전통 가옥이 한 채 서 있었다. 역시 곤종 지붕을 한 테라스 형태의 현관이 건물 앞뒤로 만들어져 있고 앞마당에는 원두막 비슷한 형태의 곳간이 네 개 지어져 있었다. 넓은 마당은 타작할 벼를 햇볕에 말리기 적합해 보였다.

집의 형태나 좌우 곤종 지붕 아랫부분에 표시된 칼집 없는 검 문양을 보면 이 집 주인이 공동체 규범을 철저히 지키는 사람이며 아마도 바티푸아타스나 바티푸바루 지역에서 가문을 일군 바티푸의 레겐이나 투안 그당의 후손인 듯했다. 예로부터 전통과 관례가 아직까지 맹위를 떨치는 서부 수마트라에도 교육에 대한 열정과 좀 더 체계화된 종교가 밀물처럼 들어왔지만, 그렇다고 사람들 마음속에 견고히 자리 잡은 전통 건축양식까지 포기하게 만들지는 않았다.

아직도 나이 든 여성들은 조카 여자아이가 공부하러 다니는 것을 마뜩잖아 했다. 하지만 이제 그런 것은 걸림돌이 되지 않았다. 소녀들은 매주 금요일 옆구리에 책을 끼고 슬렌당 스카프를 두르고서 하녀들을 잔뜩 거느린 채 쏟아져 나와 공부하러 다녔다. 그들 중 어떤 이는 라당라와스로, 어떤 이는 구눙으로, 또 어떤 이는 파당판장으로 향했다.

아직 소녀티를 벗지 못한 하야티는 위대한 자연이 빚어낸 아름다움, 므라피산의 물결치는 능선, 강고한 전통적 아름다움과 당대의 미학이 어우러진 결정체라 할 만한, 바로 그 전통 가옥에 피어난 한 떨기 꽃 같은 여인이었다. 그때까지만 해도 하야티란 흔한 이름이 아니었다. 예전 미낭카바우 여자아이들은 친타 불리, 사바이 난 알루이, 탈리푹 라유르 같은 이름뿐이었다. 그래서 하야티의 존재는 관습법이 위력을 발휘하는 미낭카바우 세계에서 당시 밀려들고 있던 새로운 변화가 투영된 한 단편이기도 했다.

자, 그럼 하야티가 자이누딘과 만나게 된 이야기를 어디서부터 시작할까? 아름다운 자연을 배경으로 둘이 길에서 마주쳐 지나치던 장면에서부터? 끝없이 이어지는 논두렁길? 바탕가디스강에서 숨푸르 호수로 흐르던 개울 소리부터? 아니면 드넓은 논 한가운데 있는 원두막에 내려앉은 참새 떼가 한꺼번에 날아오르던 순간? 막 수확을 마친 논에서 짚을 태운 연기가 공중으로 피어오르고 한 조각 구름이 아름다운 므라피산 정상에 내려앉을 때? 아니면 어렵사리 정글을 가로질러 높은 철교를 지나 사와룬토를 향해 싱카락 호수를 끼고 돌던 기차가 긴 기적 소리를 울릴 때?

그들이 서로 알게 된 배경과 이유를 어디서부터 설명해야 할까?

외지에서 온 젊은 청년, 멩카사르에서 온 한 부기스 젊은 이가 그의 아버지 쪽 친척 자밀라 아주머니 집에서 살고 있다는 이야기는 바티푸 마을 처녀들 사이에 화젯거리였다. 청년은 성품이 올바르고 겸손하며 사교성도 좋아 사람들이 그를 좋아할 뿐 아니라 이름 있는 이슬람 선생 레바이에게 사사받아 높은 학식을 가졌다고 알려져 있었다. 한편으로 그는 생각이 깊고 동정심도 많은데 이상하게도 넓은 논 한가운데에 혼자 있길 좋아하고, 고요하면서도 뭔가 속삭이는 므라피산을 즐겨 마주 바라보곤 한다는 것이다. 소녀들에게는 그가 외지인이란 사실이 너무 아쉬웠다.

하야티가 그를 처음 만난 것은 폭우가 쏟아지던 날이었다. 파당판장은 더운 날보다 비 오는 날이 많았다. 그들이 에코르루북에서 바티푸 마을로 돌아가는 길에 갑자기 장대비가 쏟아지기 시작했다. 자이누딘은 우산이 있었지만 하야티와 그녀의 친구는 둘 다 우산을 가져오지 않았다.

그날은 비가 많이 내렸다. 바람을 동반하지 않은 비는 처음에는 금방 그칠 것 같았는데 계속해서 쏟아졌다. 그들은 길가 작은 가게의 차양 밑에 서서 하늘에서 땅으로 직선을 그으며 떨어지는 물방울 하나하나가 공터에 쌓아둔 모래 더미로 내리꽂히는 것을 하염없이 바라보았다. 하필이면 지나가는 마차도 한 대 없었다. 그들은 오후 2시부터 4시까지 꼼짝없이 거기 서서 비가 그치길 기다려야 했다.

그런데 우산을 가지고 있던 자이누딘은 왜 그냥 가지 않고 거기서 함께 기다렸을까?

비록 인사를 나눈 사이는 아니지만 그는 같은 바티푸 마을 사람인 그녀들과 안면이 있었고 누군지도 잘 알았다. 그래서 매정하게 버려두고 가고 싶지 않았다. 여자들도 그가 누군지 알고 있었지만 아직 정식으로 서로 소개하지 않은 사이여서 감히 말을 걸 용기가 없었다.

그날 오후가 깊어지면서 자이누딘이 용기를 냈다. 비가 오는데도 땀을 뻘뻘 흘리며 앞으로 나선 그는 하야티에게 말을 걸었다.

"저… 아가씨!"

하야티는 말없이 침착하게 그를 응시하며 다음 말을 기다렸다.

"제가 좀 도와드려도 될까요?"

"그쪽에서 뭘 도와주신다는 거죠?"

"아가씨 먼저 바티푸로 가세요. 너무 늦게 돌아가면 삼촌과 어머니가 화내실지도 모르잖아요. 이 우산을 쓰고 지금 바로 출발하세요."

"고맙습니다만…."

하야티가 경계하는 기색을 보이자 갑자기 가게 주인이 대화에 끼어들었다.

"아가씨, 도움을 거절하지 마세요. 선의는 거절하는 게 아니랍니다."

"그럼 그쪽은 어떻게 하시려고요?"

그렇게 묻는 하야티도, 그녀의 친구도 수줍게 얼굴을 붉혔다.

"아, 그건 걱정하실 필요 없어요. 남자들한텐 간단한 일이에요. 비가 그치지 않아 밤 7시, 8시가 되더라도 집에 가는 데엔 아무 문제 없거든요. 그러니 먼저 출발하세요."

"그럼 이 우산을 어디로 갖다드리면 되죠?"

"내일 돌려주셔도 돼요. 자밀라 아주머니 댁으로 보내주세요."

"친절을 베풀어주셔서 감사합니다."

인사를 건네는 하야티의 입가에 초승달 같은 미소가 살짝 떠올랐다.

"겨우 그 정도 도움에 고맙다니 과분합니다."

두 여자는 함께 우산을 쓰고 아직도 퍼붓는 빗속으로 천천히 걸어 들어갔다. 자이누딘은 거기 선 채 비가 그치기를 기다리며 생각에 잠긴 듯 보였지만 그의 마음은 내내 천지 사방으로 마구 내달렸다. 그의 머릿속에 아까 그 우산과 세찬 빗줄기가 그려지더니, 우기가 되면 40일간 태양을 볼 수 없는 맹카사르의 모습도 떠올랐다. 하지만 가장 오래 선명히 눈앞에 떠오른 것은 우산을 빌려 가던 하야티의 모습이었다. 같이 놀던 친구들이 자주 화제로 삼아 칭찬해 마지않던 하야티는 그런 모습을 하고 있었다.

아, 저 사람과 알고 지낼 수 있다면 얼마나 좋을까? 알고 지내는 것만으로 충분해. 그녀는 맑은 얼굴과 순결한 비밀을 가득 담은 눈망울을 가졌으니 심성도 해맑을 게 분명해. 저런 여자가 만약 멩카사르에 있었다면… 아!

마침내 비가 그치자 그는 평소보다 빠른 속도로 걸음을 재촉해 바티푸로 돌아갔다. 하지만 바티푸에 가까워질수록 그의 마음속 기쁨도 점차 잦아들었다. 아버지의 친척들이 그에게 반색하는 이유는 바세 아주머니가 멩카사르에서 보내주는 돈을 매월 생활비로 내놓기 때문임을 그도 알고 있었다. 밤이 깊자 그곳 관습대로 그는 다른 청년들과 함께 모스크에 가서 잠을 청했다. 그리고 그날 밤 내내 달콤한 꿈을 꾸었다.

5. 생명의 빛

아침 일찍, 여인들이 벼를 까부를 키를 들고 논으로 나서기도 전에, 사내들이 쟁기질을 시작하기도 전에, 학생들이 학교로 출발하기도 전인 이른 시간에 작은 사내아이가 자이누딘이 지난밤 자고 일어난 모스크 앞으로 우산을 들고 찾아왔다. 자이누딘이 다가가자 아이는 "아티[22] 누나가 안부를 전하래요. 이걸 돌려주라고 했어요"라고 말하며 우산을 그의 손에 쥐여주었다.

그가 우산을 넘겨받자 사내아이는 쭈뼛거리며 편지도 한 통 전해주었다.

"이것…도요."

편지까지 받아 든 자이누딘은 당황한 채로 모스크로 돌아왔다. 친구들은 마침 모두 각자의 일터로 출발한 뒤였다. 그는 조심스럽게 편지를 열어보았다.

자이누딘 님

이 아이 편에 어제 빌린 우산을 돌려보냅니다. 어제 도

---

22   하야티를 줄여 부른 애칭.

움 주셔서 얼마나 감사했는지 그 마음을 말로 다 표현
할 길이 없어요. 우선, 비 오는 날 우산을 챙기지 못한
건 저였는데 잘 모르는 여자아이를 위해 오히려 온몸
이 젖도록 그 비를 맞으셨네요. 더욱 감사한 일은 그간
훌륭한 성품을 지닌 것으로 잘 알려진 분과 인사와 대
화를 나눌 수 있었던 거예요. 어제는 비만 내린 게 아
니라 축복도 함께 내린 것이라 생각하고 있습니다.
베푸신 은혜에 조만간 보답할 수 있길 기원합니다.
하야티

자이누딘은 편지를 조심스럽게 주머니에 넣었다. 겸허한
진심이 담긴 그 편지에 그는 어떤 주석이나 의미도 달 수 없었
다. 정갈한 말투는 감미로우면서도 직설적이었다. 그는 모스크
에서 아버지의 친척 자밀라 아주머니 집으로 돌아왔다. 식사
후 해가 지팡이 높이까지 떠올라 마을은 조용해지고 대신 논밭
이 북적거리기 시작할 아침 9시경, 함께 따라 나가 일할 의욕
을 잃은 자이누딘은 홀로 집 안에 앉아 있었다. 마침 금식월이
다가와 종교 교육을 하는 곳들은 진작 문을 닫은 상태였다.

자이누딘은 그날따라 더욱 푸르른 하늘을 홀린 듯 바라보
았는데, 마침 어제 비가 와서 므라피산 정상이 선명히 보였고
노랫소리 같은 바탕가디스강의 물 흐르는 소리가 끊임없이

49

들려왔다. 멀리 넓은 들판으로부터 목동의 노랫소리가 들리자 그는 자밀라 아주머니에게 허락을 구한 뒤 논이 몰려 있는 곳을 향해 공터를 가로질러 내달렸다. 낫질하는 사람들, 이삭을 터는 사람들, 그리고 짚단을 태우는 이들도 보였다. 이쪽 논둑에서 저쪽 논둑으로 건너뛰던 그는 사람 없는 원두막에 잠시 앉아 투이 언덕과 고요한 숨푸르 호수, 잔뜩 자라난 사탕수수밭에 물결치듯 일렁이는 바람결이 멀리서도 선명한 싱갈랑산을 응시하며 잠시 깊은 생각에 잠기기도 했다.

그는 한 노인이 벼를 베고 있는 논에 다다랐다.

"어이, 자이누딘, 자네 어쩌다 여기까지 왔나? 낫질 좀 할 줄 아는가?"

노인이 알은체를 했다.

"할 줄 압니다, 어르신."

그는 공손히 대답했다.

"멩카사르에도 벼가 많이 나는 모양이지?"

"멩카사르 시내에는 논이 없지만 그곳에서 조금만 나가면 온 천지가 논이에요. 멩카사르 사람들도 쌀이 주식이고 말로스, 팡가제네, 시덴렝 등에서 벼농사를 많이 지어요."

노인이 다시 일에 집중하기 시작하자 이번에는 자이누딘이 물었다.

"왜 어르신 혼자 낫질을 하고 계세요? 힘들지 않으세요?"

"아까 젊은이들이 잔뜩 와서 도와주고 갔네. 일도 거의 끝나가는 중이라 돌아가라 허락했지. 이걸 하는 데에 이틀이나 걸렸어. 이제 거의 준비가…."

노인은 이제 대화에 집중했다.

"그렇다네, 자이누딘. 나처럼 늙고 지쳐 더 이상 일할 수 없게 되면 무슨 수로 자식들, 손자들을 먹여 살리겠는가? 뼈마디가 흔들려 약해지고 나면 가족들이 나한테 뭘 바랄 수도 없겠지. 젊을 때 후회 없이 일해야 노후에 쉴 수 있어. 그런데 좀 쉬려 해도 손이 가만있질 않아. 손이 일하고 싶어 하는 거지."

노인은 내친김에 좀 더 이야기했다.

"오늘은 정말 멋진 날이야, 자이누딘. 저 맑은 하늘을 봐. 므라피산 정상에 구름 걷힌 걸 보라고. 이런 날이면 예전에 몸도, 뼈도, 신체가 전부 건강하고 돈도 많던 시절이 떠올라. 당시 나는 늘 기쁜 마음으로 집을 나섰고 인생의 역경과 고통 같은 것은 생각도 해보지 않았어. 고심하는 노인들을 보란 듯 비웃어주기까지 했지. 몸이 이렇게 늙고 나서야 비로소 깨닫게 되고 그때 일이 기억나는 거야. 아, 자이누딘, 자네도 훗날 언젠가 나이 먹으면 느끼게 될걸."

말을 마친 후 노인은 계속해서 벼를 베었다. 자이누딘이 도우려 하자 노인이 만류했다.

"거기 논둑에 앉아 내 말벗이나 해주게. 조금 있으면 조카가 음식을 챙겨 올 텐데 별거 없어도 함께 먹세나."

노인은 이런 질문도 던졌다.

"멩카사르 사람들은 뭘로 생계를 꾸리나? 뭘 하고 살아?"

"여러 가지요. 여기랑 마찬가지죠. 물론 거긴 바다가 가까워서 산에서 나는 것들을 배에 태워 보내는 일을 많이 해요."

"음식은 어떤 걸 먹는가?"

"바닷가에 인접한 곳이라 당연히 생선을 많이 먹어요."

"오, 여기 숨푸르 출신들도 생선이라면 환장하지."

그들이 이런 대화를 나누고 있을 때 논둑길로 한 여인이 사내아이를 데리고 나타났다. 바로 하야티와 아침에 우산을 가져온 아이여서 자이누딘은 화들짝 놀라지 않을 수 없었다. 그녀는 꾸러미 하나를 머리에 이고 손에는 커피 잎이 담긴 북처럼 생긴 또 다른 꾸러미를 들고 있었다. 자이누딘이 거기 있는 것을 보고 당황한 하야티는 얼굴을 약간 붉혔는데 자이누딘도 마찬가지였다.

"아, 저기 오는군. 저 아이가 우리 아티라네. 아까 내가 말하지 않았나?"

"네, 어르신."

자이누딘의 대답에 긴장감이 묻어났다.

"조카의 정식 이름은 하야티라네. 종교학교 5학년을 마쳤어. 여기 동생은 아마드. 학교에 다니기 시작한 지 3년째라네."

"그렇군요, 어르신. 어제 마침 파당판장에서 돌아오던 조카분을 에코르루북에서 우연히 만났습니다. 폭우가 쏟아져서…."

그 말을 하야티가 이어받았다.

"고맙게도 우산을 빌려주셨어요. 그래서 이분은 완전히 젖은 채 돌아가야 했어요."

하야티는 어제 도움받은 일의 전말을 이야기했다.

"자네, 좋은 일을 했군, 자이누딘."

"어르신도 하야티처럼 별것 아닌 일을 크게 칭찬하시는군요. 어제는 당연히 해야 할 일을 한 것뿐이에요."

하야티는 자신이 쓴 편지 내용을 떠올리며 그가 놀리는 건가 생각하는데 노인이 바나나를 으깨어 입에 넣으면서 대꾸했다.

"아니지, 자이누딘, 자네한텐 그게 사소한 행위였는지 몰라도 상대방 입장에서는 당연히 큰 도움을 받았다고 느낄 수 있지. 더욱이 자네는 우리 마을의 아낙피상 아닌가?"

낮기도 시간이 거의 끝날 즈음에 노인은 일을 마치고 두 조카와 함께 집으로 돌아갔다. 하야티는 시종 침착한 태도로 아무 말도 하지 않았다.

자이누딘은 어색해 하야티 앞에서는 입도 벙긋 못 했지만 혼자 남게 되자 걷잡을 수 없는 감정이 벅차올랐다. 그도 집으로 발길을 돌렸지만 아직 추수하지 않은 논 너머 논둑길을 걸어가는 세 사람의 모습이 여전히 눈에 가득 들어왔다.

그가 다시 주위를 둘러보자 갑자기 세상이 평소와 달라 보이기 시작했다. 흐르는 물소리는 마치 노랫소리 같았고 목동의 풀피리 소리는 마음을 달래주는 듯했으며 귓가를 스치는 바람 소리는 새로운 희망의 속삭임 같았다. 길 가다 마주치는 사람들과 습관적으로 인사를 나누었지만 그들을 지나쳐 열 걸음쯤 가서야 방금 전 인사한 게 누구인지 깨달을 만큼 그는 정신이 팔려 있었다.

그는 자밀라 아주머니 집으로 돌아갔다가 오후에 다시 모스크로 향했다. 벌써 이틀째 몸에 열이 나는 것 같았다.

'병이 난 걸까?'

그는 스스로에게 물으며 아무 생각 없이 주머니에 손을 넣었는데 아까 그 편지가 잡혔다. 편지의 내용과 그걸 보낸 사람… 하야티를 떠올리자 가슴이 두근거렸다. 그녀는 벌써 그의 세계가 되어 있었다.

이제 그가 겪고 있는 병증의 비밀을 굳이 밝히자면 그는 혼란스럽거나 미치거나 절망에 빠진 것이 아니다. 절대 그런 게 아니었다. 병명은 이미 자명했다. 아프지만 기쁘고, 즐겁지만 가슴 시린, 그래서 떼어버리고 싶으면서도 동시에 낫고 싶지 않은… 상사병이란 그런 것이다.

그 논에서 벌어진, 신이 사랑하는 두 아이의 재회는 그들의 인생을 새로운 방향으로 전개시키는 중요한 계기가 된다. 이 두 번째 만남이야말로 가슴 아픈 이야기의 시작점이기도 하다.

하야티를 알게 된 뒤로 자이누딘은 자신을 이방인으로 대하는 그 미낭카바우 땅에서 더 이상 외롭지 않았다. 미낭카바우는 이제 그가 사람들과 북적거리며 함께 살아갈, 인생의 새로운 희망을 불어넣어주는 전혀 다른 세계로 보이기 시작했다. 두 영혼은 대화를 나누기도 전에 그때 그렇게 연결되었다. 하지만 그때의 불만족스러운 감정과 긴 한숨, 그리고 마침내 상대방 얼굴을 마주 본 순간 온몸이 굳어버린 긴장감은 굳이 말하지 않아도 충분히 짐작되는 장면이다.

자이누딘은 홀로 조용히 앉아 있을 때면 시간을 한 자락 크게 오려내 오후를 앞당겨와 하야티를 빨리 다시 보기를 갈망했다. 하지만 그녀를 만나면 혀가 뻣뻣해져 하고 싶은 말을 할 수 없었다.

하야티 역시 그날 이후로 도무지 마음의 갈피를 잡지 못했다. 책가방에는 내용물 하나 빠진 게 없는데 그녀는 뭔가 중요한 것을 잃은 듯한 상실감에 빠지곤 했다.

그녀에게는 파당판장에 살면서 같은 학교에 다니는 하디자라는 친구가 있는데, 어느 날 그녀는 친구에게 편지를 한 통

보냈다. 편지 내용을 보면 그녀의 심정을 살짝 엿볼 수 있다.

나의 벗, 하디자에게

나는 맑은 하늘과 쾌적한 공기를 즐기며 이 편지를 쓰고 있어. 우리 집 여자들은 모두 논에 나가서 지금 집에는 나 혼자야. 나의 가장 친한 친구인 너를 생각하면 당장에라도 파당판장으로 보러 가고 싶은데 기회가 좀처럼 생기지 않네.

요즘 우리 마을 상황은 정말 이상하기 짝이 없어. 몇 개월 전에 청년 한 명이 멩카사르에서 왔는데 너도 기억하겠지만 이름은 자이누딘이야. 그는 아버지 쪽 친척, 그러니까 아주 먼 친척네 집에 사는데 그곳이 우리 집이랑 멀지 않아. 불쌍할 정도로 착한 사람이지만 우리 마을에서는 그가 응당 받아야 할 제대로 된 대우를 해주지 않아. 그가 아낙피상이기 때문이야.

아버지는 죄를 짓고 유배지에서 돌아가셨대. 그는 친구들과 친하게 지내지만 전통과 관례에 따라야 하는 행사가 있으면 그에게는 함께 앉을 권리조차 주질 않아. 애당초 그에게 그럴 권리가 없기 때문이지. 그의 성품에 흠결이 있어서가 아니야. 단지 그를 우리 부족이 아니라고 보기 때문이야. 친구야, 우리 관습이 너무 매정하지 않니?

그 청년이 처한 운명이 너무 안돼 보여. 아, 그냥 안돼 보인다는 것뿐이야. 다른 뜻이 아니니 오해하지 말아 줘. 우리 여자들이 불행한 운명에 처한 사람들을 보고 불쌍하게 느끼는 건 일상적인 일이잖아. 하지만 우리 여자들은 관습을 지키거나 사람들과 사귀는 일에 아무런 권리도 없으니 도와주고 싶어도 도와줄 수 없어.

너한테 보내는 편지에 다른 사람 이야기를 너무 많이 쓴 것 같은데, 하지만 이 멩카사르 청년 자이누딘의 삶과 우리의 삶 사이에는 어떤 관계가 있을까?

방학하던 날 네가 준 레이스는 거의 다 떴어. 지난 한 달 동안 마음이 복잡하지 않았다면 오래전에 벌써 끝냈을 거야. 하지만 어쩌겠어? 아무리 계획을 세워도 종일 고민만 하다 보면 결국 중도에서 멈추고 마는걸. 고민이 생기니 친구 생각이 간절해지고 앞으로 어찌 될지 모를 우리 미래에 대해 함께 얘기하고 싶어.

친구야, 시간 되면 바티푸로 건너와. 여기서 밤새 함께 지내자. 우리 집에서 지낸다고 하면 너희 삼촌이랑 엄마가 반드시 허락해주실 거야.

하야티

이 편지에서 다른 사람에게는 한 번도 표현한 적 없는 하야티의 감정이 묻어난다. 실제로 그녀는 외지인인 자이누딘이 겪는 상황을 안타깝게 여겼다. 그는 여기에 가까운 친척도 없고 또 아버지도 돌아가신 상태이니 지금 멩카사르로 되돌아간다 해도 이룰 수 있는 것은 고작 아버지와 어머니의 유산을 지키는 일 정도일 터였다.

우수에 가득 찬 눈빛과, 어린 시절부터 그토록 무거운 마음의 짐을 져왔음에도 온화하기만 한 자이누딘의 태도는 하야티의 마음에 걷잡을 수 없는 연민을 불러일으켰다. 사랑이란 몇 개의 문을 통과하는 과정이다. 애정의 문, 정염의 문, 그리고 그리움의 문이 있지만 가장 견고하고 흔들리지 않는 사랑은 연민의 문을 통과해 얻는 것이다.

그녀는 자이누딘의 입에서 나오는 말 한마디면 그것이 친절하든, 정곡을 찌르든, 또는 심지어 빈정거리는 말일지라도 자기 마음을 주기에 충분할 거라 여기며 그 한마디를 오래도록 기다렸다. 하지만 첫사랑이란 인생의 첫걸음을 떼는 것과 같다. 사람은 혼자 있을 때 한없이 지혜롭다가도 누군가를 마주 대하면 혼란에 빠지고 만다. 가슴 깊은 곳에 가두어둔 감정을 다 받아줄 거라 믿고 모두 쏟아낼 만큼 가까운 친구가 없다면 마음의 상처는 더욱 깊어질 터이다.

어느 날 해가 막 질 무렵 여자들이 샘에서 대나무 통에 물을 채워 돌아오는 길에 하야티는 길모퉁이에서 자이누딘과 마주쳤다.

"아… 자이누딘 님, 여긴 어쩐 일이세요?"

"네, 여기서, 기다리고 있었어요."

"저를 기다리셨다고요?"

그렇게 묻는 하야티의 가슴이 두근거리기 시작했다.

"그게 무슨 말씀이신지 곧 돌아가야 하니 빨리 얘기해주세요."

"나도 길을 지체시킬까 봐 걱정했습니다만 이걸 주려고 기다렸어요."

그는 주머니에서 편지를 한 통 꺼내 하야티의 손에 쥐여 주었다. 편지를 건네는 그의 손가락이 살짝 떨렸다. 여전히 물통을 들고 선 채 혼란스러워하는 하야티를 뒤로하고 자이누딘은 쏜살같이 그곳을 벗어났다.

집으로 돌아간 하야티는 기도와 저녁식사를 마치고 곧바로 침상에 올라 벽에 달린 등 가까이에서 편지를 꺼내 읽었다.

나의 벗, 하야티에게

떨리네요, 아가씨. 편지를 쓰기 시작하려는데 손이 떨려요. 이 편지를 꼭 써야 할 것 같았고 많은 감정이 떠올랐지만 막상 펜을 들어 잉크를 찍는 순간 머릿속이

하얘져서 어떤 말부터 써야 할지 알 수 없게 되어버렸어요.

조상들의 피와 땀이 어린 고향에서 산 지 벌써 1년이 되어갑니다. 오, 하야티, 오래전 꿈이 나를 흔들어 달래주었어요. 내가 아직 어려 아버지 무릎 위에서 놀 때 아버지의 흥얼거림과 오래된 노랫소리가 나를 달래주었죠. 당신의 아름다운 땅, 그리고 나의 고향이기도 한 미낭카바우를 언제나 마음속으로 열망했어요. 내가 파당이란 단어를 말할 수 있게 된 날부터 이 땅은 늘 내 상상 속에 자리잡았습니다.

내 발길을 이곳까지 이끌어온 것은 바로 그 꿈과 상상이었어요. 멩카사르에서도 사람들은 나를 부기스나 멩카사르 사람이 아니라 파당 사람이라고 여겼어요. 그래서 그곳에서도 늘 외로웠어요.

마침내 나는 여기에 왔어요, 하야티. 하지만 나는 물 한 방울 없는 광활한 사막 한가운데에서 방황하는 방랑자와 다름없어요. 발걸음을 옮길 때마다 넓은 호수가 눈에 들어오기도 해요. 하지만 정작 거기 가보면 호수는 온데간데없고 오직 고요하고 뜨거운 모래사막만 펼쳐져 있을 뿐이죠.

하야티, 나는 이런 감정을 줄곧 억눌러왔고 이런 하소

연을 털어놓을 사람도 없었어요. 나는 늘 친구들과 모스크에서 밤을 지내요. 친구들과 웃고 떠들고 농담을 하지만 가만히 생각해보면 금과 놋은 함께 섞어두지 않고 명주실을 일반 실과 한 타래에 감지 않잖아요. 나는 미낭카바우 말을 곧잘 이해하게 되었지만 그들과 지내다 보면 아직 잘 이해 못 하는 말도 있어요.

하지만 그들의 말투나 동작을 보면서 그들도 내 지위가 자기들보다 못하다고 생각한다는 걸 알아차릴 수 있어요. 심지어 자밀라 아주머니는 나를 아낙피상으로조차 인정하지 않는 눈치죠. 이 모든 게 아버지에게 가까운 형제가 없기 때문인 거 같아요. 그분들이 내가 더부살이하도록 받아준 이유는 그들의 선의가 아니라 돈 때문이에요. 그것은 분명한 일입니다. 돈 때문이에요.

당신에게 쓸데없는 하소연을 늘어놓고 말았군요, 하야티. 왜 그런지 모르겠어요. 왜 당신에게만은 모든 것을 털어놓아도 된다고 마음이 속삭이고 있을까요?

하야티! 아무쪼록 내 하소연을 들어주세요. 내가 겪은 불행한 이야기를 부디 들어주세요.

어머니의 태 속에 있을 때부터 이미 불행의 쇠사슬이 얽어매려고 태어나길 기다린 한 남자의 무기력한 마음속 비명을 들어줄 수 있나요? 아버지는 돌아가셨어요. 어머니도요. 여기 아버지의 친척은 나를 가족으로 여기지 않아요. 그나마 멩카사르에는 양어머니가 살아 계세요. 나는 사람들과 사귀면서도 잘 섞이지 못했어요. 그래도, 눈에 보이진 않지만 전능하신 신께 아직 의존하고 이 어려움이 지나고 나면 반드시 좋은 날이 오리라 믿기에 자살 따위를 생각해보진 않았어요.

꿈속에서, 그리고 칠흑 같은 어둠 속에서 구름이 흩어진 맑은 하늘에 별 하나가 나타났어요. 그 별이 내 앞길을 비춰줄 거란 희망이 샘솟습니다. 그 별은… 바로 당신이에요, 하야티!

내 마음이 왜 그런 생각을 속삭였을까요? 저도 알 수 없습니다. 그 이유를 알 수 없으니 보잘것없는 인간의 힘을 아득히 뛰어넘는 보이지 않는 절대자에 대한 믿음이 더욱 커지죠. 내게 그런 마음이 생긴 것은 분명 절대자의 뜻일 거예요.

당신 땅의 강고한 전통과 관례에 대해서도 조금씩 알아가는 중이에요. 그래서 사람들 앞에서 공개적으로 이 편지를 전한다면 좀 곤란할 거라 생각했어요.

나는 당신의 관습을 깨뜨리거나 당신을 괴롭히지 않을 것이며 위대한 미낭카바우 사람들의 전통을 거스를 의도도 없어요. 단지 내가 누구인지 알고 싶을 뿐이에요.

답장을 바라고 이 편지를 보내는 게 아닙니다. 그냥 하소연을 하고 싶었고 죽더라도 후회를 남기고 싶지 않았을 뿐이에요. 태어나던 순간부터 낙담으로 점철되어 온 이의 마음을 그토록 섬세한 손, 그토록 정직한 눈매를 가진 사람이 실망시킬 리 없다고 확신했어요.

하야티, 나를 좋은 벗으로 맞이해주세요. 그래서 내 문제들을 당신에게 하소연하고 마음의 짐을 덜 수 있도록 해주세요. 즐거움은 각자 혼자서도 얼마든지 누릴 수 있지만 불행은 다른 사람에게 털어놓아야 한결 가벼워진다고 하잖아요.

내 벗이 되어줄 준비가 되었나요, 하야티?

나도 인정해요. 나는 남의 땅을 떠도는 여행자고 유배된 죄인의 아들이고 먼 땅에서 온 외지인, 그리고 부모를 잃은 고아이기도 합니다. 부족한 게 너무 많은 사람인 걸 알아요. 그러니 내 벗이 되길 주저하는 건 당연한 일입니다.

하지만 하야티! 내가 기본적으로 착한 사람이란 것만은 믿어주세요. 세상에 태어난 순간부터 늘 불행의 격류에 휘말렸지만 그 물로 나처럼 마음이 깨끗하게 씻긴 사람은 좀처럼 만나기 어렵답니다.

자이누딘

그 편지는 손으로 쓴 게 아니라 마음으로 쓴 것이 틀림없었다. 가슴 깊은 곳에서 불타오르는 것을 종이 위에 쏟아부은 것이므로 그 편지는 읽는 사람의 영혼조차 온통 뒤흔들어놓았다. 하야티는 내내 두 손을 떨면서 편지를 읽었다. 편지에 빠져들어 스스로 깨닫지 못하는 사이 봉긋한 두 뺨으로 눈물이 흘러내려 베개를 적셨다.

말 못 할 비밀을 마음속 깊은 곳에 품고, 그래서인지 항상 우울해 보이던 자이누딘의 얼굴이 눈앞에 떠올랐다. 그동안 그를 볼 때마다 두근거리던 심장의 박동과 속삭임은 아무 의미 없는 게 아니라 마음과 마음을 연결하고 영혼과 영혼을 하나로 묶어주려는 신의 손길이었다.

하야티는 하염없이 흘러내리는 눈물을 닦고 침상 모서리에 바로 앉아 하늘을 향해 얼굴을 들고서 오직 밤의 수호천사들에게만 들리도록 마음속으로 외쳤다.

'신이시여, 당신의 이 어린 종을 보호해주세요. 이 감정에 뭐라 이름 붙여야 할까요? 오, 제발 가르쳐주세요. 당신은 내 연약함을 아시잖아요. 내가 그에게 어떤 도움을 줄 수 있을까요? 그는 내게 선의를 구하지만 나를 연약한 여인으로 운명 지은 이는 당신입니다. 그래서 어리석은 저는 그저 눈물지을 뿐이에요. 신이여, 당신이 옳아요. 당신의 어린 종은 그 불행한 남자를 진심으로 동정합니다. 그리고, 오, 신이시여! 저는 그를 좋아해요. 그를 사랑해요! 만약 이 사랑이 죄라면 용서해주세요. 제발 눈감아주세요. 저는 당신의 뜻을 따를 거예요. 당신이 금한 일은 하지 않을 거예요. 당신이 명한 바를 행하는 것도 멈추지 않을 거예요. 이 모든 것을 말없이 간직하고 남들에게 드러내지 않을게요. 하지만 이것만은 꼭 허락해주세요.'

하야티는 밤새도록 마치 물속 깊은 곳에서 허우적거리듯 신에게 매달려 신의 가호와 살아가야 할 삶의 방향을 알려달라고 간구했다. 자이누딘의 편지가 그녀의 영혼을 완전히 뒤흔들어놓은 것이다. 그녀는 어둠 속에서 방황하는 자신에게 빛을 비추어달라고 기도했다. 그날 밤 격렬하게 솟구치던 수많은 감정과, 사랑과 두려움, 즐겁고도 슬픈 생각이 뒤섞인 듯한, 불완전하면서 여러 색상을 동시에 띤 그녀의 영혼은 원대한 희망과 부서진 꿈 사이에서 치열하게 싸웠다.

그녀는 눈물을 흘리다가 갑자기 미소를 떠올렸고 그러다가 또다시 오랫동안 신에게 하소연하기를 반복했다. 그 눈물의 이유는 무엇일까? 참으로 알 수 없는 일이다. 그녀 스스로도 확신할 수 없었다. 그렇다면 그녀를 미소 짓게 한 것은 무엇일까? 웃음과 눈물이란 애당초 서로 친해질 수 없는 원수 관계 아닌가? 그런데 왜 지금은 그토록 자연스럽게 동시에 어우러지는 것일까?

거실의 시계가 2시를 알리며 초침 소리와 집구석 어디선가 들려오는 귀뚜라미 소리만이 밤의 정적을 깨뜨렸다. 그 소리를 들으며 하야티는 자기도 모르는 새에 잠이 들었다.

한편 편지를 보낸 자이누딘은 그 나름의 고민을 하고 있었다. 모스크의 청년들은 이미 곤히 잠들어 달콤한 꿈의 바다를 항해하고 있었고 그중 두세 명의 코고는 소리가 고독한 밤의 정적을 깨뜨렸지만 그는 15일, 16일 사이 떠오른 밝은 달, 평화로우면서도 어딘가 우울한 빛을 띤 달을 바라보면서 여전히 깊은 사색에 잠겼다. 모스크 베란다에 홀로 나와 있었지만 그는 두렵거나 떨리지 않았다. 구름 한 점 없는 하늘을 깊이 들여다보는 그는 마치 달한테 말을 걸고 별들과 대화하는 것 같았다.

그는 대자연을 향해 마음을 털어놓았다. 그가 마음 깊은 곳으로부터 자신의 불행한 운명을 털어놓고 하소연하면 자연은 그를 위해 눈물을 흘려주는 듯했고 때로는 예전처럼 꼭 슬픈 것만은 아니지 않느냐며 되묻는 것 같기도 했다. 신이 그에게 가장 큰 위안, 즉 사랑이란 감정을 이미 안겨주었기 때문이다. 오랜 세월 그는 마치 모든 것을 상실한 사람처럼 살았지만 이제는 그토록 애타게 찾던 것을 마침내 손에 넣은 것만 같았다. 그가 잃은 것은 바로 '마음'이었는데 그는 어머니가 돌아가실 때 그 귀하기 짝이 없는 것의 절반을 잃었고 아버지의 임종과 함께 나머지 반도 잃고 말았다.

지금 그 '마음'이… 하야티에 대한 사랑과 함께 돌아왔다.

그토록 깊은 한밤중, 사람들의 모든 기도가 응답받는 그 시간에 그는 천지를 주재하는 신에게 갑자기 마음속으로 크게 외쳤다.

'신이시여, 당신을 향한 저의 찬양이 영원하게 해주세요. 저는 꿈에도 그리던 삶을 비로소 찾았습니다. 마음을 털어놓을 여인을 드디어 얻었습니다. 현명한 여인은 정오가 오길 기다리는 사람들에게 새벽에 떠오른 태양과도 같은 존재입니다. 그런 여인은 전장에서 장군이 전령을 통해 그의 왕에게 보낸 승전보와도 같은 존재입니다. 그녀는 마치 공기처럼 가슴 들썩이며 들이마시는 생명의 정기와도 같아요.'

고요한 밤, 두 개의 간절한 기도가 공중으로 피어올랐고, 연약한 두 사람이 서로 기댈 곳을 구하는 간절한 바람을 신은 분명 온전히 받아들일 터였다.

하지만 그날 밤 자이누딘의 마음은 하야티에 대한 생각으로 어지러웠다. 아, 어쩌면 잘못 이해할 수도, 어쩌면 거친 단어 하나가 맥락 없이 불쑥 편지에 섞여버렸을지도, 어쩌면… 그 편지를 보낸 것 자체가 가장 큰 실수야. 미낭카바우에서도, 멩카사르에서도 젊은 남자가 여자에게 편지를 보낸다는 건 비난받을 만한 일이니까. 어쩌면 모욕을 당했다고 느낀 하야티가 영원히 내 손을 놓아버릴지도 몰라.

하지만 그 두려움과 걱정은 일시에 사라졌다. 그 편지는 성심을 다해 진실한 마음으로 어떤 악의도 없이 쓴 거야! 이런 자각과 함께 그는 마음을 가다듬었다. 그 감정을 모두 털어놓지 않았다면 분명 천추의 한이 되었을 거야. 만약 내가 지금 죽는다면… 내가 자신을 사랑했는지 꿈에도 모를 하야티가 내가 남긴 메모에서 그 사실을 알고 자기 때문에 가여운 한 사람이 심장을 난도질당해 죽었다는 생각에 마음이 무너져 내리겠지. 아니, 편지가 틀린 건 아니야. 욕먹고 비웃음을 사고 모욕당하고 무시당하는 한이 있더라도 내가 그녀를 원한다는 말을 분명히 해야만 했어. 하지만 그럴 리 없어. 그토록 착한 하야티가 외면할 리 없어.

그런 감정들 사이를 비집고 그의 마음속에 사랑의 감정이 다시 싹터 자라나기 시작했다. 그를 둘러싼 자연 속에 분명한 사랑의 모습이 그려져 있었다. 초록빛 밤하늘에 총총 빛나는 수많은 별과 함께 사랑이 반짝였고 밤공기가 대나무 숲을 흔들며 사랑의 소리를 들려주었다. 창조주의 충만한 사랑을 품고 태어난 완벽한 자연은 그렇게 사랑을 노래하고 있었다.

그의 마음속에서는 치열한 전쟁이 벌어지고 있었다. 사랑의 감정이 더욱 자라나 충만해지면서도 두려움의 바람에 끊임없이 흔들렸다. 그래서 다음 날 태양이 떠올라 잠에서 깼을 때 자이누딘은 하야티와 만날 일이 두렵고 민망스럽기만 했다. 그녀가 편지를 오해했다면 어쩌지? 그는 길을 가다가 하야티와 마주칠까 두려워 걸음을 서둘렀고 그 편지를 보낸 탓에 결국 그녀의 아름다운 얼굴을 바라볼 수도 없게 되었다며 후회했다.

더욱이 하루가 지나고 이틀이 지나도 이마의 땀이 눈썹을 타고 흐를 정도로 눈이 빠지게 기다리던 답장은 끝내 오지 않았다. 그는 자신이 큰 무례를 범한 것이라 생각했다. 그 감정은 시간이 갈수록 점점 더 깊어져 잘 시간이 되어도 눈을 감을 수 없었고 마음만 사방으로 내달렸다. 길에서 그녀를 마주친 적이 있는데 그는 급히 다른 방향으로 발걸음을 옮겨버렸다.

그런 후 나흘째 되는 날 노점에 갔다가 집으로 돌아가는 언덕길에서 자이누딘은 피가 마르는 듯한 느낌에 사로잡혀 한 걸음도 떼지 못한 채 고개를 푹 숙여야만 했다. 그 길 한가운데에서 하야티와 정면으로 마주친 것이다.

"자이누딘 님!"

하야티가 황급히 그를 불렀다.

그 목소리는 풀피리 소리처럼 청아했지만 자이누딘은 졸지에 법관 앞에서 무죄방면이냐 사형이냐의 판결을 기다리는 죄인의 심정이 되어버렸다. 더욱이 무죄방면의 희망은 실낱같이 희박했다.

"하야티!"

"지난 나흘간 왜 보이지 않았어요? 일전에 길에서 만났을 때는 나를 피한 거였어요?"

그는 더듬거리면서도 모든 용기를 쥐어짜 대답했다.

"부끄러웠어요, 하야티! 두려웠어요!"

"두려워할 필요 없어요. 임의 편지는 아름다운 문맥이 더 없이 매력적이었고 사람 마음의 문까지 열 수 있었는걸요."

"그럼… 내 편지를 잘 받아 보신 거군요."

"정말 좋았어요. 너무 슬프고 애달파 거기 묻어난 임의 진심과 감정을 생생히 느낄 수 있었어요. 하지만 안타깝게도 저는 임과 비교도 안 될 만큼 재주가 없는 사람이어서 그런 아름다운 편지에 차마 답장을 쓸 수 없었어요."

"내가 답장을 원하는 게 아니라고 얘기했잖아요? 내가 바라는 건 오직 하나뿐이에요. 당신의 가호를 바라는 마음을 외면하지 말아주세요."

서로를 찾아 오래 방황하던 두 사람의 영혼은 마침내 얼굴을 마주하게 되었다. 두 사람이 멈추어 서서 자유롭게 서로의 마음을 털어놓도록, 서로의 눈을 마주 바라보며 혀가 있어도 또는 벙어리여도 어차피 충분치 않았을 대화를 마음에서 마음으로 깊이 나눌 수 있도록 잠시 놓아두기로 하자.

6. 자꾸만 보내는 편지

하야티가 자신의 편지를 온전히 받아들였음을 알게 된 뒤로, 한없이 빠져드는 심연 속에서 다시는 떠오를 일 없는 바윗덩어리 같던 자이누딘의 절망은 그 일로 격려를 받아 희망으로 탈바꿈했고 그가 머무는 자밀라 아주머니 댁에도 이제 환한 미소를 지으며 돌아갈 수 있었다. 그 미소는 비 맞아 식어버린 열기처럼 어정쩡한 것이 아니었다.

그는 좌우를 둘러보다가 고개를 들어 푸른 하늘을 바라보았고 이내 안락한 대지로 눈을 돌려 너른 논과 금빛 찬란한 므라피산 정상, 바탕가디스강을 흐르는 힘찬 물줄기를 바라보았다. 그가 마주하는 자연의 모든 경이로움이 그가 가슴에 품은 사랑을 자랑스럽게 설명해주는 것 같았다. 그는 이런 만족감을 예전에는 한 번도 느껴본 적이 없었다. 그것은 오랜 고난의 시절을 견뎌낸 인내심에 대한 신의 보상이었다.

그는 친구들을 만날 때마다 혼자만 사랑의 달콤함을 느낄게 아니라 비밀을 털어놓고 그들과 함께 미소를 나누고 싶었다. 사는 동안 처음 맛본 기쁨에 들뜬 그는 공터에서 놀고 있거나 바로 수확을 마친 빈 논에서 연날리기를 하는 아이들을 만나면 자신이 가진 것을 모두 아낌없이 나누어주고 싶었다.

그는 자신이 밤을 지내는 모스크에 도착해 하야티에게 편지를 한 통 썼다. 그는 그렇게 갖게 된 넓고 자유로운 마음으로 더욱 풍부한 감정을 편지에 쏟아 넣을 수 있었다.

하야티!
편지를 보내고 나서 처음 다시 만났을 때 내 두 손은 떨렸지만 모든 걱정마저 감싸 안아 받아들여준 당신이 활력을 불어넣어주었어요. 하야티, 나는 지금까지도, 아니 앞으로도 꽤 오랫동안 그 일을 잊지 못할 거예요. 나는 그토록 행운 가득한 관문을 통과해본 기억이 없어요.
하야티, 지금도 내가 가슴을 자주 더듬어보는 이유는 너무 행복해서 하늘나라 어딘가를 날고 있을 것만 같은 심장이 여전히 내 가슴 안에서 잘 뛰고 있는지 확인하려는 거예요.
당신이 하는 모든 말 속에서 내가 편지에 담아 보낸 애정과 당신이 받아들인 사랑을 느끼게 됩니다. 당신은 사라져버린 희망의 끈을 다시 이어주었어요. 하지만 하야티, 당신이 나중에 후회하는 일 없도록 미리 설명해줄 것이 있어요.
어떤 사람이 한 젊은이를 좋아하게 되는 것은 그에게

기대하는 무언가가 있기 때문이에요. 예를 들면 상대방이 아름답다거나 건장하다거나 말이죠. 내 상황은 보이는 바 그대로예요. 생긴 것도 형편없어 당신의 짝이 되기에는 낙젯감이죠. 게다가 나는 가난해요.

만약 신께서 내 마음속 소원을 들어주어 당신이 내 연인이 되고 내 오래된 마음속 상처를 치료해줄 아내가 된다 해도 당신은 내 곁에서 나란히 걷는 것을 조금 부끄럽게 여길지 몰라요. 금과 놋을 한곳에 섞어놓거나 명주실을 일반 실과 한 타래에 감아놓는 건 꼴불견일 테니까요.

하야티, 당신은 무척 아름다워요. 내게는 너무 과분하죠. 그래서 형편없는 스스로를 돌아보며 나는 당신의 아름다움 때문에 때때로 절망하곤 해요. 하지만 그럼에도 불구하고 당신은 약속을 무엇보다 중히 여기고 잘난 외모보다 선한 마음을 꿰뚫어보며 성실함을 사랑의 기반으로 삼으려 했어요.

당신이 나에게 재물을 원하지 않고 그 대신 당신을 위해 내 생명을 바치길 원한다면, 나를 위해 훗날 숱한 위험과 역경을 겪고 사람들의 험담을 듣게 되더라도 후회하지 않을 준비가 되었다면, 그리고 당신이 정말 이 모든 것을 개의치 않는다면, 하야티, 앞서 얘기한 것처럼 당신은 가장 충실한 벗을 얻게 될 거예요.

당신이 이 모든 것을 분명히 알고서도 여전히 사랑의 바다 깊은 곳으로 헤엄쳐 갈 준비가 되었다면 내가 당신을 알게 된 것은 진정 천운이 분명하고, 당신 역시 나를 만난 것이 아무쪼록 행운이 되길 기원할게요.

자이누딘

그리고 세 번째 편지의 내용은 이랬다.

나의 가장 가까운 벗, 하야티!

전에 말한 것처럼 나는 당신에게 얘기하는 것보다 이렇게 편지를 쓰는 게 더 편해요. 나는 주로 편지 속에서 통곡하고 후회하고 화내는 편이죠. 당신을 만나 계명성처럼 빛나는 눈을 바라보면 무슨 말을 해야 할지 머릿속이 아득해져요.

당신을 만나기 전에는 하고 싶은 말이 수없이 떠오르지만 당신과 마주하면 모든 게 사라져버려요. 당신을 만난다는 사실이 너무 기뻐 다른 모든 생각을 덮어버리거든요.

이제 내가 보내는 세 번째 편지군요. 답장을 받으면 얼마나 기쁠까 생각합니다. 하지만 당신은 아직 단 한 번도 답장을 주지 않았죠. 왜 그런지는 잘 알아요. 편지를 쓸 수 없어서가 아니라 당신이 얘기한 것처럼 오늘날 사회 통념으로는 연애편지 쓰는 걸 큰 수치이자 잘못으로 보기 때문이죠. 그런 것은 거짓된 사랑이고 순수한 마음의 발로가 아니라고 생각하는 거예요.

하지만 하야티, 나는 그렇게 생각하지 않아요. 만약 그런 마음속 감정을 정직하게 표현하지 않고 깊이 간직하기만 한다면 그것이야말로 거짓 사랑이고 자신감 없는 사랑이에요.

더욱 수치스럽고 잘못된 것은 여자가 남자를 보면 앞에서는 고개를 숙여 낯을 가리면서도 집 안에서는 슬렌당 스카프를 풀어버린 뒤 지나가는 사람들을 벽 틈새로 훔쳐보는 것이에요.

우리는 편지를 통해 격조 높은 언어를 배워요. 하지만 편지의 맥락을 따라가다 보면 겉은 번지르르하지만 속으로는 날카로운 비수를 품은 말을 발견하기도 하죠. 편지를 읽어보면 그걸 쓴 사람의 성품도 드러나는 거예요.

읽어보세요. 내가 보낸 편지 세 통을 모두 읽어보세요. 내가 어딘가 기름칠하고 관심이나 끌어보려 한 구석이 있나요? 나로서는 우리가 개척해나갈 사랑의 여정이

설령 결실을 맺지 못한다 해도 그 편지들이야말로 나의 진심을 충분히 증명할 결과물이라 생각해요.

그러니 당신도 진심의 증표를 담아 편지를 보내주세요. 당신이 정말 내 편이란 증표 말이에요. 혹시라도 당신이 우리의 약속을 외면하거나 지키지 못할 경우 편지를 내가 당신의 비밀을 폭로할 도구로 악용하진 않을까 하는 걱정 따위는 하지 마세요.

이 세상은 광활하고 신은 우리에게 이 넓은 세상에 편만하라고 말씀하셨어요. 혹시 운이 좋아 신께서 우리를 남편과 아내로 살게 해주신다면 그 편지들은 우리 사랑의 증거가 되고 아이들을 가르쳐 키울 영혼의 양분이 될 거예요. 하지만 만약 우리의 운명과 삶의 만남이 태초부터 허락받지 못한 것이라면 그 편지들은 두 벗이 결코 악의를 품지도, 순리를 범하지도 않고 뜨겁게 진심 어린 사랑을 했음을 기억하게 하는 증표가 될 거예요.

그러니 하야티, 나를 경계하지 말고 편지를 보내줘요. 그 편지들은 내가 잘 보관해 병을 물리치고 희망을 지켜내는 부적으로 삼겠어요. 그리고 내가 당신 편지를 당신의 고귀한 이름을 훼손하는 데에 쓸지도 모른다는 나쁜 상상은 하지 말아주세요. 아, 내가 유배된 죄인의

아들이고 이 땅에 더부살이하고 있다고 해서 심성조차
그토록 못돼먹진 않았습니다.

당신의 편지를, 하야티, 다시 한번 부탁해요. 편지를 보
내주세요.

자이누딘

자이누딘이 자신이 보낸 편지의 회신을 목을 빼고 기다
리고 있을 때 하야티의 어린 동생 아마드가 편지를 들고 왔다.
편지를 열어보는 그의 심장이 크게 뛰었다.

자이누딘 님

당신이 보낸 편지 세 통은 모두 읽어보았고 잘 이해했
어요. 단 한 번도 그 편지들을 존중하지 않은 적이 없고
당신이 내 이름에 먹칠할 거라고 의심해본 적도 없어
요. 편지를 통해서는 더 이상의 설명을 드릴 수 없어요.
그러니 혹시 괜찮다면 이따 오후에 전에 만난 그 논의
원두막에서 만났으면 해요. 동생과 함께 나갈게요.

하야티

'아, 하야티의 편지 내용이 왜 이렇게 쌀쌀맞지?'
자이누딘은 속으로 중얼거렸다. 정말 차가운 말투인데 혹

시 내가 너무 밀어붙인 건 아닐까? 한창 깊은 사랑에 빠진 사람들 마음이 질투와 오해로 왜곡되기 쉽다는 건 누구나 아는 사실이다. 사랑의 마음이란 때로는 탐욕스럽고 이기적이며 때로는 불안하다 못해 절박해지곤 한다.

자이누딘이 오후가 되기를 기다리는 동안 논에 있던 이들도 모두 일을 마치고 집으로 돌아가고 목동 아이들도 가축들을 각자의 우리로 몰아갔다. 그는 일찌감치 원두막에 나가 하야티를 기다렸다. 얼마 지나지 않아 그녀가 동생과 함께 나타났다.

"오래 기다리셨나요?"

하야티가 물었다.

"해가 지고 별빛이 찬란해질 때까지라도 기다렸을 거예요. 당신 같은 사람이 약속을 지키지 않을 리 없으니까요."

두 사람은 가까이 앉았다. 하야티는 수심에 찬 얼굴을 푹 숙인 채 아직 말머리도 꺼내지 못했다.

"내가 편지에 뭔가 잘못 쓴 게 있나요, 하야티? 당신이 답장을 쓸 수 없을 만큼 내가 뭔가 큰 실수를 해서 그걸 바로잡으려고 여기로 불러낸 건가요? 하야티, 여기 이 가슴속에 있는 심장은 내 몸이 살아가게 해주는 부분이죠. 하지만 이 모든 것은 본질적으로 이미 죽은 지 오래예요. 제발 힘을 내줘요. 오직 당신만이 내가 이 세상을 살아갈 희망인데 왜 아직도 망설이고 있나요?"

두 줄기 눈물이 하야티의 뺨 위로 흘러내렸다.

"울지 마세요, 하야티. 나 때문에 그 모든 손해를 감수하는 건 역시 너무 지나친 일이겠죠. 당신의 눈물과 당신의 호흡이 보잘것없는 나보다 훨씬 더 중요해요. 울지 말고 오히려 나를 벌하세요. 나한테 뭘 어떻게 해도 상관없어요. 하지만 당신도 사랑을 품고 있다면 나의 사랑을 당신의 사랑으로 답해주세요. 그것이야말로 나중에 우리 둘이 함께 살아갈 자산이 될 거예요. 당신이 나를 사랑한다는 확신만 있으면 나는 더 이상 아무것도 바라지 않을 것이고 물론 신의 뜻을 어기는 일도 없을 거예요. 하지만 만약 당신이 내게 느끼는 감정이 내가 당신에게 느끼는 감정과 다르다면 친구끼리 허물없이 이야기하듯 그렇다고 솔직하게 말해주세요. 당신이 그렇게 결정한다면 비록 여기서 당신을 바라볼 내 얼굴이 부끄러움에 흙빛이 되더라도 나는 견딜 수 있어요. 고통을 참는 일은 어릴 때부터 익숙하거든요."

"그런 게 아니에요, 자이누딘 님. 당신의 고귀한 성품을 잘 아는데 제가 당신을 미워하겠어요? 저는 당신의 어깨에 짊어진 모든 짐이 안타까울 뿐이에요. 하지만 정작 제가 두려운 건⋯ 사랑하는 관계를 유지해가는 일이에요."

"그게⋯ 두렵다고요?"

"사랑을 좇는 사람은 끝없이 펼쳐진 정글에서 사슴을 사냥하는 것과 같다는 격언이 있어요. 사슴은 쫓을수록 더 멀리 도망가죠. 그러다가 결국 정글에서 길을 잃고 돌아갈 수도 없게 돼요. 나는 그런 사랑에 얽매이게 될까 두려워요. 나는 시골 소녀고 어머니는 오래전에 돌아가셨어요. 재산이 많다 해도 그건 내 것이 아니고 그 소유권은 저희 가문에 있어요. 나는 가진 것도 없고 운도 없어요. 나를 돌봐줄 어머니도, 나를 지켜줄 형제도 없어요."

"하지만 당신에게 순수한 마음이 있다는 건 스스로 잘 알잖아요?"

"그것만이 내 인생의 유일한 나침반 같은 것이에요. 자이누딘 님, 나는 내 마음의 순수함을 믿어요. 그 누구에게도 악의를 품지 않았어요."

"당신의 믿음이 그럴진대 신께서 당신을 절대 외면할 리 없어요. 겸허한 마음으로 신을 경외하고 기쁠 때 신을 기억하면 신 역시 우리가 역경에 처할 때 돌아보실 거예요. 신이 당신 손을 잡아주실 거예요. 신은 당신 삶의 방향을 보여주고 어두운 길을 밝혀주시죠. 그러니 사랑과 마주 대하는 것을 두려워하지 마세요. 신께서 태양을 짓고 세상에 빛을 선사한 것을 기억하세요. 꽃을 만들어 향기를 담으신 것도, 육체를 지어 생명을 불어넣은 것도, 눈동자를 만들어 앞을 보게 하신 것도 신이십니다. 우리 마음을 지어 그 안에 사랑을 담은 것 역시 신이 하신 일이에요. 만약 신께서 당신 마음에 내 진심에서 우러난 사랑으로 빚은 기쁨을 선사한다면 그 기쁨을 보듬고 지키고 키워가야 해요. 신이 도로 빼앗아가지 않도록 잘 가꿔야 해요. 사랑이란 본래 신에게서 난 것이고 그 싹을 틔우기 위해 세상에 온 것이에요. 하지만 거칠고 메마른 토양에서 자란 것은 다른 사람에게 고통을 줄 뿐이고 고약한 사람의 나쁜 인품에 싹튼 것은 파멸을 가져올 거예요. 그렇지만 그 씨앗이 순수한 마음에 떨어진다면 그것은 영광과 성실, 그리고 신에 대한 순종의 열매를 맺을 거예요."

자이누딘이 말하는 동안 하야티는 여전히 고개를 푹 숙인 채 아까보다 더 많이 흐느꼈다.

"왜 아직도 울어요, 하야티?"

"당신의 말씀, 모두 맞아요. 틀린 거 하나 없어요. 하지만 웃음소리를 듣고 다가간 곳에서 갑자기 울며 돌아 나오곤 하는 것처럼 시간과 시대의 흐름은 늘 인간의 의지대로만 돌아가지 않아요. 이곳의 전통과 관례가 아주 엄격하다는 것과 사람들 시각이 편향되어 있는 걸 생각하면 우리의 교제가 많은 장애물에 부딪힐 것은 충분히 짐작할 수 있어요. 우리가 이 길을 선택함으로써 닥칠 위험과 역경이 두려워요."

"그럼…?"

"아마도 좋은 친구로 지내는 게 낫겠죠."

"우리는 좋은 친구이자 동시에 연인이에요, 하야티. 바꿔 말하면 당신이 나를 사랑하지 않으면 우리는 좋은 친구도 될 수 없다는 뜻이에요."

"여기까지만 해요, 자이누딘 님."

"오, 그럼 당신의 그 결정은 절대 변치 않는 건가요?"

"…네!"

자이누딘은 한동안 아무 말도 할 수 없었다. 한참 후에야 그는 힘없는 목소리로 입을 열었다.

"알았어요, 하야티! 당신에게 강요하려 한 내 잘못이 커요. 괜찮아요. 그럼 우리 이제 친구로 지내요. 다시는 당신을 귀찮게 하지 않을게요. 이제 집으로 돌아가세요. 서로의 운명의 끈이 엮이지 않는 한 신은 우리 같은 두 젊은이의 만남조차 허락하지 않으시니…."

자이누딘은 앉아 있던 곳에서 내려와 걸어가기 시작했다. 눈앞에 펼쳐진 거대한 자연이 금방이라도 꺼져버릴 듯 점멸했다. 그는 느리게 발걸음을 옮기며 스스로 그림자가 되어버린 느낌이었다. 그 논에서 얼마 떨어지지 않은 작은 도랑을 막 건너던 그는 다리에 힘이 풀려 맥없이 풀썩 쓰러지고 말았다.

하야티는 사랑에 빠지길 두려워했다. 사랑을 마주 보기 두려워하는 것, 그것이야말로 진정한 사랑이 아닐까? 그녀는

'사랑하지 않는다'는 말로 자이누딘에게 벌을 내렸으나 실제로는 스스로에게도 사형 선고를 내린 셈이었다. 자이누딘이 꽤 멀리 걸어갔을 때 그녀 역시 더 이상 견디지 못하고 원두막 바닥에 엎드려 마음을 가다듬으려 했다. 하지만 그녀의 마음은 더욱 요동쳤다.

"아마드."

그녀는 원두막 옆에 서 있는 동생을 급히 불렀다. 동생도 그사이 따라 울어 눈이 퉁퉁 부어 있었다.

"응, 누나?"

"자이누딘 님을 다시 불러와줘!"

아마드는 나는 듯이 달려 자이누딘을 뒤쫓았다. 얼마 지나지 않아 발견한 자이누딘은 사람들이 논에 물을 대려고 만들어놓은 못 가장자리에 엉덩방아를 찧은 채 앉아 있었다. 그는 아마드의 손에 이끌려 원두막으로 돌아왔다.

"무슨 일이에요, 하야티?"

"나는 당신을 사랑해요. 우리, 마음을 합쳐 신의 축복을 빌어요. 그리고 저는 앞으로 짊어져야 할 모든 위험과 닥쳐올 역경에 맞설 준비가 되었어요."

"하야티! 당신이 나를 살렸어요. 당신이 나를 살아갈 수 있도록 해주었어요. 손을 내밀어봐요. 이제 내 인생은 당신의 인생에 달렸고 당신의 인생 역시 내 인생에 달렸음을 맹세해

요. 우리의 육신이 서로 만나지 못할지라도 이제 우리의 마음
은 영혼이 육신을 떠나기 전까지 절대 헤어지지 않을 거예요."

태양이 싱갈랑산 뒤편으로 몸을 감추고 있었다. 그리고
저 멀리 마을 모스크에서 북소리와 함께 기도 시간을 알리는
아잔이 들려오기 시작했다.

"하이야 알랄 팔라아!"[23]

---

23 무슬림이 의무적으로 지키는 하루 다섯 차례 기도 시간인 수부(Subuh),
주후르(Zhuhur), 아샤르(Ashr), 마그립(Maghrib), 이샤(Isya)를 알리는 노
래. 인용된 부분은 "승리의 길로 나아가자"는 의미.

7. 마을 사람들의 생각

두 젊은이의 친밀하고 가식 없는 교제에 대한 소문은 시간이 지나면서 그 작은 마을 전체에 퍼졌다. 하지만 순결한 사랑이 어떤 것인지 알지 못하는 사람들은 그 상황을 공정하고 순수하게 바라보지 않았다. 그래서 다툭의 조카 하야티가 그 맹카사르 젊은이와 눈이 맞아 몰래 사귀면서 편지를 주고받는다는 이야기가 사람들 입소문을 탔다. 뜬금없는 비난과 수군거림, 근거 없는 소문들이 도처에서 떠돌며 입에서 입으로 옮겨졌고 매일 오후 노점의 긴 의자에 모여 앉은 청년들 사이에서도 화제가 되었다. 그것은 이미 공공연한 비밀이었다.

여자들도 목욕터에서 수군댔다. 하야티가 거기서 목욕하는 것을 보기라도 하면 그들은 그녀를 곱지 않은 눈초리로 흘겨보고 헛기침을 하는 척 서로 귓속말을 나누었다. 특히 마을의 미혼 청년들이 가장 열을 올렸다. 그들은 마을의 기강을 제대로 세우지 못해 그런 일이 벌어져 결과적으로 자신들의 명예를 실추시켰다고 주장했다. 가장 심한 모욕을 당한 것은 하야티의 가문이었고, 특히 하야티의 삼촌인 다툭에게는 가문의 어른으로서 제대로 가르치지 못해 조카가 어른들 얼굴에 먹칠하는 걸 방치했다는 비난이 쏟아졌다.

그런 말들이 꼬리를 물고 한도 없이 들려왔다. 이에 질릴 대로 질린 다툭이 어느 날 밤 자이누딘을 찾아와 마주 앉았다.

"자이누딘, 그간 자네와 내 조카에 대해 사람들이 험담하는 소리를 너무 많이 들었네. 여기 어른들도, 전통과 관례가 분명히 서 있는 이 땅에서 너희가 못된 짓과 나쁜 장난, 해서는 안 될 일을 저질렀다고 말하더군. 물론 나는 자네가 내 조카와 불경한 행동을 하거나 하야티 그 애의 인생을 망칠 일은 하지 않았다고 믿네. 하지만 나는 자네에게 충고하지 않을 수 없어. 더 큰 문제가 되기 전에, 가뭄에도 논바닥처럼 갈라지지 않고 폭우에도 썩지 않을 우리 가문의 명예에 대대손손 수치를 입히기 전에, 자네가 물러나주었으면 하네."

자이누딘은 갑작스러운 말에 머리를 세게 얻어맞은 것 같았다.

"어르신, 왜 저에게 그런 말씀을 하시는 겁니까? 관례와 후손까지 들먹이시면서요?"

"나는 이 문제를 따지지 않을 수 없네. 여기 미낭카바우의 전통과 관례에 따라 삼촌은 조카의 정당한 보호자라네. 하야티는 귀족 가문의 아이야. 자네가 아무렇게나 대할 상대가 아니란 말이지."

"어르신, 그 말씀은 저도 인정합니다. 그게 제 불행의 시작이에요. 제가 어째서 그때 그녀와 알게 되었고 마음을 온통 빼앗기고 만 걸까요? 그녀는 그런 제 불행을 온전한 연민으로 받아들여주었어요. 그간 우리가 교제한 것은 그것이 전부예요. 그 이상도, 이하도 아닙니다."

"잘 아네. 하지만 하야티가 가엾지 않은가? 그 애를 온 집 안이 한 송이 꽃봉오리처럼 여기고 있는 걸 자네도 잘 알지 않나? 예전에는 그토록 올곧고 밝던 아이가 지금은 늘 근심과 연민에 가득 차 있다네. 하야티는 자네를 만나고부터 심하게 망가지고 있어. 이대로 가다간 그 애의 몸도 꼬챙이처럼 바짝 말라버릴 거야. 그 애가 완전히 망가지면 우리 가문과 집안사람들은 가장 귀중한 보석을 잃는 걸세, 자이누딘! 나 역시 입장이 매우 곤란하다네. 조카 하나 제대로 간수 못 하는 작자라며 내 이름과, 조상으로부터 물려받은 가문의 호칭이 사람들 입에 함부로 오르내리고 있어. 게다가 학교를 다니며 공부하는 것에 대해 사람들 시각이 꼭 호의적이진 않다는 걸 자네도 잘 알지 않나? 사람들은 이 일로 학교도 문제 삼고 있네. 저들은 내가 조카를 학교에 맡긴 것부터 위험한 짓이었다고 수군대지. 똑똑해지더니 정혼하지도 않은 남자와 편지나 주고받는다고 말이야. 그러니 내 자네에게 간곡히 부탁하네. 자이누딘, 자네 마음에서 하야티를 놓아주고 이 작은 바티푸 마을에서 즉시 떠나게. 하야티를 위해서 말일세!"

"그 말씀은 제 가슴에서 심장을 뜯어내겠다는 것과 다름

없어요.”

자이누딘은 머리를 조아리며 말했다.

“자넨 사내야, 자이누딘. 오늘 자네의 상처는 내일이나 모레면 치유될 수 있어. 하지만 여자는… 여자는 말일세, 그 마음 때문에 영영 망가져버릴 수도 있어.”

“어르신, 그렇지 않아요. 고통은 남자 마음에 더 오래 흔적을 남겨요. 오히려 여자가 젊은 시절의 일을 쉽게 잊겠지요.”

“자네가 정말 하야티를 사랑한다면 제발 그 아이를 위해 떠나주게. 내 간절히 부탁하네.”

‘자네가 정말 하야티를 사랑한다면’이라는 말이 날카로운 화살처럼 날아와 자이누딘의 심장을 꿰뚫었다. 그는 어떤 종족에도 속하지 않고 귀족의 피를 이은 것도 아닌, 그저 유배된 죄인의 아이, 그래서 미낭카바우의 전통과 관례에 따르면 결코 받아들여질 수 없는 사람임을 새삼 기억해냈다. 반면 하야티는 귀족 가문의 딸이자 이 바티푸 지역에 묘지와 논밭을 영지로 가진 고귀한 족장 집안의 후손이었다. 만약 그들이 곧바로 결혼한다면 하야티는 큰 희생을 감수해야 할 텐데 그것은 감당하기 어려운 혹독한 시련이 될 터였다.

사랑조차 꿈속을 떠돌다 금방 사라질 그림자처럼 그 기쁨을 잠시밖에 맛볼 수 없는 자신의 박복함을 그는 마음속 깊이 탄식했다. 하지만 진정한 사랑이란 언제든 희생을 무릅쓰겠다는 마음가짐이기도 하다. 그래서 만약 사랑을 위해 사라져야 한다면 기꺼이 사라져주어야 하는 것이고 만일 죽어야 한다면 기꺼이 목숨을 내놓아야 한다. 진정 순수한 사랑이라면 두 존재가 서로 만난 후 다시 멀리 헤어져 육신으로 만났던 그 기억조차 잊을지라도 기꺼운 마음과 고귀한 진심만은 영원히 남을 것이다.

"자이누딘, 고개를 들게. 헤어지겠다고 말해주게나."

다툭이 채근했다. 고개를 든 자이누딘의 눈에서는 눈물이 쏟아져 내렸다.

"결정하게. 그리고 바로 떠나게!"

"네… 어르신!"

다툭은 자이누딘에게 다가가 어깨를 토닥거리며 말했다.

"신께서 자네를 보호하시길 비네."

그는 떠났고 자이누딘은 마치 정신이 나간 듯한 모습으로 홀로 남겨졌다.

〰〰〰

하야티는 가운뎃방에서 베갯잇에 수를 놓고 있었는데 그게 혼수용이었는지 우리는 알 길이 없다.

"혹시 알고 있었니, 하야티?"

갑자기 집으로 돌아온 다툭이 조카에게 다가와 말했다.

"뭘요?"

"자이누딘… 말이다."

하야티는 얼굴이 새하얘지며 손에서 바늘을 놓쳤다.

"자이누딘에게 바티푸를 떠나라고 했다. 그는 공부를 하고 싶어 했으니 초심으로 돌아가 파당판장이나 부킷팅기로 가는 게 낫겠지. 그도 그러겠다고 했어."

하야티는 죽을힘을 다해 마음을 억눌렀지만 얼굴은 더욱 창백해졌고 자기도 모르게 불쑥 말이 튀어나왔다.

"무슨 이유로 삼촌이 그에게 떠나라고 하셨어요?"

"그하고 너에 대해 험담하고 다니는 사람이 너무 많아."

"우리 관계는 순결해요. 관례와 기강을 해치는 행동 따위는 한 적이 없어요."

"아, 하야티, 네가 책에서 읽은 것을 가지고 이 마을에서 일어나는 일을 재단하지 말거라. 사랑이란 책 안에서나 존재하는 동화와 환상일 뿐이야. 현실에서는 그게 큰 문제가 되어 네 이름을 더럽히고 집안 어른들에게 폐를 끼치고 가문과 마을의 기강을 무너뜨리고 만단다."

"자이누딘은 삼촌이 말씀하시는 그런 식으로 저를 사랑한 게 아니에요. 그는 오히려 올바른 절차에 따라 저를 아내로 삼으려 했어요."

"아가야, 그건 불가능한 일이야. 입에 담는 것조차 부적절한데 그 관계를 지속하겠다는 거냐?"

"그게 왜 불가능한 일이에요? 자이누딘은 인간이 아닌가요? 그 역시 미낭카바우 사람의 후손이 아니란 말인가요?"

"오, 얘야, 너는 이제 세상에 막 첫발을 내디딘 거야. 이 세상이 어떻게 돌아가는지 너는 아직 잘 모른다. 너는 여염집 여자아이가 아니야. 네 신분에 자이누딘은 배우자로서 격이 맞지 않아. 그 사람에게 네 인생을 걸 수는 없어. 그는 늘 우울과 연민에 싸여 있고 생각만 많잖니? 요즘 세상에 인생을 같이할 만한 남편감은 분명한 수입원과 확실한 출신, 배경을 가진 사람이란다. 만약 그자와 결혼한다고 치자. 그럼 태어날 아기는 어느 종족의 아이가 되겠니? 므라피산이 여전히 굳건하게 솟아 있는 걸 봐라. 우리의 전통과 관례도 그렇게 굳건히 서 있단다. 비를 맞는다고 썩지 않고 태양이 뜨겁다고 논바닥처럼 갈라지지 않아."

"아, 삼촌은 왜 자이누딘을 해치고 자기 조카마저 죽이려 하세요?"

"그런 게 아니다, 하야티. 마음을 가다듬거라. 오늘 네가 슬퍼하는 건 사랑에 눈멀어 판단력을 잃었기 때문이야. 언젠가 스스로 깨닫는 날이 오면 오늘 내가 한 일을 오히려 고마워하고 너도 후회하지 않을 거야. 아무쪼록 그에 대한 마음을 접

91

기 바란다. 그런 사랑은 쓸모없는 시간 낭비일 뿐이니까. 삼촌은 누굴 해치려는 게 아니라 네가 인생을 순탄하게 살아가도록 그 길을 바로잡아주려는 거란다. 삼촌은 살면서 많은 경험을 해본 사람이야. 삼촌이 글은 잘 읽지 못하지만 맵고 쓴 인생에 대해선 좀 안단다."

하야티는 자신의 운명과 자이누딘을 위해 울면서 삼촌의 발치에 엎드려 자비를 구했다. 하지만 부질없는 일이었다. 물 대지 않은 논에 벼를 심는 것처럼, 시리 넝쿨 뿌리가 바위를 타고 오르는 것처럼, 메기를 잡아 있지도 않은 비늘을 벗기려 드는 것처럼 부질없는 짓이었다.

"지금은 울지만 나중엔 스스로 깨달을 거다."

삼촌은 하야티에게 붙잡힌 발을 천천히 빼며 말했다.

〰〰〰

자이누딘이 막 집에 도착했을 때 자밀라 아주머니는 창백한 얼굴을 하고 있었다. 그녀는 그가 밥을 다 먹기를 기다리지도 못하고 먼저 입을 열었다.

"바티푸를 당장 떠나 파당판장에 가서 살거라. 네 이름이 사람들 입에 많이 오르내리고 있어. 낮에 청년들이 너를 가만두지 않겠다고 벼르는 말도 들었다."

8. 출발

자밀라 아주머니로부터 그런 말을 듣고, 또 심장을 찌르는 다툭의 추방 명령과 그 매서운 단어 하나하나를 기억하면서 자이누딘은 밤새도록 잠을 이룰 수 없었다. 편향된 미낭카바우 사회에서 그의 운명은 여전히 비참할 뿐이었다. 그가 미낭카바우에 온 뒤로 바뀐 것은 아무것도 없었다. 고향을 떠난 목마른 여행자가 사막 한가운데에서 멀리 물 있는 곳을 보고 그곳에 도착했지만 정작 물 한 방울 얻지 못한 것과 다를 바 없었다.

아버지는 왜 어머니와 결혼했을까 하며 안타까워하기도 했다. 때로는 자신의 불행을 곱씹으며 왜 미낭카바우족으로 태어나지 못했을까 생각하기도 했다. 하지만 그게 하야티를 만나지 못하도록 문을 걸어 잠근 진짜 이유였을까? 사실은 그가 돈이 없기 때문일 것이다. 사람들은 그에게 안정된 생활을 할 정도의 돈이 있다는 것을 몰랐다. 하지만 돈을 뿌려대든 금을 쌓아놓든 부질없는 일이었다. 돈이나 금보다 더욱 뿌리 깊은 이 땅의 관습은 여전히 그를 밀어냈다.

방법이 부드러웠다 해도 쫓겨나는 것은 매한가지였다. 사람들은 그의 행동을 질타하고 명예를 짓밟았다. 마치 미낭카바우는 모든 죄악을 도말한 거룩한 지역이라도 되는 것처럼.

한 젊은이가 좋은 의도로 한 여인을 만나 결혼을 전제로 교제한 것뿐인데 그토록 비난받고 멸시를 당했다. 그러면서 정작 귀족의 호칭과 다툭, 족장의 지위를 가진 고귀한 이들은 어린 여자아이를 마음대로 첩으로 들이고 여기서 혼인하고 저기서 이혼해도, 그렇게 낳은 아이를 이 마을에 버리고 저 마을에 팽개쳐도 아무도 질책하거나 비난하지 않았다.

아버지의 고향으로 돌아온 아이는 정당한 혼인을 통해 태어났고 어머니는 예사 집안도 아닌 부기스족의 범상치 않은 블라유 집안 여인이었음에도 외지인 취급을 당해야 했다. 그래서 마땅히 아들이 물려받아야 할 할아버지의 재산은 '전통과 관례'라는 이름으로 조카들에게 빼앗기고 찢어발겨졌다. 아버지가 생전에 아들에게 물려준 재산조차 문제 삼아 조카들이 재판에 부쳐 그것을 빼앗는 일을 아무 문제 없는 것처럼, 올바른 일인 것처럼 만들어버렸다.

'나는 도대체 왜 이런 진흙 수렁 같은 사회에 등 떠밀려 발이 빠지고 만 걸까?'

자이누딘은 속으로 중얼거렸다. 그의 마음속에서 증오심이 불타올랐지만 아버지가 그곳 출신이란 사실을 기억하면 금방 사그라들었다. 비록 다른 이들이 인정해주지 않는다 해도 그 역시 그곳 사람이었다. 더욱이 하야티 역시 그곳 부족으로 태어나지 않았는가?

그는 뜬눈으로 밤을 지새웠다. 닭이 울어 새벽을 알리자 그는 마당으로 내려가 얼굴을 닦고 몸을 정결하게 하는 우두[24] 의식을 한 뒤 새벽기도를 올렸다. 잠시 후 동쪽으로부터 여명이 밝아오면서 숲속 까치울새의 노랫소리와 닭들이 닭장에서 홰치는 소리가 마치 전쟁에서 이긴 낮의 제왕의 왕림을 환영하는 트럼펫 연주처럼 들렸다. 동쪽과 서쪽 하늘의 구름들은 갖가지 색깔을 띠면서 매일 아침과 저녁에 벌어지는 대자연의 향연을 예고하는 듯했다.

얼마 지나지 않아 햇빛이 파당판장에서 숨푸르 호수 사이 여러 지역의 토지와 그곳을 통과하는 구불구불한 길들에 닿기 전 맨 먼저 비춘 므라피산과 싱갈랑산 정상이 마치 금박을 씌운 듯 아름답게 빛났다. 그러자 집집마다 사람들이 나오는 모습이 보였는데 남자들은 사룽 천을 치마처럼 둘렀고 여자들은 기도할 때 머리를 가리는 텔루쿵 천을 두르고 손에는 물 긷는 통을 들고 있었다.

오래지 않아 마침내 태양이 그 모습을 보였다. 이 모든 것을 바라보던 청년은 길게 한숨을 내쉬었다. 그는 마당까지 내

---

24 이슬람에서 예배나 기도를 드리기 전에 하는 간단한 세정식으로 손과 발, 얼굴을 특별한 순서와 방식으로 물로 씻는다.

려와 배웅하는 자밀라 아주머니의 손을 잡고 하직 인사를 한 뒤 줄줄이 늘어선 전통 가옥 앞 공터를 느린 발걸음으로 가로질러 걸었다.

그의 힘없는 발걸음은 가다 서다를 반복했다. 하야티의 집 앞을 지날 때는 일부러 고개를 숙였다. 그녀를 만날 희망을 이미 버렸기 때문이다. 그녀는 날카로운 가시가 돋은 향기로운 꽃이었고 그 가시는 모든 고통의 원천이기도, 궁극의 치료제이기도 했다.

길가 대나무 숲에서 나는 바람 소리가 평소 같으면 상쾌한 기분을 북돋았겠지만 지금 자이누딘으로서는 모든 것이 고통을 더할 뿐이었다. 그가 태어난 고향을 떠나 찾아온 바티푸는 이후에도 그대로 남을 것이다. 그가 많은 시간을 보낸 저 공터도, 밤 시간을 지낸 모스크도 그대로일 것이고, 하야티와 약조를 맺은 저 원두막도, 그리고 하야티도 그대로 홀로 남을 것이다.

자이누딘이 비틀거리듯 느린 걸음으로 마을을 출발한 지 30분쯤 지나 멀리 집들의 뿔 모양 곤종 지붕에 햇빛이 쏟아질 때, 파당판장으로 가는 고즈넉한 오르막길 가에 불현듯 어린 사내아이의 손을 잡은 한 여인의 모습이 보였다. 하야티와 아마드가 거기서 그를 기다리고 있었다.

하야티를 본 자이누딘은 마음이 몹시 흔들렸고 혀에 자물

쇠가 채워진 것만 같았다. 차분한 모습을 보이려 노력하는 그녀의 얼굴에도 부끄러움과 함께 슬픈 기색이 여과 없이 드러났다. 한참 동안 넋이 빠진 듯 그녀의 얼굴을 바라보던 그는 비로소 입을 열었다.

"여기서 나를 기다릴 생각을 했군요, 하야티!"

"물론이죠, 자이누딘 님, 아, 앞으로 다시는 당신을 '임'이라 부르지 않겠어요. 자이누딘, 당신은 내게 가장 가까운 벗이기도 해요. 어제 삼촌이 그렇게 입장을 정하면서 사랑하는 우리 관계가 위협을 당했어요. 그리고 마을 사람들도 우리를 의심하며 말도 안 되는 이상한 상상을 하고 있어요. 그래서 더욱당신이 가는 길을 배웅하러 왔어요. 비록 당신이 멀리 떠난다해도 내 영혼은 당신 영혼에 더욱 가까이 있을 거예요. 희망의날개를 펼치려는 남자에게 정직한 여인이 격려의 손길을 내밀면 그때의 약조는 죽을 때까지 변치 않는 법이에요. 내 사랑, 자이누딘, 이제 길을 떠나세요. 얼마든지 멀리, 보내드릴게요! 내가 바라는 건 단 한 가지뿐이에요. 절대 희망을 잃지 마세요. 당신 마음속에 슬픔과 상실감이 침범하지 못하도록 마음의 문을 잘 지키세요. 사랑은 마음을 약하게 하지 않고 절망이나 눈물, 흐느낌을 불러오지도 않아요. 오히려 사랑은 희망의 빛을 밝히고 살면서 부딪히는 모든 역경과 가시덤불을 이겨낼 용기를 주는걸요. 그러니 출발하세요. 신의 가호가 우리와 함께하도록 기도해요."

"하야티."

자이누딘은 목이 메었다.

"내게 참으로 소중한 말을 해주었어요. 내가 절망에 빠지
거나 아니면 반대로, 아직은 그 방향을 알 수 없지만 내 삶 속
에 어떤 희망을 발견한다면 그 모든 것은 내가 아닌 다른 사
람, 즉 오직 당신에게 달린 일이에요. 당신만이 내게 용기를
줄 수 있어요. 반대로 역시 당신만이 내가 평생 고통받게 할
수 있는 사람이기도 해요. 오직 당신만이 내 희망을 꺾고 오직
당신만이 내 목숨을 취할 수 있어요."

"그렇다면 이제 나는 당신과 지금 막 떠오른 태양 앞에서,
그리고 이 땅에 깃든 돌아가신 아버지와 어머니의 영혼 앞에
서 분명히 말할게요. 내 영혼이 당신에 대한 사랑으로 가득 채
워져 있다는 것을요. 내 마음에 충만한, 당신을 향한 나의 사
랑은 나의 혼이 되고 나의 육신이 되었어요. 그리고 나중에 당
신이 나의 남편이 될 것이고, 그것이 이승에서 이루어지지 않
는다면 죽은 뒤에라도 이루어지기를, 신에게 들리도록 항상
기도하겠어요. 또한 나는 약속을 어기지 않을 것이고 신과 조
상들의 영혼 앞에서 절대 거짓말하지 않을 것을 맹세해요."

하야티가 말했다.

"너무 무거운 맹세 아닌가요, 하야티?"

"그렇지 않아요. 정말 그렇게 될 거예요. 그리고 사랑하는 당신이 멀리 있거나 가까이 있거나, 1년, 2년, 아니면 10년 후에 돌아오거나, 아니면 이 바티푸가 새까맣게 지워진 뒤에 돌아올지라도 저는 끝까지 당신을 기다릴 거예요. 행복과 행운을 찾아가세요. 우리가 어디에 있든 나는 당신 거예요. 우리가 다시 만나는 날까지 나는 당신을 위해, 사랑하는 당신만을 위해 나 자신을 깨끗하고 순수한 상태로 지켜낼 거예요. 오늘 당신을 떠나보내는 내 마음이 얼마나 무거운지는 오직 신만이 아실 거예요. 하지만 지금 내가 할 수 있는 일이란 인내하고 참아내는 것뿐이에요. 훗날 이 세상을 감사함으로 마주하게 될 날을 기다리며, 아무쪼록 신이 내게 허락하신 그 인내심으로 그동안 내 마음을 감싸 보호해주길 기원할게요."

여태까지 자이누딘에게는 수수께끼 같던 하야티의 마음속 깊은 곳에 숨은 비밀이 모두 드러나는 순간이었다. 이제 자이누딘은 떠나야 하고 다시 만날 수 있을지 기약도 없었다. 자신을 억누르려는 하야티의 마음속 치열한 싸움도 그 표정에 역력히 드러났다.

"그래요, 하야티. 아까 당신이 여기 서 있는 모습을 보기 전까지만 해도 거의 사라져버렸던 그 희망을 다시 가슴 가득 채우고 이제 출발할게요. 하지만 아직 당신에게 부탁할 것이 하나 더 있어요. 나한테 편지를 보내주세요. 나도 방해하는 사람이 없다면 반드시 답장을 쓸게요."

"가능한 한 빨리 보낼게요. 내 마음속 감정을 모두 담아서, 당신이 늘 얘기하던 것처럼, 나도 편지에 내 감정을 더 자유롭게 담을 수 있어요."

"얼마나 시간이 흘러야 우리가 다시 만날지 알 수 없으니 내가 평생 부적으로 삼을, 그래서 내가 죽을 때 수의 안에 넣어달라고 부탁할 당신의 증표를 하나 주세요. 어떤 것이든 좋아요. 당신에게 가장 가치 없는 것일지라도 내겐 무엇보다도 값비싼 거예요."

잠시 생각하던 하야티는 갑자기 목에 감은 슬렌당 스카프를 벗더니 머리카락 몇 올을 뽑아 자이누딘에게 건넸다.

"이걸 가져가세요. 부디 잘 가요."

그녀는 동생 아마드의 손을 잡고 고개를 돌리더니 길을 따라 빠르게 걸었다. 그녀가 마을로 가는 샛길로 들어서는 동안 자이누딘은 더 이상 아무 말도 하지 못했다.

몇 분 후 멀리서 천천히 언덕을 올라오는 마차 한 대가 보였다. 말은 느린 걸음으로 움직였고 마차 객석은 텅 비어 있었다. 깊은 생각에 빠져 있던 자이누딘은 마차가 앞을 지날 때 깜짝 놀라 고개를 들었다. 그가 말했다.

"파당판장으로 갑시다."

9. 파당판장에서

싱갈랑산 기슭에 자리한 파당판장은 공기가 선선하고 쾌적한 도시로, 바티푸 마을에서 그리 멀지 않았다. 하지만 하야티를 만날 수 없게 된 자이누딘에게는 한없이 멀게만 느껴졌다. 그의 드높은 자존심도 문제였다. 그가 자존심 없는 인간이었다면 금방 한두 시간을 달려 하야티를 몇 번이고 만났을 것이다.

그는 파당 방면 내리막길의 실라잉 마을에서 살기로 했다. 그곳에서는 싱갈랑산 자락과 사탕수수 농장이 가득 들어찬 언덕이 내려다보였다. 멀리서 세차게 콸콸 흐르는 아나이강의 물소리도 거기까지 들려왔다. 조용하고 황량한 분위기의 마을은 어딘가 구슬픈 느낌마저 더해 시인들이 좋아할 만한 곳이었다.

파당판장 생활을 시작하던 초기에 바세 아주머니에게 편지를 한 통 써 보냈는데 미낭카바우에 살면서 겪은 일을 간단히 피력한 것이었다. 얼마 지나지 않아 도착한 답장에서 수양어머니는 그런 상황을 가슴 아파하며 자기가 아직 살아 있을 때 멩카사르로 돌아오라고 권유했다. 하지만 자이누딘은 훗날 쓸모 있는 인간이 되고 싶었고 이 세상과 내세에 대해 좀 더 깊이 공부하겠다는 원래의 목표를 이루기 전에는 돌아갈 마음이 없었다.

바티푸를 떠난 이래 자이누딘은 머릿속에서 많은 꿈과 계획을 그렸다. 때로는 신학자가 되어 한 사람의 울라마로서 고향에 돌아가 신의 뜻을 전파하고 싶었다. 또 어떤 때에는 정치판에 뛰어들어 인민협의회의 지도자가 되고 싶었고, 때로는 문인이 되어 심오한 예술을 깊이 공부하고 싶었다.

그 세 가지 소망은 사실 선대로부터 물려받아 그의 피 속에 함께 흐르는 것이었다. 그의 외할아버지 다엥 마니피는 신심이 깊은 사람이었고 말년의 그의 아버지 역시 그랬다. 청아한 심성의 그의 어머니는 시인의 성향을 가졌다. 그가 그렇게 등 떠밀려 파당판장 땅을 밟았을 때 인생의 진로는 아직 결정되지 않은 상태였다.

며칠이 지난 금요일, 마을 사람들은 물론 산동네와 바티푸피탈라, 코타라와스, 파당판장 시내 사람들이 시장으로 모여들 때 하야티의 동생 아마드가 나타나 들고 온 편지를 자이누딘에게 건넸다.

사랑하는 임에게!
바티푸와 파당판장 시내는 그리 멀지 않지만 당신이 내게서 떠나고 나니 정말 멀게만 느껴지네요. 게다가 내 주위에는 울타리가 빙 둘러쳐지고 일거수일투족을 가족들에게 감시당하고 있어 우리가 다시 만나는 건 쉽지 않아 보여요.

파당판장에는 절친인 하디자가 살지만 역시 자유롭게 왕래할 수 없어요. 나는 더 이상 학교에 다니지 못하게 되었거든요. 중요한 일이 없는 한 당분간 집에서도 나갈 수 없어요. 사랑하는 당신이 멀리 있으니 당신의 불행과 나의 고통은 한없이 크기만 하고 주변 세상은 온통 어둡기 그지없어요.

바티푸를 떠나는 당신에게 당부할 때 사실 나는 스스로를 속였어요. 그때 얘기했듯이 당시에는 당신과 헤어져야 하는 내 마음을 어떡하든 억눌러 달랠 수 있을 거라 생각했어요. 하지만 당신의 쓸쓸한 얼굴과 우울함이 투영된 눈동자, 연민을 불러일으키는 목소리가 모두 내게서 떠나버리니 나 역시 슬픔과 비련을 견뎌내지 못하는 마음 약한 여자아이일 뿐임을 새삼 깨달았어요.

내가 당신에게 떠나라 한 것은 당시 우리에게 닥친 위협과 파국을 깊이 생각하고 내린 가장 이성적인 판단이었어요. 하지만 당신이 떠난 후 방금 전까지만 해도 이성에 설득당했던 나는 곧 마음속 감정을 주체하지 못했고 당신의 표정, 당신의 얼굴, 당신의 눈빛, 그 모든 것이 어느새 돌아와 내 눈앞에 어른거렸어요.

당신을 떠나보낼 때 눈물을 참는 건 정말 힘든 일이었죠. 하지만 당신이 삼촌한테 이미 말할 수 없는 모욕을 당했는데 내가 당신의 슬픔을 달랜다며 고작 눈물이나 흘린다는 게 두려웠어요. 그래서 그날 더 이상 눈물을 참을 수 없게 된 순간 급히 돌아서서 걷기 시작한 것은 당신이 내 시야에서 완전히 사라지는 모습을 보지 않으려 했기 때문이에요. 참았던 눈물이 홍수라도 난 듯 쏟아져 나는 체중도 좀 빠졌어요. 이별이란 정말 씁쓸하고 이 모든 걸 마주 대하는 건 힘들기만 해요.

당신이 떠난 다음 날 나는 둘째 고모와 함께 얼마 전 논에 심은 고추를 보러 갔어요. 하필이면 우리가 예전에 만난 그 논이었어요. 나는 당신을 찾았지만 당신이 거기 있을 리 없었죠. 나는 우리가 함께 앉았던 원두막에 올랐어요. 당신이 내 마음속 비밀을 조금씩 알아가던 곳. 하지만 당신은 거기에도 없었어요. 당신은 먼 곳에 있고 다시는 돌아오지 않겠죠. 아, 마치 그 원두막이 내게 말을 걸고 우리가 앉았던 그 자리가 당신의 소식을 전하는 것 같았어요. 당신이 엉덩방아 찧은 그 못을 건널 때, 그곳은 예전과 다를 바 없지만 당신만 거기 없었어요.

거기서 결국 깨닫고 말았어요. 지나간 것은 이미 지나간 것이고 지나가버린 시간은 다시 돌아오지 않는다는 것, 이미 지나간 흔적을 되짚는 것은 너무나 힘든 일이고 오직 남는 것은 추억이란 것을요. 바로 그때 거기에서, 내 사랑, 나는 더 이상 눈물을 참을 수 없었어요.

그때만 해도 아주 가깝지는 않던 둘째 고모도 결국 내 비밀을 모두 알게 되었고 거기서 함께 울어주었어요. 다른 사람이 함께 흘려준 눈물이 내 마음속 아픔을 조금 달래준 것 같아요. 이제 슬픔을 통해 친구가 새로 생겼어요. 그간 어떤 일이 있었는지 둘째 고모 리마에게 모두 털어놓았어요. 하지만 그녀 역시 여자에 불과해서 돕는다 해도 함께 울어주는 것뿐이에요.

논에서 돌아오자마자 이 편지를 써서 보냅니다.

자이누딘, 내 사랑, 우리는 언제쯤 다시 자유롭게 만날 수 있을까요? 행복하던 날들, 그러나 한바탕 꿈처럼 지나가버린 그날들이 언제쯤 다시 우리에게 돌아올까요?

하야티

금요일이 되기 전 자이누딘은 답장을 보냈다.

나의 소중한 하야티

당신의 운명은 최소한 나보다는 나아요. 당신은 우리가 만난 원두막과 우리가 다니던 논들, 당신이 이삭을 말리던 넓은 마당을 아직도 볼 수 있잖아요. 이 외로운 방랑자는 당신이 거기 앉아 뭔가 깊은 생각에 잠긴 채 대나무 도리깨를 앞뒤로 흔들던 모습을 아직 기억해요. 당신은 거기 모든 것을 지금도 볼 수 있잖아요. 하지만 나는 멀리 떨어진 곳에서 홀로 한숨을 쉬면서 탄식하고 있어요.

다른 이들에게는 내 주변 환경이 번잡해 보일지 몰라도 내게는 외로움만 느껴질 뿐이에요. 바티푸를 떠난 뒤로 나는 조상의 피가 살아 숨 쉬는 고향 땅을 떠나와 이곳에서 스스로 이방인이 되었다는 사실을 더욱 뼈저리게 느껴요. 바티푸에서도 나는 그들 중 한 명으로 인정받지 못했는데 모두가 자기 자신밖에 생각하지 않는 이 도시에서는 오죽할까요?

나의 소중한 하야티! 내가 떠날 때 당신이 한 당부를 나는 지금도 굳게 붙잡고 지키려 해요. 내가 가야 할 길은 이토록 어둡고 험난하기만 하고 목적지조차 가물거리지만, 용기를 끌어모아 마음을 굳게 먹고 큰 희망을 가지고 삶의 역경을 인내하며 극복하라던 당신의 그

당부가 귓전에 여전히 메아리치는 한 나는 결코 절망하지 않을 거예요. 그 당부가 없었다면 나는 쓰라린 인생에 금방 절망했을 것이고 살아온 날을 후회하며 신을 모독하고 운명을 탓하는 씻을 수 없는 죄악에 빠졌을 거예요.

당신의 육체와 정신이 나하고 사랑과 애정으로 맺어졌다는 당신의 서약이 내게는 가장 값비싼 자산이에요. 이 세상이 바닷속으로 가라앉을지라도, 모든 세계가 어둠에 떨어질지라도, 그 무슨 일이 벌어지더라도… 설령 나와 마주치는 세상 모든 이가 내 얼굴을 외면할지라도, 사람들 마음이 나에 대한 증오로 가득 차 들끓을지라도, 내가 세상 사람들 앞에 환멸의 대상이 될지라도 당신이 나를 위해 거기 있으니 이 모든 것을 짊어지는 것이 하나도 무겁지 않아요.

하야티! 편지를 더 많이 보내주세요. 크든 작든 당신의 고민을 알려주고 당신 보기에 옳다 여기는 대로 나를 격려하고, 책망하고, 화를 내주세요. 그럼 나는 당신을 만나는 즐거움 대신 이제 헤어짐이 가져다주는 아름다움과 기쁨을 알게 되겠죠.

우리에게 신의 가호가 함께하도록 기도해요.

자이누딘

자이누딘에게 편지가 전해지던 날, 하야티의 절친 하디자에게도 한 통의 편지가 전달되었다.

이자!²⁵

내 편지 받는 거 지겹지 않지? 나한테는 슬픈 일이 연이어 벌어지고 있어. 너 아니면 또 누구한테 내 마음을 털어놓겠니? 내가 아는 한 너는 슬픔이 마음을 지배하게 놓아두지 않고, 항상 밝은 안색에 인맥도 넓은 여자아이거든. 어쩌면 우리 성격은 이렇게나 다를까?

너한테 하고 싶은 말이 있어. 진작 몇 번인가 얘기했던 자이누딘이란 청년, 그는 이제 바티푸에 없어. 떠났거든. 쫓겨나듯 떠났어. 모든 사람이 그를 미워해. 사람들은 그가 출신도 분명치 않고 마을의 규범을 어지럽힌다며 비난했어. 그래서 그가 어디로 떠났는지 알아? 멀지 않은 곳이야. 너랑 가까운 곳, 파당판장에 있어.

너는 네 편지에서 그에 대한 내 사랑이 원래 사춘기 소녀들 마음속에서 벌어지는 비정상적인 생각이나 공상에 지나지 않는다고 비웃곤 했지만, 친구야, 내 말을 믿어봐. 자이누딘은 선하고 올바르고 과묵하고 공손할

---

25   하디자를 친근하게 줄여 부른 애칭.

뿐 아니라 연민을 불러일으키는 사람이야. 너는 아직 그를 만난 적이 없으니 그를 평가할 수도 없겠지.

나는 정말 진심으로 너희 집에도 가보고 싶고 파당판장 시내도 둘러보고 싶어. 하지만 너도 들어 알겠지만 내 경전 읽기 수업은 '완료'되었고 나는 이미 학교를 '졸업'했어. 수료증은 선생님한테 받은 게 아니라 삼촌을 통해 받았어. 특별히 중요한 일이 없는 한 나는 이제 너 있는 곳에 갈 수 없게 되었어.

하지만 나는 참을 수 있어. 언젠가 반드시 너희 집에 들를 기회가 있을 거라고 확신하면서 때를 기다리는 중이야.

친구야, 아무쪼록 네 삶에 행운이 가득하길 바라.

하야티

≈≈≈

파당판장….

파사르우상에서 파사르바루로 장터를 이전하기 전, 파당판장은 파당 다음으로 큰 상업 중심지로서 오늘날의 부킷팅기 정도의 위상이었다. 1914~1918년 기간의 치열했던 1차 세계대전이 터지기 전까지 파당판장은 무역 활동이 활발한 곳이었다. 그 시절에는 마스짓라야 모스크를 거쳐 루북마타쿠 칭으로 가는 길 가까이 위쪽 시장에서 아래쪽 시장에 걸쳐 큰 상점들과 근사한 피륙을 파는 포목점들이 늘어서 있었다. 그 곳은 유명한 거상들이 자금의 흐름과 환율 변동을 주시하며 사업을 영위하던 곳이다. 그들 중에서도 H. A. 마지드, H. 마무드, 바긴도 족장, H. 유누스 같은 이들이 오랫동안 이 지역 경제를 좌지우지했다.

그러다가 세계대전이 끝난 후 찾아온 경제 위기가 이 도시의 몰락을 불러왔다. 기염을 토하던 유명한 거상 여럿이 세상을 떠났고 젊은 상인들도 대거 파산하면서 불과 1~2년 만에 도시의 활력이 완전히 사라졌다. 아직 남은 큰 상인들은 파당이나 부킷팅기로 사업장을 옮겼고 아예 바다 건너 다른 지역으로 간 이들도 있었다. 그래서 큰 집들과 멋들어진 상점들, 형형색색의 천들로 가득 찼던 포목점들은 텅텅 비고 말았다. 파당판장은 마치 가루다 신[26]에게 공격받아 풍비박산이 난 도시처럼 인적 드문 곳이 되어버렸다.

하지만 시대의 변화는 그곳을 그런 황량한 상태로 오래 내버려두지 않았다. 1916년 자이누딘 라바이가 서부 수마트

---

26 힌두교의 신으로 금색 몸, 흰 얼굴, 빨간 눈에 큰 날개와 부리를 가진 괴조의 형상이다. 위스누(Wisnu) 신의 현신이라고도 한다.

라 초창기 종교학교 중 하나인 디니야 학교를 세웠다. 초기 종교학교의 본산인 파당 아다히야 학교의 분교 성격이었다. 전통 방식인 폰독 형태의 기숙학교에서 하지 라술에게 사사받은, 이슬람 단체 수마트라 타왈립 사람들이 1918년에 설립한 학교는 티쿠 출신 하심이란 젊은 교사의 제안으로 시스템을 바꿔 정규 학교 커리큘럼을 채택했다. 그러자 총독부에서는 파당판장에 사범학교를 세웠다.

그래서 파당판장이 다시 북적이기 시작했는데 예전의 상인들 대신 수마트라 전역에서 모여든 종교학교와 일반 학교 학생들, 사범학교 학생들로 들끓었다. 사범학교에서는 학생들이 일주일에 한 번 시내로 나왔기 때문에 그렇게 북적거리지는 않았다. 하지만 앞서 언급한 빈집들은 종교학교 학생들이 모두 채웠다. 즘바탄브시의 모스크를 확장 공사까지 했지만 그곳에 학생들을 모두 수용할 수 없기 때문이었다.

1923년에 들어서면서 이들 종교학교 학생들 사이에는 뜨거운 이슈가 생겼다. 교사들 중 자바 땅에 갔다가 돌아올 때 '붉은' 이데올로기(공산주의)의 가르침을 가져온 이들이 있어 이후 많은 학생이 여기 빠져들었다. 그러다가 1926년 6월 28일 끔찍한 대지진이 덮치면서 유구한 역사의 도시 파당판장은 완전히 파괴되었다.

하지만 그 후 이 도시는 다시 발전해나갔다. 그곳에서 공부하는 종교학교 학생들은 일반 사회와 거리를 둔 채 머리를 삭발하고 경건한 믈라유 복장에 거친 펠레캇 천을 기도용 치마로 두르고서 오직 아랍어 경전 공부에만 매진하며 모스크에서 지내는 시악 사람이나 산트리 펠루툭의 모습을 갖추어 갔다. 모든 것이 새로운 모습으로 변해가는 중이었고, 종교란 입고 다니는 옷에 구애되는 것이 아니라 그 가르침을 실천하기 위해 노력하고 기꺼이 싸우는 데에 있다며 학생들이 넥타이를 매거나 서양식 복식을 하는 것도 허용되었다. 같은 맥락에서 교사들은 학생들이 음악을 배우고 네덜란드어나 영어 같은 외국어를 배우는 것도 허락했다.

1년에 한 번, 파당판장에서는 지역 전통 축제로 이름 높은 경마와 야시장이 열렸다. 이 전통 행사는 바투상카르, 파야쿰부, 부킷팅기, 파당 같은 서부 수마트라 굴지의 도시들에서도 열렸다. 어린아이부터 고귀한 족장에 이르기까지 다양한 사람들이 오래된 전통 의상이나 검은색 데스터르 원피스 차림으로, 크리스 단검을 허리춤에 차고, 숨비리 천 같은 것을 두르고 나왔고, 마을 여성들은 티쿨룩푸죽 천을 터번처럼 맵시 나게 머리에 둘렀다.

요컨대 이 도시에서는 세 가지 경향이 서로 충돌하면서 지역 사회를 구축해가고 있었다. 그것은 변두리 마을 사람들이 여전히 견지하고 있던 오래된 전통과 관례, 시내에 사는 무슬림들이 추구하는 현대적인 복식, 그리고 이른바 '지성적'이라고 일컫는 지도층 어르신들의 생활 방식이었는데 그 용어와 실제 의미가 늘 일치하지만은 않았다.

자이누딘은 이 도시에서 종교 공부를 계속했다. 그와 함께 영어 공부를 병행했고 네덜란드어도 더욱 열심히 배웠다. 그는 밤마다 구국말린탕에 사는 한 퇴역 하사관을 찾아가 비올라도 배웠다. 가끔 그는 그 하사관을 따라 사람 많은 곳에 가서 함께 연주하기도 했다. 그는 음악을 통해 자신도 부드러운 감정을 품게 되리라 믿었다. 자이누딘은 이곳 파당판장에 살면서 예전 멩카사르를 떠날 때 품은 꿈들을 하나하나 이루어가기 시작했다.

10. 경마와 야시장

하야티는 집 앞 쌀창고 아래 마당에서 낡은 의자에 앉아 시틴자우라웃산(産) 대나무로 만든 도리깨를 들고서 벼를 타작하고 있었다. 아까 쿠부크람빌에서 돌아온 한 어린아이가 파당판장에서 가져온 편지를 급히 건네주었다.

편지를 받을 때 심장이 마구 쿵쾅거리던 하야티는 주소를 쓴 글씨체가 여성의 것임을 알아보고서 조금 차분해졌다. 그녀에게 익숙한 글씨, 절친 하디자가 쓴 것이었다. 그녀는 집으로 올라가 침대 위에서 편지 봉투를 열었다.

나의 절친, 하야티에게!

네가 2주 전 금요일에 보낸 편지 내용을 이제야 이해했어. 네가 나를 보러 파당판장에 간절히 오고 싶은데 시간 여유도 없고 삼촌 방해가 엄청나다는 얘기구나.

하지만 나는 알지. 네가 파당판장에 오려는 건 사실 구국말린탕 지역 변두리길을 따라 걸어와 네 애인 자이누딘이 사는 곳의 공기를 호흡하고 싶어서라는 걸. 그와 통성명도 못 해 어떻게 생겼는지 알 수 없으니 참 아쉽네. 네 마음도, 네 영혼도 온통 다 가져가버리고 네가 편지에 쓴 것처럼 그토록 네 마음을 아프게 하는데도 침이 마르게 칭찬하고 존경하는 그 청년은 도대체 어떻게 생겼을까? 바티푸의 한 떨기 재스민 꽃, 영주 가문의 고귀한 나비, 하야티, 네가 마음을 준 그 사람은 도대체 어떻게 생긴 누구일까?

하야티, 너 같은 사람들은 월초나 월말에 맞춰 많이들 길을 나서지. 다음 달이 6월인 건 물론 알지? 쿠부크람빌역이나 루북바욱의 구멍가게들에는 벌써 경마 프로그램과 장터 축제에 대한 광고가 붙었겠다.

경마와 장터에는 사람들이 얼마나 몰려들까? 파당판장으로 와. 우리 집에서 일주일간 지내면서 우울한 마음은 훌훌 털어내고 바람이 실어오는 싱갈랑산이랑 므라피산, 탄디캇산 정상의 아침 공기를 마음껏 즐기자. 날이 더우면 루북마타쿠칭에 물놀이하러 가도 돼. 우리는 파당판장에 있을 테니 너희 삼촌한테 물놀이까지 허락받을 필요는 없어. 우리 엄마와 아빠가 허락해줄 거야. 게다가 파당에서 일하는 아지즈 오빠도 14일간 휴가를 냈대. 나중에 오빠가 우리를 데리고선 다녀줄 거야.

삼촌한테 허락을 구해서 파당판장으로 와. 너를 위해 내 방을 예쁘게 꾸미고 네가 좋아하는 제라늄 꽃을 문

앞에 심어놓을게. 그 꽃은 수수하지만 향기로운 잎사귀를 가졌어. 네가 바티푸에서 늘 화분에 물을 주던 게 생각나는데 거기서는 꽃을 피우지 못했지. 리마 아주머니에게도 안부 전해줘.

하디자

　　경마는 장터만큼이나 인기가 높아 이제 곧 경기가 시작될 경마장의 많은 인파는 그 자체만으로도 시골 마을 사람들 사이에 화제가 될 정도였다. 사람들은 새 옷을 입고 나왔다. 어린아이들은 전통 의상을 입었고 여성들은 티쿨룩푸축을 머리에 쓰거나 마을에서 입는 일상복 차림이었다. 하야티도 그런 사람들 중 하나였다. 이런 축제는 1년에 한 번 있는 행사여서 그녀뿐만 아니라 마을 사람 전체가 몰려나올 판이었다. 그녀는 파당판장에서 하디자의 집에 머물기로 삼촌의 허락을 받았지만 리마 고모가 동행한다는 조건이 붙었다.

　　허락을 받은 하야티는 뛸 듯이 기뻤다. 그녀는 말의 경주보다 사랑하는 자이누딘과 다시 만나기를 마음속 깊이 기대했다. 최소한 길에서 마주치기만 해도 그것으로 족했다. 하야티의 상황을 알게 된 리마 고모는 아무 말도 하지 않았다. 리마 고모는 절대 이루어지지 않을 사랑을 하는 가여운 조카가 잠시나마 기분 전환할 수 있기를 바랐다.

하야티는 자이누딘에게 또 한 통의 편지를 썼다.

사랑하는 자이누딘

그간 숨도 못 쉴 것 같았지만 삼촌에게서 파당판장에 가도록 허락을 받아 이제 한숨 돌렸어요. 경마와 장터가 열리는 열흘간이에요. 나는 의리 깊은 친구 하디자 집에 머물 거예요. 경마와 장터가 열리는 동안 매일 만나 얼굴 보며 마음의 상처를 치료하고 만성이 되어버린 초조함을 떨쳐낼 수 있다면 얼마나 좋을까요? 금요일에 시내로 나갈게요.

하야티

그렇게 약속한 금요일, 하야티는 둘째 고모와 함께 파당판장을 향해 출발했다. 하야티는 도착하자마자 하디자와 그녀의 어머니, 그리고 파당에서 일한다는 그 남자 형제의 환영을 받았다. 건장하고 민첩해 보이는 그 청년은 며칠 휴가를 냈는데 이름이 아지즈라고 했다.

하야티와 하디자, 이 두 절친은 교육이나 인간관계 면에서 서로 너무나 달랐다. 하야티는 시골의 단출한 마을에서 전통 관습이 지배하는 집안 환경 속에서 예스러운 모습을 지키며 살았다. 마을에서의 평화로운 삶이 자연스럽게 영혼의 평온을 가져다주었는데, 하디자의 처신이나 그녀의 가족이 살고 있는 환경은 이와 천차만별이었다. 하디자는 전형적인 도시 사람으로 도회적으로 지어진 집에서 살았고 현대식 교육 시스템을 갖춘 학교에서 공부한 친척들도 모두 사교계에 익숙한 도시풍의 사람들이었다. 집 안에 들인 가구들도 두말할 나위 없이 변두리 시골의 것과는 비교도 되지 않게 훌륭했다.

하디자가 늘 살갑게 구는데도 불구하고 처음 하루 이틀 동안 하야티는 어색하기 이를 데 없었다. 더욱이 친형제도 아닌 외간 남자와 가까이 지내는 것이 불편하기만 했다. 그는 하디자의 오빠였으니 집으로 찾아와 허물없이 지내는 가까운 친구도 많았는데 그런 상황이 하야티가 하디자의 집에 적응하는 데 좀 더 오랜 시간이 걸리게 했다. 그녀는 자신이 입은 옷과 하디자의 의상, 집 안을 오가는 다른 여자들과 하디자를 만나러 온 사람들이 입은 복장을 비교하게 되면서 자신의 격이 매우 떨어진다는 자격지심이 생겼다. 그녀는 평소 아무 장식도 없는 긴 원피스를 입었고 슬렌당 스카프를 머리에서 한 번도 벗지 않았다. 반면 하디자를 비롯한 다른 친구들 중 절반은 치마를 입었고 나머지 절반은 최신 패션에 따라 주문 제작한 반둥산 크바야[27]를 입었다.

---

27 인도네시아 여성의 전통 복식 중 몸에 달라붙는 상의.

하지만 어색함과 자격지심은 하루 이틀뿐이었고 사흘째부터는 조금씩 익숙해지기 시작했다. 물론 그 모든 것이 여전히 인상적이었다.

하디자는 경마 전날 밤, 다음 날의 일정을 준비했다. 그들은 관람석 몇 개를 예약했다. 루북앙룽과 부킷팅기 친척집에서 온 세 명의 소녀, 아지즈와 그의 친구 네 명까지 합쳐 모두 열 명이 각각 짝을 맞추었다.

다음 날 그들은 아침 일찍 일어났다. 하디자는 방에서 화장을 하느라 바빴고 하야티는 가져온 짐 보따리를 풀어 가장자리에 수를 놓은 명주 슬렌당과 일반 실로 촘촘히 짠 긴 원피스, 프칼롱안 바틱 문양의 사룽 치마, 그리고 가죽신을 꺼냈다. 아지즈는 밖에 앉아 휘파람을 불고 있었는데 얼마 지나지 않아 그의 친구들이 들이닥쳤다. 한 사람은 '코닥' 브랜드가 새겨진 카메라를, 또 다른 사람은 경마를 즐길 때 사용할 작은 망원경을 들고 왔다. 다른 두 명은 대단한 덩치를 자랑했는데 그중 한 명이 다른 한 명을 현저히 압도했다.

두 소녀도 각자의 방에서 준비를 마치고 밖으로 나왔다. 리마 고모도 하디자의 어머니와 함께 두 소녀가 단장한 모습을 보려고 밖에 서 있었다. 베란다에서 마주친 하디자는 친구가 입은 옷을 보고 깜짝 놀랐다. 한참 동안 하야티를 살피던 하디자가 마침내 입을 열었다.

"너 무슨 옷을 입은 거야, 하야티? 바나나 잎으로 포장한 르팟 과자라도 되고 싶은 거야?"

하야티도 하디자가 입은 옷을 찬찬히 살펴보고는 놀라지 않을 수 없었다. 그녀의 짧은 크바야는 흔치 않은 디자인에 가는 면실로 촘촘히 짠 것이었다. 가슴의 4분의 1 정도가 드러나는 최신 패션이었다. 가슴을 가리는 내의도 최신 모델이어서 유두가 도드라졌고 슬렌당도 두르지 않았다. 프칼롱안 바틱 문양의 얇은 사룽 치마에, 뒤꿈치 높은 힐을 신었고 화장용 분첩과 손거울만 간신히 들어갈 작은 가방을 들고 있었다. 반면 하야티 자신은 그와는 너무 거리가 먼, 촌스러운 옷을 입었음을 깨달았다.

하디자가 툴툴거렸다.

"그 옷으로는 경마장에 갈 게 아니라 모스크에 기도하러 가는 게 낫겠다."

"나는 그런 옷은 민망해서 못 입어, 하디자. 나한테 어울리지도 않고 익숙하지도 않아."

"바로 그거야. 익숙해지면 돼."

"우리 지역에서 이런 옷은 전통과 관례에 어긋나."

"예전엔 그랬겠지. 하지만 요즘 시대에는 그저 평범한 옷일 뿐이야."

"나는 머리를 덮지 않으면 안 돼."

"머리를 내놓으면 뭐가 어때서? 머리를 덮으면 덥기만 하잖아?"

"솔직히 나는 그런 옷이 없어."

하야티가 작은 목소리로 말했다.

"그건 간단한 문제야. 내 옷장에는 이런 옷들이 넘쳐나. 네가 원하면 몇 벌이라도 줄게."

말씨름 끝에 하야티는 거의 함께 가지 못할 뻔했지만 자이누딘을 만나려 한 원래 목적을 기억하고 결국 옷을 빌려 입었다. 처음에는 어색해 이마에 식은땀이 흘렀다. 머리에 두른 슬렌당 스카프를 벗는 것도 그녀로서는 부담스러웠고 꼭 끼는 옷의 익숙하지 않은 느낌에 온몸이 간지럽기까지 했다. 둘째 고모의 의견을 물었지만 그녀는 모든 걸 하야티의 결정에 맡겼다. 무언가 하라고도, 하지 말라고도 않는 것이 하야티에게는 더욱 곤혹스러웠다.

그렇게 입고 밖으로 나오자 하야티는 몸에 힘이 하나도 들어가지 않았다. 동행하던 아지즈는 그런 그녀를 보고 싱긋 웃어 보였다. 하지만 한 걸음씩 걸으면서 익숙하지 않은 옷을 입었다는 수치심도 조금씩 엷어지더니 이내 완전히 사라져버렸다. 그들이 걷고 있는 길거리에서 그런 옷을 입은 사람은 비단 그녀만이 아니었기 때문이다. 경마장에 들어설 때 수많은 사람이 지르는 환호성에 휩쓸리면서 그녀는 부끄러움을 완전히 잊었다.

경마장 일대는 남녀노소가 인산인해를 이루었다. 달리는
말을 보는 게 그렇게나 사람들의 관심사일까? 사실 사람들은
말이 아니라 사람들을 보러 온 것이다.

경마에 돈을 거는 사람들이 앉는 관람석은 이미 만원이
었다. 고귀한 족장들은 내기에 큰돈을 걸지 않거나 브랜디를
퍼붓듯 마시지 않으면 수치심이라도 느끼는지 거기서 엄청난
공금을 뿌려댔다. 갑자기 네덜란드 국가이자 네덜란드령 동인
도의 국가 〈빌헬뮈스〉가 연주되자 사람들은 자리에서 일어나
총독부 부지사의 도착을 환영했고 곧이어 경기가 시작되었다.

경마장 울타리 가장자리로 몰려드는 인파 속에 저 멀리
차분하면서도 느릿느릿 걸어오는 한 청년이 있었다. 우울한
얼굴에 긴 머리칼은 제대로 빗질하지 않은 듯했지만 말끔한
복장에 넥타이만 매지 않은 모습이었다. 바지를 입은 다른 사
람들과 달리 사룽을 두른 모습이 특이했다. 울타리에 다가간
그는 관람석을 둘러보았는데 누군가를 애타게 찾는 듯했다.

그때 일단의 젊은 남녀가 즐겁게 웃으며 관람석으로 들
어섰다. 그 수많은 인파 속에서 한 젊은 여인의 모습이 보이자
침착하던 청년의 눈이 휘둥그레졌다. 그는 눈앞의 모습을 보
고 스스로도 믿을 수가 없었다. 관람석 문 앞에서 청년과 마주
친 여자는 깜짝 놀라 못 박힌 듯 그 자리에 멈추어 서고 말았

다. 그녀는 하야티였고 어쩔 줄 몰라 당황하는 청년은 자이누
딘이었다.

"당신… 하야티군요."

"자이…누딘…."

하야티가 멈추어 서자 친구들도 같이 멈추어 섰다. 하디
자와 세 소녀는 물론 아지즈와 그의 친구들도 발을 멈추었다.

"왜 멈춰, 하야티?"

하디자가 거만한 눈빛으로 자이누딘을 훑어보며 물었다.

"왜 그래? 이분은 누구야?"

하디자가 대답을 재촉했다.

"이분은 내 친한 벗, 자이누딘이야."

"오오! 네가 자주 말하던 그분이 이렇게 생기셨구나."

하디자는 미소를 지으며 하야티의 손을 잡아끌었고 눈꼬
리로 아지즈를 힐끗 바라보았다. 아지즈와 그의 친구들도 미
소를 지어 보였다. 그들은 다시 관람석으로 걸어 들어갔고 자
이누딘은 거기 홀로 남겨졌다. 청년들은 멀어졌지만 그들의
모습과 말하는 소리, 깔깔거리는 웃음소리가 그에게는 선명하
게 보이고 들렸다. 오직 고개를 푹 숙인 하야티만이 손에서 가
방을 놓칠 뻔할 정도로 혼란스러워하고 있었다.

그 장면을 보는 자이누딘은 현기증을 느끼며 식은땀이 눈
썹 위로 쏟아졌다. 망연자실한 채 서 있는 그의 귀에는 주위의

소음이 하나도 들어오지 않았다. 방금 출발선에서 달려 나간 말들에게 환호성이 여러 번 쏟아졌다. 한편에서는 "아감! 달려라!" 또 다른 편에서는 "파당! 파당!" 이렇게 말 이름을 외치는 함성이 경마장을 가득 메웠지만 정작 자이누딘은 자신이 지금 어디에 있는지조차 깨닫지 못했다.

하디자와 아지즈, 그리고 다른 친구들은 하야티에게 미소를 지어 보였지만 그 미소는 일말의 조소를 담고 있었다.

"저 사람이 네가 그토록 찬양하던 사람이니, 하야티?"

하디자는 아직도 울타리 가장자리에 서 있는 자이누딘 쪽을 바라보며 말했다.

"네 친구 정말 경건해 보인다, 얘."

하디자의 다른 친구도 대화를 거들었다.

"생각이 많은 사람은 원래 그렇게 보여."

또 다른 친구가 끼어들었다.

"그런데 옷 입은 스타일이 셔츠 단추를 목젖까지 올려 잠그고서 넥타이는 매지 않았던데?"

한 친구가 지적했다.

"그의 사룽은 부기스 사룽이었어."

또 다른 친구의 말이었다.

"그는 멩카사르 사람이야."

하디자가 확인해주었다.

"오, 여기 사람이 아니구나?"

다른 친구가 반응했다.

갑자기 계도원 한 명이 나타나 울타리 가장자리에 가까이 몰려선 사람들을 쫓아내기 시작했고 자이누딘도 다른 사람들에 섞여 함께 쫓겨났다. 친구들은 그 장면을 보며 배를 잡고 웃었지만 하야티는 어쩔 줄 몰라 얼굴을 붉히며 고개를 푹 숙였다. 사람들이 우승마에게 함성을 보냈고 청년들도 함께 환호했지만 하야티만은 아무 말 없이 가만히 있었다.

"얘, 왜 얼굴이 빨개?"

하디자가 물었다.

"머리가 너무 아파, 빨리 돌아갔으면 좋겠어."

그들은 관람석에 앉은 지 얼마 되지 않아 곧 귀갓길에 올랐다.

⁀⁀⁀

남자와 여자의 육체적 반응이 서로 다른 것처럼 마음으로 느끼는 감정 역시 다른 것은 당연하다. 남녀 모두 그들의 인생을 응분의 사랑으로 채운다. 하지만 사랑 문제에 있어 양측은 낮과 밤이 서로 다른 것처럼, 태초에 아담과 이브가 서로 달랐던 것처럼 전혀 다른 사고방식을 바닥에 깔고 살아간다.

남자가 한 여자를 사랑하기로 마음먹으면 그 여자는 그 남자의 권리가 되고 어떤 다른 남자도 그 사이에 끼어들 수 없다. 아름다운 여인이라면 그녀의 아름다움 역시 오직 그 한 명의 남자만 알면 족하다. 그녀가 맑은 목소리를 가졌다면 오직 그 한 명의 남자만 그 목소리를 들을 권리가 있다. 그래서 만약 누군가 다른 사람이 그녀의 아름다움을 찬양하거나 그녀의 목소리가 맑고 성품이 훌륭하다고 말하면 그녀를 사랑하는 남자는 그 상황을 받아들이지 못한다. 그녀는 그의 것, 그만을 위한 것이며 절대 다른 사람을 위한 존재가 아니기 때문에 많은 사람이 그가 사랑하는 여인을 칭찬할수록 그의 마음 속 질투심은 더욱 커진다.

한편 그가 사랑하는 여인을 다른 여자들과 달리 형편없다고 비난하는 이도 반드시 있기 마련이다. 만약 그가 사랑하기 때문에 그 아름다움을 칭찬받아서는 안 되는 여인을 오히려 불쌍히 여겨 동정심을 표하는 남자가 있거나 그 여인을 모욕하며 얕잡아보는 사람이 있다면, 이러한 상황은 그녀를 사랑하는 남자의 사랑을 더욱 불타오르게 하고 그 눈에 비친 여인의 가치를 더욱 귀히 여기게 한다.

하지만 남자에 대한 여자의 사랑은 정반대다. 여자가 볼 때 남자란 목에 늘어뜨린 금목걸이, 팔목에 두른 보석 팔찌, 친구와 이웃에게 자랑할 패물과 같은 존재다. 그 남자가 아무리 결점투성이 인간이라 해도 다른 남자나 여자가 그를 칭찬하고 그가 세심한 배려심을 가졌고 유명하고 인기가 많다는 등의 이야기를 하면 그의 모든 결점은 단번에 덮어버린다.

그래서 대체로 남자에 대한 여자의 사랑은 사실상 욕망보다 허영심에 기반한다. 남다른 미모에 대한 찬사나, 약혼자 또는 남편의 성취를 인정받는 것은 여자에게 노력한 바의 결실이자 하나의 승리인 셈이다.

이런 것들을 감안하면 자신이 사랑하는 남자가 남들에 비해 딱히 내세울 것 없고 남들보다 옷을 잘 입지도 못하고 외톨이 취급을 받는 것에 침울해진 하야티가 고개를 들지 못하고 두통까지 생긴 배경을 충분히 이해할 수 있다. 지금껏 하야티에게는 자이누딘 외의 세계가 없었고 자이누딘 외에 그녀가 발견한 우주의 아름다움도 없었다. 남자의 용기가 신이 내린 것이라면 자이누딘은 분명 신의 작품이었다. 자이누딘은 올곧고 선한 심성을 가진 청년이었다. 가장 사랑받아 마땅한 그를 사람들이 비난하는 것은 그가 누구인지 모르기 때문이다. 그녀는 자기 자신에게 하소연했다.

"저들은 자이누딘이 얼마나 훌륭한 성품을 가졌는지 알지 못해. 완벽하지 못한 옷차림 이면에 숨겨진 그의 선한 심성을 당연히 알 리 없어. 저 사람들이 그를 비웃는 건 그가 어떤 사람인지 모르기 때문이야. 그가 깨끗한 마음과 원대한 영혼을 가진 걸 알면 저들도 분명 그를 존경하게 될 거야."

그녀는 혼자 방 안에 앉아 자이누딘이 자신에 대해 품은 꿈과 계획을 떠올렸고 젊고 가난한 그가 끊임없이 비관적인 생각에 사로잡힌다는 것을 기억하며 골똘히 생각에 잠겼다.

그녀가 품은 사랑은 예전 자이누딘의 운명에 대해 가졌던 가슴 찢어질 듯한 연민과 동정심으로부터 진화해온 것이다. 그 동정심이 그때 또다시 고개를 들었다. 그녀는 깊은 한숨을 내쉬며 중얼거렸다.

"자이누딘, 당신의 운명은 왜 이리 불행할까…"

동정심의 골짜기에서 사랑의 언덕 정상에 다다랐던 그녀는 다시 동정심의 골짜기로 굴러 떨어지고 있었다. 그리고 사랑이 동정심의 위치로 떨어진다는 것은 앞으로도 오랫동안 더 아래로 떨어질 것임을 시사했다.

하야티, 내 사랑하는 이에게

우리가 헤어진 지 이미 많은 시간이 흘렀지만 나는 아직도 그날 태양이 막 떠오르던 때에 바티푸와 에코르루북 경계의 계단식 논들 사이 프나주난 오르막길에서 당신이 나를 보내주던 순간을 기억해요. 당신의 어두운 표정과 나를 보내주는 당신의 단호한 결기가 아직도 눈앞에 보이는 듯해요.

인내심을 가지라고 말하던, 온 힘을 다해 인생의 역경을 극복하자고 말하던 당신의 목소리가, 잠 못 이루는 한밤중에 들려오는 시계 초침 소리처럼 너무나 생생하게 들려와요. 그 모든 것이 생각날 때마다 나는 우리 편지들을 다시 읽었어요. 그러면 당신과 헤어져 멀리 떨어져 있어도 외롭게 느껴지지 않았죠.

도시의 사교 방식은 이제 시골로도 번지기 시작해 도시 사람들 개개인이 평온한 시골 마을의 조화로운 삶에도 영향을 주기 시작했어요. 많은 어르신이 여자들의 전통과 남자들의 예의범절이 새 시대의 파도에 휩쓸려 망가질까 두려워하며 불만을 토로하시죠.

하지만 나는 그동안 당신에 대해서만큼은 그 어르신들처럼 걱정하지 않았어요. 나는 당신이 어떤 새로운 시대 조류에도 영향을 받거나 흔들리지 않고, 그 대신 당신이 사는 터전과 환경 속에서 굳건히 평정을 지키고, 당신이 태어난 가문의 위상과 그동안 배운 종교 교육, 그리고 당신의 삼촌 다툭께서 어떻게 조카딸을 보호하려 했는지… 기억할 거라 믿었어요.

하야티, 당신에게 아주 작은 마음의 응어리라도 남기지 않기 위해 솔직하게 말하려는 나를 용서해줘요. 내가 진정 사랑하는 당신, 진정한 사랑이란 겉으로는 매끈하고 포근하면서 안으로는 뾰족하게 날이 선 위선 따위를 품지 않아요. 그래서 이제 내 마음속에 느낀 바를 솔직하게 말할 텐데 혹시, 예를 들어 이것 때문에 당신이 나를 죽이려 든다 해도 내 손으로 벌이는 일이니 백번 감수하겠어요.

하야티! 내가 어제 뭘 본 거죠? 왜 그런 옷을 입었어요? 왜 당신의 원래 스타일을 바꿨어요? 당신의 긴 원피스는 어디다 뒀어요? 당신은 바티푸 마을 사람 아닌가요? 요즘 옷이 잘못되었다고 얘기하는 게 아니에요. 내가 지적하는 것은 너무 과한데도 불구하고 그 '지나친 것'을 '패션'이라고 포장하는 행태예요. 어제 당신은 노출이 너무 심한 옷을 입어서 가슴이 절반이나 드러났고 팔도 너무 꽉 꼈어요. 그런데 그 옷을 입고서 사람들이 붐비는 곳 한가운데에 나오다니.

하지만 그렇게 한 것은 당신이 진정 스스로 원한 것이 아니라 요즘 여자들 취향을 한번 따라 해본 것이라고 믿어요. 사람들은 그것을 진보적이라 말하지만 절대 그런 게 아니에요. 진보가 지향하는 목적지가 고작 그런 옷을 지어 입는 것일까요, 하야티?

하야티, 당신은 내가 살아갈 세계, 원래 당신의 옷을 입어요. 당신이 마을에서 입던 옷 말이에요. 용서해줘요,

하야티. 하지만 당신은 아름다운 옷 따위의 도움을 받을 필요가 없어요. 애당초 아름답게 창조되어 태어났으니까요.

그러니 화내지 마세요. 당신은 나만을 위한 여인이에요. 다른 사람을 위해서가 아니라고요. 다른 사람들이 당신을 요즘 시대의 발전한 의상도 못 알아보는 시골 여자라고 말하게 내버려두세요. 당신은 오직 한 사람만을 위한 여인이니까요.

자이누딘

편지를 읽으며 삼매에 빠져 있을 때 갑자기 방문이 열리고 하디자가 들어왔다. 하야티는 그 편지를 베개 밑에 숨기려 했지만 하디자가 금방 찾아내 읽기 시작했다. 편지를 읽은 그녀는 얼굴이 새빨개져서 입술을 삐죽거렸다.

"맙소사, 네가 사랑하는 이 사람 정말로 경건, 그 자체구나. 보아하니 그가 원하는 건 네가 얼굴에 숯검정을 칠하고, 바티푸 마을 사람들이 30년 전에나 입던 옷을 입고, 사롱을 등 뒤로 매듭짓고, 귀에 커다란 구멍을 뚫어 거기에 돌돌 만 사탕수수 잎을 넣어 구멍을 더 크고 넓게 키우고, 시리 잎을 먹어 이빨을 온통 새까맣게 물들이고, 뒤꿈치를 들고 사뿐사뿐 소리 나지 않게 걷고, 키와 소쿠리를 머리에 이고 다니는 건가 보다. 다음에 그 사람이랑 마주 앉게 되면 최고의 남자 납셨다고 추켜세우면서 엄지를 척 들어 올려줘. 나중에 그 사람이랑 혼인하면 너는 운수대통이겠구나. 우선 종일 집 안에 갇혀 있을 테고 아랍 사람들 규범에 따라 햇볕도 맞으면 안 되고 금요일마다 한 번 외출하게 되는 거잖아? 그리고 장식품처럼 그 사람 곁에서 걸을 때 다른 남자들이 네 얼굴을 보면 안 되니 마차 끄는 말들 눈가리개 하듯 너도 슬렌당으로 얼굴을 다 덮어야 하겠지. 그 사람이 외출할 때 집 열쇠를 가지고 나갈 테니 너는 종일 부엌에 갇혀 있게 될 거야."

"그렇게 말하는 건 옳지 않아, 하디자. 네가 말한 것 같은 전통이나 관습은 없어. 아직 그 사람을 잘 모르면서 비난이 너무 지나쳐."

"이 편지를 읽는 거 말고 뭘 더 알아야 해?"

"하디자, 그는 선한 사람이야. 하지만 그는 지금 사랑에 빠져 있고, 너도 알잖아, 사랑에 빠진 사람은 자주 질투도 한단 말이야."

"그렇다면 사랑 문제에 대해서는 우리 입장이 엄청 다르구나, 하야티. 너는 생각이 너무 많아. 만약 나라면 말이지, 하늘에서 내려온 천사가 나에게 사랑을 고백하며 황금 새장과 아이날 브나앗의 비단으로 만든 의상들, 보석 박힌 가시면류관을 선물한다고 쳐, 그럼 나는 그 대가로 기꺼이 자유를 속박

당하고 영원히 그 황금 새장 안에 갇혀 살아야 해. 내가 노래를 불러도 그만을 위한 것이고 내가 휘파람을 불어도 듣는 이는 그뿐이야. 나는 그렇게 속박되고 순종을 강요당해. 그럴 거면 나는 그 천사에게 고맙다고는 하겠지만 안녕히 가세요 하며 황금 새장과 보석 가시면류관을 도로 들려 보낼 거야. 내마음이 원하는 대로 할 자유, 나 한 사람만의 명령을 들을 권리, 이런 게 내가 사는 세계에서 가장 중요한 가치야."

잠시 후 그녀는 계속해서 말했다.

"하야티, 나는 네 마음을 정말 모르겠어. 너는 어쩌면 그리도 잔인한 사람의 사랑에 싸구려처럼 쉽게 마음을 열어주는 거야? 너한테는 모든 게 다 불경하고 모든 게 다 안 되고 모든 게 다 금지라는데 말이야. 너는 그러다가 결국 나중에 뭐가 될 것 같니? 다가올 미래의 네 인생에서 너는 어떤 길을 어떤 모습으로 걷고 있을까? 나는 생각만 해도 끔찍하다. 너는 네 '사랑하는 사람'을 그토록 하늘처럼 찬양하는구나. 내게는 딱 여성의 자유를 앗아가는 처형 집행자로밖에는 보이지 않는데. 하야티, 우리 이쁜이! 너는 친구들 마음속에서도 부러움을 불러일으키지. 그 아름다움은 과연 어떻게 사그라지게 될까? 너를 꽁꽁 묶어 자기만의 장난감으로 삼으려는 잔인한 사람의 욕망에 희생양이 될까? 하야티, 하야티… 젊음은 단 한 번뿐이야, 친구야. 앞날에 대해 좀 더 신중하게 생각해봐. 너

133

는 신의 이름을 반복해 외치면서 우리들, 나머지 다른 사람들은 마치 신을 섬기지 않는 사람 취급을 하고 있어. 하지만 신이 주신 법칙은 그 정도까지 엄격하지 않아. 신은 인간에게 감당할 수 없는 짐을 지우지 않아. 신은 우리 모두가 등이 굽을 대로 굽은 노파가 되어 새벽 4시, 닭이 울기도 전, 울새가 휘파람을 불기 전에 텔루쿵 천에 뒤덮인 듯한 칠흑 같은 어둠 속을 더듬어 모스크를 찾아가라 하지 않았어. 그러지 마, 하야티. 우리 아직 젊을 때 기회를 찾아보자. 자신감을 가져. 우리 손을 잡아 이끌어줄 남편감도 찾고 잠시도 기다려주지 않는 이 세상을 웃는 얼굴로 살아가자꾸나."

하야티가 답변할 기회도 주지 않고 하디자는 방을 나가버렸다. 혼자 남은 하야티는 이제 어떻게 해야 할지 더욱 곤혹스러웠다. 때로는 잠잘 때, 때로는 깨어 있을 때, 때로는 하소연할 때, 때로는 왼쪽을 쳐다볼 때 그녀는 자이누딘의 편지를 다시 꺼내 읽곤 했다. 그리고 때때로 오른쪽을 쳐다볼 때는 하디자가 한 말을 기억했다.

11. 망설임

아지즈는 부모로부터 멀리 떨어진 파당에서 일하면서 다양한 부류의 직장 친구들과 어울렸고 그들 분위기에 휩쓸렸다. 밤이 되면 그는 사교 모임이 벌어지는 곳에 가 젊음의 욕정을 해소했다. 그가 무엇보다 좋아하는 것은 뜨내기 친구들과 함께 돈을 물 쓰듯 하거나 유부녀들을 희롱하며 노는 것이었다. 예쁜 여자를 보면 그는 뜨거운 물에 빠진 지렁이처럼 자신을 주체하지 못했다. 잠시 신앙이 독실한 척 연기할 수는 있었지만 오래가지 못하고 불과 몇 분 만에 추접스러운 본색을 드러내곤 했다.

부모는 그에게 결혼을 종용했지만 그는 여전히 총각 생활을 즐겼다. 아내를 얻는다는 것은 스스로 발목을 묶고 자유를 반납하는 것과 다름없다고 그는 종종 친구들에게 말하곤 했다. 요즘같이 모든 것이 발전하는 시대에는 더욱 그랬다. 바보스럽고 발전이 뭔지도 모르는, 시대에 뒤떨어진 시골 여성을 아내로 맞는 것은 상상하기도 싫었다. 그에게 아내란 모름지기 집안일을 잘할 뿐 아니라 사람들 마음을 홀릴 만큼 옷도 잘 입어야 하고 사교에도 능숙해서 다른 남자들 앞에 당당해야 했다. 하지만 시골 아가씨들에게서 그런 것을 완벽하게 기대할 수 없었다.

그렇다고 도시 여자들과 결혼한다면 그들은 교활하고 원하는 것도 많다. 그들은 이것저것 구경하거나 여러 가지 하고 싶은 것이 많고 때로는 남자를 자기 멋대로 좌지우지하려 든다. 아지즈는 남녀 교제가 너무나 자유로운 이 시대에 정직한 사랑이란 없다고 치부했다. 그는 벌써 몇 번이나 여러 여자에게 아플 때나 즐거울 때나 죽을 때까지 충실하겠다고 맹세했지만 서약한 여자 중 대부분이 이미 결혼해 다른 배우자와 잘 살고 있었다. 처녀 시절이었다면 그런 맹세가 하늘과 땅만큼의 무게를 지녔을 것이다. 그런 경험을 한 끝에 이제 그는 하루에 네 번씩 젊은 여자들에게 사랑의 맹세를 남발했고 당연히 그 맹세를 지키지 않았다.

그래서 아지즈에게 인생이란 코미디에 지나지 않았다. 이 사회에 남자든 여자든 정직한 사람은 남아 있지 않았다. 정직함조차 돈을 주면 얼마든지 살 수 있었다. 서로 좋아하면 그만이지 결혼이 무슨 소용인가 생각하기도 했다. 결혼이란 그저 승낙과 동의의 과정일 뿐이다. 그래서 여자가 부모에게 허락을 받으면 결혼하는 것이고 허락받지 못하면 결혼을 못한다. 그런 것은 결국 자유를 짓밟는 행위 아닌가? 아직 몸이 젊을 때 마음이 원하는 바를 따르는 것이 맞다. 나이 들면 인생을 즐길 기회도 줄어들겠지. 결혼은 그때 가서 하면 된다.

하지만 그런 생각을 하고 있다 해서 가족들에게까지 자신의 취향을 알게 하고 싶지는 않았다. 그가 파당에 나가 일하는 것도 그에 대한 소문이 주변 친척들 귀에 들어가지 않게 하려는 이유에서였다. 가끔 집에 돌아갔을 때 결혼 이야기가 나오면 그는 굳이 변명하지 않고 이렇게 답하곤 했다.

"아직 결혼 생각도 없고 허락도 못 받았어요."

동생 하디자는 진작 부유한 젊은이와 약혼했는데 약혼자는 매우 진보적인 생각을 가진 사람으로 바로 얼마 전 부킷팅기의 큰 상점을 유산으로 받았다. 그녀는 우선 오빠 마음을 달래 결혼을 부추기려 했다. 그녀는 오빠를 하야티와 짝지어주고 싶었다. 독실한 하야티를 아내로 맞으면 오빠의 낭비벽과 치기 어린 성격도 어떤 식으로든 고쳐질 거라 생각했다. 게다가 하야티는 매우 아름다웠고 나중에 도시에 살다 보면 촌스러운 면이 도회적으로 변하는 것은 시간문제일 터였다. 특히 파당 같은 도시에서라면.

파당판장에서 며칠 머물면서 경마장과 장터에서 시간을 보내거나 멋진 곳을 찾아다니며 신선한 공기를 쐬고 집에 돌아와 자유롭게 지내면서 아지즈는 하야티의 아름다움에 점점 마음이 갔다. 하디자는 집에서만 갇혀 지낸 소녀를 노골적으로 바라보는 오빠의 시선에 주목했다. 함께 식사를 할 때 하야티는 곁눈질까지 하며 바라보는 아지즈의 집요한 시선을 참아낼 수 없어 얼굴을 붉혔다.

　하디자나 다른 사람이 없을 때면 아지즈는 하야티가 앉은 곳으로 다가와 여자들이 좋아할 만한 달콤한 말을 쏟아냈다. 그런 것은 그의 일상이었다. 그는 칭찬에 능숙했지만 처음부터 쑥스럽고 불편했던 하야티는 그와 가까이 있는 것조차 두려웠다. 시골 여자에게는 어쩔 수 없는 일이었다. 하지만 아지즈는 여자를 '유혹'하는 선수였으므로 하야티의 불편함과 부담감도 점차 사라졌다. 아지즈가 하디자의 오빠라는 점에서 기본적으로 호감도 있었다. 한편 하야티는 다른 사람들을 볼 때마다 자이누딘에 대한 동정심도 점점 커졌다. 그 동정심이 문제였다.

　아지즈는 연기의 달인이었다. 그리고 그는 남자들이 여자들을 가지고 노는 것처럼 여자들도 똑같이 그런다고 생각했다. 그는 하야티에 대해 하디자와는 달리 평가하고 있었다. 하지만 하디자는 아름답고 진실된 하야티가 아지즈의 아냇감으로 적격이라 여겨 어떡하면 오빠가 그녀를 손에 넣을 수 있을까 방법을 모색했다.

　하디자가 한참 동안 자이누딘을 비난하고 깎아내리는 말을 했던 다음 날, 그녀는 하야티를 자기 방에 데려갔다. 그녀는 앨범을 꺼내 얼마 전 약혼자가 집에 왔을 때 루북마타쿠칭의 언덕들과 싱갈랑산 자락, 아나이 조림지, 부킷팅기의 응아라이 등에 소풍 가서 찍은 사진을 보여주었다. 벌써 두 달째 자카르타에 가 있는 약혼자는 무역과 관련한 추가 지식을 쌓는 중이었고 돌아오는 대로 결혼식 날짜를 잡을 예정이었다. 하디자는 하야티에게 그들의 결혼식이 같은 날이면 좋겠다고 말했다.

하디자는 찬란한 빛을 발하는 아름다운 다이아몬드가 박힌 반지를 보여주었다.

"이건 내 약혼자가 준 정표야. 그간 네가 아직 결혼할 생각이 없어 보여서 내가 약혼한 걸 굳이 밝히지 않았어. 하지만 네가 짝이 될 수 없는 사람을 사랑한다는 걸 안 뒤로 너한테 진실을 있는 그대로 얘기해주지 않으면 내 마음이 편치 않을 것 같다고 생각했어. 친구야, 나는 너를 정말 사랑해. 나중에 내 남편과 너희 남편이 높든 낮든 같은 지위에 있는 사람이면 얼마나 좋을까? 서로 부담 없이 어디 출신인지 얘기하면서 함께 위를 바라다보고 함께 밑을 내려다본다면 말이야. 너는 자이누딘의 선함을 칭찬하는데 그 부분은 나도 동의해. 하지만 요즘 세상에 그런 사람은 더 이상 써먹을 데가 없어. 정작 이 시대에 필요한 것은 충분한 돈과 재산이야. 사업을 하는 사람이라면 사업이 번창해야 하고 급여를 받는 사람이라면 월급 봉투가 두툼해야 해. 말로는 아무리 사랑이 신성하다 해도 결국 모든 건 돈이 좌우하는 거야!"

139

"그렇지 않아, 하디자!"

하야티가 반박했다.

"네 생각은 틀렸어. 사랑이란 돈 따위에 달린 것이 아니
야. 서로 사랑하는 두 사람이 만나 얻게 되는 마음의 평화와
기쁨이야말로 바로 돈이자 재산이지. 금팔찌, 다이아몬드 목
걸이, 세련된 의상보다 더욱 가치 있는 거야. 그 기쁨이란 가
뭄에 논바닥처럼 쩍쩍 갈라져버리거나 비에 젖어 썩어버리는
것이 아니야."

"그건 네 상상일 뿐이야, 하야티. 다시 한번 말할게. 그건
상상 속에서나 벌어지는 일이라고."

하디자도 물러서지 않았다.

"만약 네 남자와 단둘뿐이라면 형편없는 옷을 입고도 참
고 살 수 있어. 너희 둘뿐이라면 쓰러져가는 집에서 살아도 견
뎌낼 수 있겠지. 하지만 참고 살다 보면 얼마 지나지 않아 창
문 틈으로 솔솔 불어 들어와 유혹하는 바람의 속삭임을 듣게
돼. 그처럼 참고 사는 너를 불쌍하게 바라보는 사람들의 동정
심 가득 찬 시선과도 마주치겠지. 그때가 오면 사랑의 수위
가 점차 내려갈 테고 너는 그제야 운명을 후회하기 시작할 거
야. 후회는 시간이 지날수록 운명을 그렇게 만든 원흉에게 옮
겨가게 돼. 남편에게 말이야. 남편도 마찬가지야. 아내가 재수
없다거나 불운을 몰고 왔다고 불평하는 남자들 얘기를 유부

녀들한테 얼마나 많이 들었는지 몰라."

'망설임', 바로 그것이 하야티가 파당판장에 있는 동안 고개를 들었다. 그녀가 잠자리에 들려고 하면 눈물짓는 자이누딘의 모습이 떠오르면서 설득력 충만하던 하디자의 목소리도 귓전에서 사라졌다. 하지만 때로는 강하게, 때로는 부드럽게, 아지즈의 능숙하고도 매혹적인 미소가 떠오르기도 했다.

장터 축제가 끝난 뒤 하야티는 마을로 돌아갈 채비를 했다. 하야티와 하디자는 언제나 서로를 기억하자고 약속했다. 여러 가지 옷감과, 하디자가 따로 비용을 들여 지은 반둥 스타일 크바야 몇 벌도 짐 속에 들어갔다.

하야티가 마차를 탈 때 아지즈와 하디자, 그들의 어머니도 나와서 오랫동안 배웅했다. 작별 인사를 하면서 하디자는 그녀의 손을 잡고 한참을 놓지 않았다. 하디자는 진지한 표정으로 말했다.

"내가 한 말이 이상하게 들렸는지 모르겠지만 달다고 금방 삼키지 말고 쓰다고 당장 뱉지도 마. 그 전에 우선 신중하게 생각해봐."

하야티는 대답 대신 한숨을 내쉬었다. 그녀는 망설였다! 사랑은 그 수위가 동정심으로 낮아졌는데 이제 망설임의 공격까지 받고 있었다.

마차가 멀어지자 그들도 집으로 돌아갔다. 하야티와 리마 고모는 오랫동안 그들 화제의 중심이었다. 처음에는 리마 고모가 도시에서 지내는 동안 했던 행동을 거론하며 칭찬하기도, 농담을 하기도 했다. 그녀가 집에서 어떻게 지냈고 거실에 있는 초대형 의자에 앉기 싫어했다는 이야기도 나왔다. 그러다가 하야티는 무슨 옷을 입어도 아름답다는 이야기에 이르자 아지즈도 칭찬을 보탰다.

"그 애가 우리 가족이 된다면 얼마나 좋을까?"

미소를 띤 하디자가 이렇게 말하며 오빠의 말을 끊었다.

"우리가 그 애를 가족으로 들인다면 무척 자랑스러울 거다. 하지만 그러기 위해 정작 노력해야 할 사람이 원치 않을지도 모르지."

어머니는 아지즈를 곱게 흘겨보며 말했다.

아지즈는 고개를 숙여 의자에 댔다가 다시 천장을 바라보며 마치 아무 말도 못 들은 척 딴청을 부렸다.

"어때, 오빠?"

하디자가 그런 아지즈를 가만두지 않았다.

"하야티 같은 여자가 우리한테 딱 어울린다고. 남들과 비교할 수도 없는 미모에 말투도 고상하지, 시골 사람이니 촌스러운 건 이해해야 해. 우리 도시 관습도 만만치 않은걸. 정말 그렇게 된다면 우리에게는 큰 행운이야."

"사실 지난 일주일 동안 나는 그 애의 성품과 처신에 홀딱

반했다. 만약 우리가 청혼을 넣을 수 있다면 정말 좋겠구나."

어머니도 거들었다.

"시골 여자들의 문제는 도시로 데려오면 어쩔 줄 몰라 한다는 점이에요."

아지즈가 부드러운 목소리로 말했다.

"그건 금방 해결할 수 있는 문제야. 우리가 그 애 몸을 온통 금붙이로 장식하고 기뻐할 만한 것들로 만족시켜주면 금방 현대적인 도시 여자로 변모할 거야."

하디자가 말했다.

"혹시 이미 정혼한 사람이 있을지도 모르잖아!"

"아, 정혼자. 갠 아직 정혼한 사람이 없어. 시골에서 멩카사르 사람이랑 연애한 적은 있어. 경전 읽기는 꽤 잘하는 모양이지만 근본도 없는 사람이야. 더욱이 유배당한 죄인의 자식이라던데 누군가의 배우자가 되기엔 턱도 없지."

"그때의 그 자이누딘이란 친구?"

"바로 그 사람이야!"

오랫동안 지속된 이 대화가 끝나갈 무렵 아지즈는 하야티의 아름다움에 완전히 끌리고 있었다. 그는 총각으로 살겠다던 예전 생각을 버리고 하야티를 아내로 맞아들일까도 생각해보았다. 하지만 그는 깊이 고민하지 않았다. 하야티가 평생 함께 다니며 삶과 죽음을 공유할 아내, 남들이 어떻게 생각하든 상관없이 함께 인생의 역경과 싸워 이겨낼 동료 같은 아내가 되어줄지 아직 구체적으로 생각해보지 않았다. 그저 아름다운 소녀 하야티, 집 안에서만 자란 그 시골 처녀를 반드시 손에 넣겠다는 생각뿐이었다. 그가 보통 사용하던 퇴폐적인 하람[28] 방식이 이번에는 통하지 않을 터였고, 그렇다고 경건한 할랄[29] 방식도 여의치 않아 보였다. 하지만 그는 직업도 있고 어머니의 재산도, 자기 재산도 넘쳐났으니 그를 좋아하지 않을 사람이 있을 리 없었다.

14일간의 휴가를 마치고 파당으로 돌아가던 그는 하야티를 달라고 할 경우 친척들이 오래 생각할 필요 없이 곧바로 승락할 수 있도록 예전의 행실을 버리고 정직하게 살 것을 약속했다.

～≈～

그 편지를 우편으로 보낸 후 자이누딘은 걱정에 휩싸였다. 그는 자신이 편지에 담은 솔직한 심정이 하야티의 마음을 찔렀을까 두려웠다. 더욱이 기다리던 답장은 결국 오지 않았

---

28 종교적으로 금지된.
29 종교적으로 허용된.

다. 그리고 하야티가 벌써 파당판장을 떠났다는 것도 나중에야 알았다. 그 편지로 인해 하야티가 자신에게 화를 낸 거라면 어떡할까 하는 생각에 마음이 무거워진 그는 앞서 한 말들에 대해 사과하는 편지를 바티푸로 보냈다.

하야티에게서 온 답장은 그의 마음을 치유하는 명약이었다. 하야티는 앞서의 편지를 전혀 곡해하지 않았고 여전히 그의 편지를 기다리며 그와 만나게 되길 기대한다고 말했다. 단지 급한 일로 편하고 차분하게 편지를 쓸 여유가 없어 바티푸로 돌아갈 때 미리 알리지 못했다고 했다.

그 편지를 읽을 때 자이누딘은 왠지 예전에 비해 편지의 함량이 좀 떨어진다는 느낌을 받았다. 하지만 그런 느낌은 그이상 깊어지지 않았다. '맹세까지 한 그 착한 소녀가 불과 며칠 만에 약속을 깰 리 없어'라는 마음속 목소리가 들려왔기 때문이다.

자이누딘은 그런 상황에 있었다. 그는 사랑의 집중타를 맞고 몸도 가누지 못하게 되어, 바람을 받지 못한 연처럼 창공을 오르내리긴커녕 축 처져 있었다.

하야티가 자이누딘을 벌써 잊은 것도 아니고 그녀가 아지즈를 사랑하게 된 것도 아니었다. 더욱이 아지즈에 대한 마음은 자이누딘을 향한 사랑과는 전혀 다른 성격의 것이었다. 하지만 파당판장에 다녀온 후 하야티가 예전에 가졌던 감정이 점차 사라지는 것만은 분명했다. 그녀는 이제 시골에서의 삶이 얼마나 많이 부족한지, 그리고 도시 생활이 얼마나 화려한지 알게 되었다. 그녀의 마음도 서서히 들뜨기 시작했다. 마을 전통의 수수한 옷을 입는 것이 이제는 가슴을 옥죄듯 답답하게 느껴졌고 환호하는 도시 사람들을 보는 것이 즐거웠다.

하디자가 가르치듯 한 말들이 첫날에는 대수롭지 않았지만 둘쨋날, 셋쨋날을 지나면서 점차 폐부 깊숙한 곳을 찔러왔고 급기야 그 말이 옳다는 확신이 들기 시작했다. 왜 남자들이 아내를 버리고 여자들이 남편에게 충실하지 못한 경우가 종종 생기는지 그녀가 마음속으로 묻던 질문들이 비로소 답변을 찾았다. 그것은 다름 아닌 돈 때문이었다. 돈만 있다면 모든 문제가 해결된다. 단점을 감추는 것은 물론, 몇 마디 사과의 말로 분노의 감정조차 지워버릴 수 있다.

마음속에서 자이누딘의 얼굴이 희미해지기 시작했다. 그는 이제 어린 시절의 기억 속에만 남을 것이다. 그것은 흔하고도 당연한 일이다. 성인이 되기 전 소녀가 소년을 사랑하고 청년이 처녀를 그리워하는 것은 자연스러운 일이다. 성인이 되면 이제 가문의 의지가 직접적으로 작용한다. 친척들은 서로 알고 지내면서 서로를 추켜세우며 길 가다 남편과 동행하는 여자, 아내와 함께 걷는 남자를 만나면 고개를 끄덕여 인사하며 지난다.

하지만 폭풍이 잦아들고 바람 소리도 가라앉은 지금 하야티는 바티푸의 집에 홀로 앉아 있었다. 자동차 경적 소리도 더 이상 들리지 않고 경마가 끝난 지도 오래인데, 잠시 생각에 잠긴 그녀의 눈앞에 자이누딘의 얼굴이 떠올랐다. 그의 느릿느릿한 발걸음, 고개를 푹 숙인 침울한 얼굴, 바짝 마르고 슬퍼 보이는 그는 가난과 고통 속에서 단 하나의 든든한 연줄도, 발붙일 땅 한 뙈기도 가지고 있지 않았다. 그런 생각이 들 때면 그녀는 오래전 떠나온 고향을 그리는 방랑자처럼, 또는 젊은 날을 회상하는 노인처럼 한숨을 내쉬었다.

급기야 하야티가 눈물을 터뜨리자 연민의 감정과 함께 진정한 사랑도 쏟아져 나왔다. 조금 더 생각의 흐름을 따라가자 그런 감정마저 뭉게구름 속으로 사라져버리고 그 대신 나타난 하얀 형상이 시간이 지날수록 점점 더 선명해졌다. 그것은 하디자가 보여준 쾌락의 색채로 변했고 매력적인 도시와 재치 있는 아지즈의 모습이 되었다. 약혼자가 주었다는 하디자의 다이아몬드 반지도 떠올랐다. 예쁘고 말 빠른 도시 아가씨들의 살짝 분칠한 얼굴, 붉게 물들인 뺨, 높이 말아 올린 머리, 투명하도록 얇고 아름다운 의상과 앞이 짧은 사룽 치마, 굽이 높은 샌들도 떠올랐다.

그런 상상은 너무나 행복해서 집 뒤쪽 대나무 숲을 지나는 바람 소리가 감미로운 연가의 멜로디를 들려주는 듯, 대낮 하늘을 나는 독수리의 길게 우는 소리가 한창 사랑에 마음 뺏긴 이들에게 활력을 불어넣는 듯했고, 세찬 물소리는 사랑하는 사람들의 소망을 담고 흐르는 듯했다. 지붕 꼭대기 까치울새와 참죽나무 속 호도새의 울음소리, 개똥지빠귀가 갈대숲에서 짝을 부르는 소리, 이 모든 것은 신이 선물로 준 자연의 아름다운 음악이지만 이제는 모두 사라지고 기억도 나지 않았다. 그것들은 언덕을 오르는 자동차들의 굉음과 질주하는 말들의 말발굽 소리, 경기장 안 사람들의 환호성, 행복한 결혼식 밤에 흘러나오는 음악과 작은 기타 크론총 연주 소리로 바뀌었다. 인간이 창조한 그런 아름다움은 결코 궁극적인 만족을 줄 수도 없고 쉽게 질리고 말지만.

시골이든 도시든, 산속이든 마을이든, 육지든 바다든 신이 주신 축복은 사람들 주변에 있다. 하지만 욕구란 절대 채워지는 법이 없고 주변에 널린 축복을 깨닫지도 못한다. 욕구를 통해 사람들은 자기에게 부족한 것만 본다. 그래서 우리는 늘 다른 곳에 있거나 다른 사람이 가진 축복에 한눈을 판다. 그러다가 나중에 그곳에 가 직접 들여다본 후 그제야 후회하고 다시 돌아오려 하지만 이미 어떤 말도 필요 없을 만큼 때늦고 말 것을….

내가 가장 사랑하는 벗, 하야티에게!

네가 떠나고 나니 우리 집은 너무 적적해졌어. 너 같은 아이는 어느 집에 가든 밝은 낮빛 하나로 그 집의 어둠을 모두 몰아낼 거야. 네가 돌아가고 며칠 지나지 않아 아지즈 오빠도 파당으로 돌아갔어. 솔직히 말하면 네가 떠난 후 오빠에겐 더 이상 즐거운 일이 없었어. 우리 엄마도 자주 네 이름을 꺼내면서 성격과 미모를 칭찬하셨어.

하야티! 내가 말한 진심 어린 충고를 기억하지?

며칠 있으면 우리 지역의 전통과 관례에 따라 가문의 대표 한 사람이 너 있는 곳에 가서 오빠 아지즈를 위해 우리 가문의 며느리가 되어달라는 청혼을 넣을 거야. 내 생각에는 사실 너희 가문에서 우리 청혼을 받아들이지 않을 이유가 전혀 없다고 봐. 단지 네 가장 가까운 벗으로서 걱정하는 것은 혹시나 너 자신이 원치 않거나 강요당한다고 생각하지 않을까 하는 거야. 그렇다면 인생도, 결혼도 운이 닿지 않는 거겠지.

그때 너는 네 사랑을 자이누딘에게 모두 쏟아부었고 그와 단단히 묶인 매듭이 풀리지 않을 테니 자이누딘의 인생이 네 인생에 달렸다고 말했잖아. 그래서 이번에도 솔직하게 말하는데 곰곰이 생각해봐. 만약 그런 자이누딘이 너를 아내로 맞이하려 한다면 그건 그가 너를 사랑하지 않는다는 뜻이야.

자이누딘은 몽상가에다가 시인이야. 그런 사람은 깊은 시상을 떠올리기 위해 자신의 몽상 속에 세워놓을 아름다운 여인 한 명이 필요할 뿐이야. 시인이나 화가에게 천사와 선녀란 시를 짓거나 그림을 그릴 때 영감을 주는 존재일 뿐이란 말이야. 하지만 그는 그런 여인을 현실에서 만나서는 안 돼. 몽상 속에서 만나는 것만으로 충분해. 그의 환상 속 여인은 비난과 수치를 당해도 평정심을 잃지 않고 모든 죄악과 잘못으로부터 순결한 사람이어야 하니까.

하지만 현실 세계에 사는 여자들은 모두 진짜 인간, 즉 이브의 후예들이야. 천국의 궁전에 살다가 금단의 열매를 잘못 따 먹은 죄로 거기서 쫓겨난 그 이브 말이야. 만약 그가 너를 만나 네 안에 있는 현실 세계의 여성, 즉 실수와 잘못으로부터 자유롭지 않고 평정심을 지키지 못하는 진정한 너 자신을 알게 되면 상상의 나라에 세운 그의 사랑은 이내 무너져버릴걸. 왜냐하면 그가 상상하며 기대한 것이 너한테 없을 테니까.

그게 행복하기만 하던 사랑의 궁전이 저주와 증오의 오두막으로 변하는 순간이지. 인간은 천사가 아니야.

인간이 예언자나 사도 내지는 신의 신성한 대리인쯤 되지 않는 한 누구나 다 순수함과 불결함을 동시에 가진 존재인 거야.

그러니 이루어지기도 어려운 건 차치하고, 나중에 마음 다치는 일 없도록 지금이라도 자이누딘과 결혼하겠다는 생각 따위는 잊어버리는 게 나아. 남들이 뭐라 하든 상관하지 말고, 그가 시를 지어 너를 잃어버린 천사나 중도에 꺼져버린 희망 같은 걸로 묘사하며 영원히 노래하겠다면 그러라고 내버려둬.

네가 그에게 안기는 실망은 어찌 보면 훌륭한 학자나 예술가에게 흔치 않은 영감을 선사하는 축복인 셈이야. 대개의 경우 시인의 비탄이나 화가의 영감은 밀려왔다가도 금방 사라지거나 흐지부지되지만 예술가에게 낙담을 안긴 네 고귀한 의도가 제대로 전달되면 그의 눈물은 마른 모래에 떨어지듯 순식간에 독자들 마음속에 스며들 거야. 그러니 말하자면 너는 대중에게 호의를 베푼 후 무대에서 내려오는 것과 다름없어.

책도 많이 읽고 어른들 말씀도 충분히 듣고서 하는 말인데, 하야티, '사랑'이란 건 부부관계를 담보할 만큼 충분한 힘을 가진 밧줄이 아니야. 정말 강력한 밧줄이란 양쪽 집안의 이해관계가 맞아떨어지는 거란다.

사랑이란 이틀이나 사흘 동안 아름다운 색상과 그윽한 향기를 보존하는 재스민 꽃과 같아. 아직 꽃병에 물이 충분히 있는 한 사흘쯤은 싱그럽고 아름답게 살아 있지. 그 싱그러움을 위협하는 건 가난이야. 재산이 충분하면 사랑도 가능하지만 재산이 없으면 인간관계 자체가 위협받게 돼.

사랑이란 그런 거야, 하야티! 사랑이나 연인끼리의 보복과 그리움, 서로에 대한 집착 같은 것은 고대 믈라유 문학 히카얏 서사의 작가나 시인들, 판툰 4행시 작가들의 작품 속에서나 영원히 살아남으라 그래. 그들은 멀리 있으면 열불을 내면서 타오르다가도 가까이 다가오면 금방 녹아내리는 사람들이지. 어딘가 좀 아픈 인간들이 분명하지만 제정신이 들면 그 병도 나을 거야.

현세를 살아가기 위해서는 돈이 필요해, 하야티! 아무리 경건하고 열심히 기도해도 우리를 둘러싼 주변 환경은 목을 옥죄는 쇠사슬로부터 우리를 해방시켜주지 못해. 지금 자이누딘도 네 인생을 돌봐줄 여력이 없어. 만약 자이누딘이 너를 돌봐주려고 무리하다가 이 세상의 강고한 압박에 무릎 꿇어 마침내 경건치 않은 방식의 인생을 선택하게 되면 그건 누구의 죄니? 바로 네가 그 죄를 짓는 거야.

이 편지 내용을 잘 생각해봐. 오늘은 네 마음이 내 말을 거부하겠지만 훗날 반드시 진실을 알게 될 거야.

하디자

"아, 주여, 이 종에게 갈 길을 보여주세요."

편지를 다 읽은 하야티는 이렇게 중얼거리면서 한숨을 내쉬었다.

12. 청혼

　세상 사람의 절반쯤은 아내를 얻는 게 어렵고 힘드니 우선 연애부터 해야 한다고 생각한다. 또 다른 절반의 사람에게는 아내로 삼고자 하는 여인이 정복하기 힘든 높은 산과 같아 그 여인이나 가족에게 청혼을 넣고서 안절부절못한다. 반면 여자들은 늘 기다리는 존재다. 끝없이 기다리는 동안 나이를 먹고 꿈꾸던 목표도 중도에 흐지부지되어버린다. 그러던 중 생각지도 않은 사람이 갑자기 나타나 별로 계산도 않고 곧바로 청혼을 넣어 여인을 먼저 채가버리면 계획만 세우던 사람은 손가락을 물어뜯으며 후회하게 된다.

　하디자의 집안이 바로 그런 사람들이어서 그들은 이모저모 오래 따지지 않고 아지즈를 위해 하야티에게 청혼을 넣기로 곧바로 의견을 모았다. 더욱이 그들은 청혼이 반드시 받아들여질 것이라 확신했다. 그들은 어느 것 하나 부족함 없이 모든 조건을 두루 갖추었기 때문이다. 그들의 돈과 지위는 지역 사람들의 선망의 대상이었다. 그들의 위상은 가문의 어른인 다툭과 비교해도 전혀 손색이 없어 다툭이 달이라면 그들은 태양이라 할 수 있었다.

　약속된 시간에 모인 친척들은 아지즈의 혼인 문제에 합

의한 뒤 한 사람을 뽑아 전통에 따라 하야티의 집안에 '깨끗이 손질한 시리 잎사귀들과 껍질을 깐 피낭 열매 알맹이들'을 예물로 들고 가 청혼을 넣도록 했다.[30] 바티푸에 도착한 그 대표를 하야티의 가족들은 예법에 따라 정중하게 응대했고 어색하면서도 경사스러운 감정을 드러냈다.

안채에 펼쳐놓은 흰 깔개에 여자들이 나와 앉아 손님을 맞았는데 그들 중에는 리마 고모도 있었다. 전통과 관례에 따라 청혼에 대한 답은 그날 당장 나오지 않을 터였다. 승락한다면 일주일 정도 시간을 달라 하는 게 보통이고 거절할 경우라면 사흘 내에 그런 결정을 내리게 된다.

얼마나 기다려야 하느냐며 그 대표가 답변을 요구하자 가족들은 집안 어른이 아직 모이지 않았다며 즉답을 피했는데 사실 그들은 일부러 오지 않았다. 가족들로서는 남자 측이 조상의 땅 음팟주라이 어느 지역 어떤 선조의 후손인지, 그래서 어느 마을에 살게 된 가문 출신인지를 먼저 알고 싶었다. 그래야 그 가문에서 어떤 전통과 관습이 통용되고 대대로 상속되어 내려오는 가문의 위상이 어떠한지 알 수 있기 때문이었다.

그 대표가 파당판장에 돌아가 집 마당에 도착했을 때 집

---

30 미낭카바우의 청혼 관례로, 시리 잎사귀와 피낭 열매는 혼인을 상징하며, 혼례식 참석자들은 시리 잎사귀에 싼 피낭 열매를 섞어 즙을 먹는다.

안사람들은 자기들의 원하는 바가 결실을 맺을 것이라 짐작했다. 아지즈는 결혼 논의가 시작된 후 매주 토요일마다 파당 판장에 왔다가 일요일 오후에 파당으로 돌아갔다. 그는 꿈자리가 좋았고 모든 것이 원하는 대로 성사되는 중이었다.

~~~

자이누딘은 마그립 저녁기도를 마친 후 좌정하고서 방금 전 배운 가르침을 암송하다가 우편배달부가 "편지요!" 하고 외치는 소리에 화들짝 놀랐다. 편지를 받은 그는 두 손이 떨렸다. 멩카사르 주소가 적혀 있었다.

그는 사랑하는 바세 아주머니가 보낸 것이라 생각하고 곧바로 편지를 열었다. 그런데 편지는 바세 아주머니가 아니라 멩카사르를 떠나기 전 알고 지내던 이웃의 다엥 마시가 아저씨가 보낸 것이었다. 편지 내용은 다음과 같았다.

쿨루 만 알라이하 판,
와 야브카 와즈후 라비카 줄 잘라알리 왈 이크람![31]

---

31   코란 속 알-라흐만의 서 26-27절. "이 세상에서 알라 외의 모든 것이 멸
      망할 것이며 오직 위엄과 영광으로 가득한 알라의 얼굴만이 영원할 것"이

파당판장에 사는 자이누딘 군, 각설하고 요점만 이야
기하겠네. 신께서 당신의 연약한 종, 자네의 수양어머
니 바세에게 품은 뜻을 다 이루시고 우리의 세계에서
들어 그 본향으로 데려가셨네. 그가 그곳으로부터 왔
으니 그곳으로 돌아갈지라.

인나일라히와 인나일라히 라지운.[32]

그녀의 병은 그렇게 위중하지 않았네. 하지만 죽음이
란 병의 경중을 가려 찾아오는 것이 아니지. 병은 단지
원인일 뿐 그 결과는 오직 신만이 결정하는 거라네.

내가 이 편지를 자네에게 보내는 이유는 고인의 유언
과 유산을 전하기 위함이야. 그녀는 만약 운명이 자네
를 멩카사르로 돌아오도록 이끈다면 자기 무덤에 들러
달라고 했네. 자네 말고는 그녀의 무덤을 돌아볼 사람
이 없으니까.

그 외에 그녀가 남긴 채무 관계를 정산하고 내주 일요
일쯤 남은 돈을 모두 보내겠네. 지금 내 손에는 현금으
로 3,200루피아가 있다네.

란 의미. 고통당한 사람의 영혼을 달래는 경구.

32　코란 속 알-바카라의 서 156절. 시련과 재난 속에서 고통받을 때, 또는
　　누군가의 부고를 들었을 때 암송하는 문장. 그 의미는 "우리는 알라에게
　　속했으니 정녕 알라에게 돌아가리라"이다.

그리고 다른 재산, 즉 집과 자네 아버지가 남긴 땅들을 어떻게 할지 자네 생각을 알려주게나. 만약 팔고 싶다면 위임장을 보내게. 하지만 내 생각에는 자네가 젊어서 멀리 떠났지만 이곳 줌판당이 언젠가 자네를 다시 불러들일지 모르니 그 땅은 팔지 않는 게 좋을 듯하네. 자네가 돌아올 때까지 내가 잘 관리해줄 수 있어. 물론 어떤 보상도 바라지 않아.

아무쪼록 신께서 우리 모두를 보호하시길….

다엥 마시가

자이누딘은 편지를 든 손이 마구 떨렸고 가슴에 흐르는 피가 절규했다. 그와 가장 가까운 중요한 사람들이 그의 인생의 무대에서 모두 퇴장해버렸다. 공연이 끝나 막이 내리고 배우들 모두 무대 의상을 벗어버렸다. 밤이 깊어 관객들도 집에 가버리고 인생의 무대에는 적막만이 내려앉았다. 바세 아주머니의 죽음에 대한 애도가 휘몰아치는 자이누딘의 마음속이 그런 느낌이었다.

그는 자신이 이 세상에 아무렇게나 버려진 한 자루 나무막대기만 같았다. 학교가 없어 교육도 제대로 받을 수 없는 상황에 어디서 살아야 할지 불확실하던 시절이 기억났다. 아버지가 아직 살아 계실 때 바세 아주머니가 자기를 돌보던 것도 떠올랐다. 그리고 어린 시절부터의 꿈을 좇아 자신이 그토록 사랑하고 부모의 피와 땀이 서린 멩카사르를 떠나 멋진 곳으로 소문난 미낭카바우로 향하던 순간도 기억났다. 하지만 아버지가 미낭카바우 사람임에도 불구하고 자신은 외지에서 온 여행자, 전통과 관례로부터 단절된 사람, 그들과 근본이 다른 사람 취급을 받다가 급기야 바티푸에서 쫓겨나던 기억도 함께 떠오르는 것을 피할 수 없었다. 그는 멩카사르에서도 이방인이었고 파당에서도 마찬가지였다.

이제 그는 또 어디로 가야 한단 말인가?

자신의 운명을 생각하던 자이누딘의 머릿속은 야시장에 설치된 대관람차처럼 빙글빙글 돌기 시작했고 숨이 가빠오며 눈앞이 캄캄해졌다. 매우 위험한 단어 하나가 불쑥 그 앞에 떠올랐다. 자살.

이성을 잃은 그는 침대로 올라가 천장을 가로지르는 서까래에 줄을 걸치고 자신에게 끊임없이 닥쳐오는 이 세상의 고통을 끝내려 했다.

'바보 같은 녀석!'

마음 한구석에서 들려온 작은 목소리에 그는 소스라치게 놀라 손에 들고 있던 줄을 놓쳐버렸다.

바보 같은 녀석!

아직 이 세상을 살아갈 필요가 있다는 걸 기억 못 하다니.

부딪혀볼 여지가 얼마든지 있는데 젊은 목숨이 아깝지도 않아? 그동안 그토록 너를 사랑한 고인에게 맡겼던 재산이 이제 고스란히 네 손에 돌아온 걸 왜 자각하지 못해? 설마 3천 루피아[33]가 적다고 생각하는 거야?

3천 루피아야!!!

3천 루피아라고!!!

이제 슬픔은 다 지나간 거야. 그동안 너한테 쏟아진 그 수많은 고통만 기억하지 말고 네가 누린 축복도 절대 잊지 마. 넌… 하야티를 사랑했고 그녀의 사랑을 받았잖아!

3천 루피아와 하야티가 있다고!

마음속 목소리가 선명히 들려왔다. 줄을 끌어내리는 그의 입술 사이로 작은 미소가 새어 나왔다. 그는 그 3천 루피아를 가지고 하야티와 함께 살아가며 이 넓은 세상에 맞서 싸우고 싶었다. 그래서 그는 하야티를 달라고 그녀의 가족들에게 청혼을 넣기로 마음먹었다. 그런 생각 속을 헤매다가 그는 잠이 들었다.

다음 날 아침 일찍 눈을 뜬 그는 다시 한번 미소를 지었다. 서까래에 건 줄, 엉망으로 흩어진 책, 구겨진 베개와 더러

---

33 당시 3천 루피아의 가치는 현재의 10~20억 루피아 정도로, 한화 1~2억 원에 해당한다.

운 방… 그것들을 보며 좀처럼 보이지 않던 그의 미소가 입술 사이로 자꾸 새어 나왔다. 애도하는 마음이 벌써 사라진 것은 아니지만 새로이 떠오른 생각이 그 슬픔을 이겨내고 있었다.

그는 자신의 작은 방을 정돈하고 나서 두 통의 편지를 썼다. 첫 번째 편지는 다엥 마시가에게 보내는 것이었다. 그는 너무나 사랑한 사람의 죽음에 슬픔을 토로하고 바세 아주머니가 남긴 물품은 팔 수 있으면 모두 팔아 그 대금은 다엥 마시가가 가지라고 했다. 집과 땅은 언젠가 멩카사르로 돌아가게 될 날을 기약하며 잘 관리해줄 것을 당부했다.

그는 편지를 접어 봉투에 넣으면서 다시 한번 탄식했다.

"아, 바세 아주머니! 나한테 그토록 잘해주셨는데 그렇게 급히 떠나시다니요."

그는 매우 중요한 다음 편지를 쓰기 시작했다. 하야티의 삼촌 다툭 어르신과 그 집안에 보내는 편지였다.

지금껏 편지를 쓰는 일은 그게 어떤 내용이든 그에게 아무 일도 아니었지만 이번에는 매우 어려웠다. 누군가에게 딸을 달라는 청혼 편지를 한 번도 써본 적이 없기 때문이다. 잠시 생각을 정리한 뒤 그는 편지를 써내려가기 시작했다.

존경하는 다툭 어르신, 그리고 가문의 가족 여러분

사실 저 혼자서는 여기 집안 어르신들과 가족 여러분

앞에 나가 마주할 엄두가 나지 않습니다. 제가 구사하는 미낭카바우 방언이 충분히 매끄럽지 않아 제 마음속 감정을 흡족하게 표현할 수 없기 때문입니다. 그럼에도 불구하고 저는 분명한 확신으로 이 편지를 쓰며 신에 의지해 어르신과 가족 여러분이 호의적으로 받아주시길 기원합니다. 이 편지를 쓰는 목적은….

자이누딘은 그 대목에서 잠시 생각을 정리하며 담배를 한 대 피운 뒤 다시 편지를 써나갔다.

저는 어르신과 가족 여러분께서 연민을 베풀어 이 보잘것없는 사람을 환대해주시길 부탁드립니다. 어르신께서 이미 아시는 것처럼 제 어머니는 오래전 돌아가셨고 아버지도 돌아가셨습니다. 게다가 며칠 전에는 멩카사르의 지인으로부터 수양어머니의 부고 소식을 들었습니다.
존경하는 어르신! 제가 멩카사르에서 누굴 만나겠어요? 이제 제게 남은 단 하나의 연줄은 제 조상의 땅이자, 그리하여 저의 땅이기도 한 이곳 미낭카바우뿐입니다.
제 속마음을 숨긴들 무슨 소용이 있을까요? 이제 솔직

하게 말씀드릴게요. 저는 어르신의 조카, 하야티와 평생을 함께하고 싶습니다. 어르신께서도 마을에서 많은 이야기를 들으셨겠지만 하야티가 없는 제 인생은 정말 불행할 뿐이에요.

저는 젊고 마음속에 큰 꿈을 품고 있습니다. 어르신과 가족 여러분이 제가 그 꿈을 이루어나갈 수 있도록 도와주시고 하야티와 연을 맺도록 허락해주세요.

존경하는 어르신, 저는 성실한 청년입니다. 어르신께서 조카를 위해 저를 받아들여주신다면 인생의 역경을 곧잘 극복하고 지루함과 싫증을 모르는 인내심 많은 또 한 명의 조카를 얻으시는 겁니다.

저는 어려서부터 겪은 수많은 어려움을 통해 마음속에 깨달음을 얻었습니다. 하야티가 저와 결혼한 다음 실망하지 않을까 마음 쓰실 일은 없을 거예요. 하야티는 기쁠 때나 어려울 때나 늘 한결같은 마음으로 함께하는 책임감 있는 남편을 얻게 될 것입니다. 믿어주세요.

어르신, 제 요청을 수락해주세요. 저는 아둔하여 이보다 더 확실하게 제 감정을 표현할 방법을 찾지 못해 용기 내어 이 편지를 보냅니다.

자이누딘

요즘 시대에 돈이란 실로 인생을 보장하는 확실한 도구지만 자이누딘은 그 편지에 이제 자신에게 충분한 돈이 있다는 것, 얼마든지 여유로운 삶을 영위할 수 있다는 것을 굳이 쓰고 싶지 않았다. 그의 마음속 궁전에 그토록 오랫동안 소중히 간직해온 하야티의 고귀함을, 돈이 얼마든지 있다고 언급함으로써 훼손하는 것을 그의 인품이 허락하지 않았다.

그 편지를 바티푸 사람들이 받은 것은 아지즈 측 대표가 파당판장으로 돌아가고 이틀째 되던 날이었다.

13. 저울질

아지즈 측의 모든 요청 내용이 다툭과, 종친회에 권한을 가진 어른들에게 전달된 후, 자이누딘이 보낸 편지까지 도착한 다음 이와 관련된 전통과 관례에 따라 집안 어른들의 회의가 열렸다. 종친 회의가 열리던 날, 닭 네 마리를 잡았고 판다누스 풀을 엮어 만든 흰색 돗자리가 깔렸다. 원래는 아침 7시에 모이기로 했지만 논밭에 남은 용무 때문에 회의에 늦는 사람이 생겨 회의가 자연스레 지연되었고, 오전 10시와 11시 45분경에 한 명씩 더 온 끝에야 마침내 머릿수를 채웠다.

어른들은 집 안의 앞쪽 거실에 앉아 회의를 했고, 여자들은 부엌으로 가는 통로 가까이에 앉아 의제를 멀리서 들었다. 조카들의 남편들, 즉 '오랑 스만다'라 부르는 데릴사위들은 일부러 아침부터 나가 돌아오지 않았다. 애당초 부족 내부 회의에 참석 자격이 주어지지 않는 그들은 소속감도 느슨해서 잘린 것도 붙은 것도 아닌 존재, 물소 꼬리에 앉은 쇠파리, 나무 그루터기에 쌓인 먼지, 신발에 달라붙은 진흙 취급을 받았다. 간혹 그들의 친자식이 약혼하거나 결혼하는 경우가 있어도 그들에게는 최종 결정만 통보될 뿐이었다.

모두가 참석한 자리에서 다툭이 입을 열었다.

"이제 종친 회의를 시작합시다. 그 전에 당부드리는 바, 의견이 모이면 화목해지고 의견이 갈리면 분란이 생긴다는 것과, 눈곱을 엄지발가락으로 떼어내진 않는다는 점을 다들 명심합시다. 우리 조카 하야티에게 청혼한 사람이 있는 모양이오. 조금 변두리 출신인데 이름은 아지즈, 생전에 이름을 널리 알렸고 높은 지위에 올랐던 수탄 만타리의 아들이오. 통상적인 관례에 따라 우리가 우선 검토해야 할 것이 있소. 그것은 전통에 역행하는 부분은 없는지, 신속하고도 냉철하게, 구체적이고도 광범위하게, 이 사람의 가문과 관례를 검증하는 것이오. 이 과정에서 비에 젖어도 썩지 않고, 가뭄에도 쩍쩍 갈라지지 않는, 예로부터의 우리 보편적 전통 규범이 단 한 줄이라도 없어지거나 단 한 글자라도 지워지지 않아야 하오."

참석자들이 한 사람씩 말하기 시작했다. 그의 선조가 누구인지 따지고 조상과 가문에 대해 정리하고 아지즈가 어떤 집안 사람인지 조사하면서 그가 정말 미낭카바우 사람이 맞는지도 확인했다. 파당판장에는 다양한 사람이 마구 섞여 살아가고 있기 때문이었다. 참석자 중 수탄 문착 칭호를 쓰는 사람은 신랑 측의 족보를 조사해 그 결과를 말했다. 그들은 원래 파당 난 판장 인근의 바투상카르에 뿌리를 둔 가문으로 예전 장터가 파사르바루로 바뀌고 나서부터 줄곧 파당판장에 살았다고 했다.

그리고 그들의 재산도 조사했다. 재산 규모는 상당해서 논도 여러 마지기 있는 것으로 확인되었고 여기저기 논밭과 묘지도 소유하고 있었다. 그 지역에 오래된 재산 가운데는 이미 분할 상속된 것도 있고 아직 명의가 나누어지지 않은 것도 있다고 했다. 그가 같은 종족 사람임은 명백한 사실이므로 이제 데리러 갈 만하면 데리러 가고 불러올 만하면 불러와도 될 상황이었다. 출신지에 대한 관례는 마을 밖에서 사위를 데려오는 것을 금했지만 같은 조상의 후손이나 같은 부족 출신, 또는 이름 높은 경건한 종교 선생 등에 대해서는 예외를 두었다. 이 두 부류에 속하는 이들에게는 전통과 관례가 그대로 적용된다.

이른바 "피낭 열매는 밑으로, 시리 잎사귀는 위로,"[34] 이제 관습이 정한 대로 따르면 된다. 청혼을 받아들여 결혼을 수락한다면 그 증표로 크리스 단검을 보내야 한다. 신랑을 데려올 사절단은 크리스 단검, 칼집 없는 검, 술이 달린 창을 갖추어 가고 신랑 측은 들러리들을 준비한다. 가문의 전통에 따르면 종교적 의무인 지참금은 지불하지 않고 그 대신 종교 재판

---

34   피낭과 시리는 미낭카바우족 사회의 상호작용에서 상징적이다. 결혼식을 포함해 관습에 따라 특정 행사나 요청을 특정 개인 또는 대중에게 전달하는 통지의 의미를 갖는다.

관 앞에서 1링깃이나 2루피아 지불을 약정하는 것으로 충분하다. 신랑 측 가문의 위상을 감안하면 신랑을 데려오는 비용은 신부 측에서 부담해야 한다.

회의 끝에 아지즈의 청혼이 거의 만장일치로 수락되었다. "손가락과 책갈피는 천생연분이고 턱수염과 턱은 서로에게 속한다. 두 가문 모두 긴 역사를 가졌으나 애당초 하나의 달, 하나의 태양에서 비롯되었음을…"이라는 말 그대로였다.

회의가 시작될 때 하야티는 옆집으로 보내졌다. 그녀 자신에 대한 회의이기 때문이었다. 다툭은 앉아 있는 여인들을 돌아보며 그들의 생각과 조사 결과에 대한 의견을 물었다. 그러자 둘째 고모 리마가 하야티의 사랑이 아직 멩카사르 사람 자이누딘에게 향해 있는 것 같다고 대답했다. 참석자들 사이에 일대 혼란이 일었다.

하야티의 삼촌 다툭 가랑은 리마의 말에 핏발 선 눈으로 언성을 높였다.

"수치스러운 일로 어른들을 능멸하려 드는 거냐? 멩카사르 출신 부기스 사람을 어떻게 사위로 맞는다는 것이냐!"

"만약 원하는 바가 달라 하야티가 낙담하여 마음을 다치면 어떻게 해요? 사랑하는 사람과 맺어지지 못해 자살을 택하는 처녀가 얼마나 많은데요. 아니면 그 애가 평생 시름시름 앓다가 죽기를 바라세요?"

리마가 대꾸했다.

"그렇다면 차라리 죽어버리는 게 나아. 그게 오히려 속 편하겠다! 집안 어른들 얼굴에 먹칠하고 가문과 전통을 훼손하고 사위의 출신지를 규정한 관례를 깨뜨리느니 그 편이 낫다! 우리 이마에 숯칠을 하고 우리 얼굴을 부끄럽게 한다면 그 애가 살아야 할 이유가 뭐냐?"

다툭이 그렇게까지 말하는 걸 듣고서 사람들은 감히 대꾸하지 못했고 리마 역시 입을 닫았다.

"하지만 그 친구 아버지도 우리 부족 사람이잖아요!"

이번에는 조금 젊은 삼촌뻘 친척이 끼어들었다.

"자네는 닥치고 있게. 보아하니 자네는 온갖 비난에 고초를 당하고 조리돌림당해 돌아가신 두 분의 조상 다툭 퍼르파티 난 스바탕과 다툭 크트망궁안 이후 전해져 내려오는 관례가 어떤 것인지 이해하지 못하는 모양이군. 그의 아버지가 바티푸 사람이라 해도 그의 어머니는 미낭카바우 사람이 아니야. 그의 조상도 누구인지 알 수가 없고, 요컨대 그는 근본이 없는 사람이라네. 그의 족보에는 퍼르파티 재상을 지낸 분이나 투먼궁 같은 고위 귀족도 없어. 만약 우리가 그를 우리 조카의 남편으로 받아들인다고 치세. 그럼 우리 조카는 대체 어느 시댁을 모셔야 하고 우리 손자들은 어느 가문에 속하게 되겠나? 이건 매우 복잡한 문제라네."

"우리가 다른 사람들을 업신여기는 건 옳지 않아요. 어느 족속이든, 어떤 지역이든 모든 지역에는 각각 다른 전통과 관습이 있는 법인데요."

아까의 젊은 삼촌이 지지 않고 말했다.

"그건 맞지만 미낭카바우 이상 가는 곳은 없어. 예전에는 아체 3왕국[35]이나 터라탁아이르히탐[36] 지역은 물론 부기스와 멩카사르까지 모두 미낭카바우를 따랐다네. 그들은 미낭카바우 영내로 들어오는 물품의 계량권, 해산물세, 항구 사용료를 지불했어."

"그렇지요. 하지만 모든 부족마다 자기들이 수마트라에 가장 먼저 집을 짓고 산 원조라고 서로 주장하잖아요."

"자네가 도대체 뭘 안다는 거야? 내가 훨씬 더 잘 알아."

젊은 층의 반발에 익숙하지 않은 다툭 가랑은 분을 참지 못하고 이 말을 반복했다. 하지만 논쟁이 격렬해지는 것도 원치 않은 다툭은 회의를 빨리 결론지으려 했다.

"대중의 의견을 하나로 도출하는 것은 결코 쉬운 일이 아니지. 하야티가 자이누딘을 좋아한다 해도 그 애가 자기 좋을 대로 하도록 풀어줄지 말지 역시 우리가 결정할 일이오. 사실

---

35 고대 아체 술탄국을 지탱하던 세 개의 작은 왕국.
36 수마트라 리아우주(州)의 한 지역명.

자이누딘도 편지를 보내 하야티를 달라고 했소."

다툭은 자이누딘의 편지를 주머니에서 꺼내 보였다.

"하지만 고작 편지를 보내 청혼하다니 이것 자체가 우리의 관례도 모르고 우리 부족 사람도 아니라는 증거요. 아지즈란 청년의 청혼을 수락할지에 대해 우리는 거의 결론에 도달했소. 이제 의견을 모읍시다. 모두 찬성하시오?"

"찬성합니다."

사람들이 동시에 답했다.

"수탄 무도는 어떻소?"

다툭이 아까 반대 의견을 말한 젊은 삼촌에게 물었다.

"나 역시 처음부터 끝까지 모두 동의합니다. 많은 분의 반대편에 설 수는 없죠. 단지 아까 제가 반대한 것은 다른 이들을 업신여기는 부분에 대한 것이었어요. 우리는 앞으로 다른 마을 사람과도 자주 교류해야 할 텐데 그들에게 편협해 보이지 않았으면 합니다."

"알겠소. 그럼 이제 끝냅시다. 우리는 아지즈의 청혼을 수락하고 자이누딘의 청혼은 거절하는 것을 만장일치로 결정합니다."

"우리 여자들이 잠시 이야기해도 될까요?"

리마가 물었다.

"진정성 있는 얘기라면 뭐가 문제겠소."

다툭이 답했다.

"우리는 이 결정에 조심스러워야 해요. 멩카사르 사람들 주술이 대단하다고 하던데 어쩌면 하야티도 뭔가에 걸렸는지 요즘 온통 자이누딘 생각뿐이거든요."

"그건 간단한 문제요."

다툭 가랑이 말했다.

"그는 물에도 익숙하고 뭍에도 익숙한 사람이오. 보통 사람이 아니란 얘기지. 정말 그런 상황이라면 나중에 그가 눈에 띌 때 보복할 만하면 보복하고 반격할 만하면 반격하는 거요."

만장일치로 합의가 이루어졌다. 이제 하야티를 불러 합의된 결정을 알려주는 일만 남았다. 불려 온 그녀는 어른들의 말에 따라 자리를 가득 메운 여자들 사이에 앉았다.

친척 어른들은 처음부터 하야티에게 말을 전하는 일을 서로 미루었다. 결국 그 일도 친삼촌인 다툭에게 돌아갔다.

그가 입을 열었다.

"하야티, 여기 앉아 계신 어른들은 가문의 명예를 지키는 분들이란다. 그러기 위해 붙잡을 때는 확실히 붙잡고 자를 때는 사정없이 잘라버리는 분들이지. 아침부터 고상하고 좋은 이야기, 질책과 험한 이야기가 오갔지만 이제 열띤 논의도 끝났고 네 혼사에 대해서도 결정을 내렸다. 우리는 가장 아름다운 합의를 위해 노력했단다. 파당판장의 아지즈란 청년에게서

172

너한테 혼담이 들어왔다. 그리고 자이누딘에게서도 편지가 한 통 도착했다. 역시 같은 목적이었어. 우리는 모든 득과 실을 충분히 따져 결국 아지즈의 청혼을 수락하기로 했다. 지금 너를 부른 건 네가 기쁜 마음으로 받아들일 그 결정을 전해주기 위해서란다. 네 생각은 어떠냐?"

하야티는 오랫동안 대답하지 않았다.

"대답하려무나. 우리도 빨리 돌아가야 해!"

다툭의 목소리에 짜증이 묻어 나왔다.

하지만 오랫동안 마음속에서 치열한 전쟁을 치르고 있는 그녀에게 대답을 강요하는 것은 지나친 일이었다. 그녀는 자이누딘을 사랑했지만 그 길은 지나기 힘든 가시밭길이었다. 그가 아지즈에게 호감을 가진 것도 사실이지만 그건 자이누딘을 향한 사랑과는 질적으로 다른, 그저 호감일 뿐이었다.

그녀의 마음 한구석에서 포기하지 말라는 작은 목소리가 속삭였지만 상황은 그녀를 진작부터 반대 방향으로 밀어붙이고 있었다. 눈앞에 증명된 현실과 마음속에 펼쳐진 이상 사이의 전쟁은 이제 전세가 기울고 있었다. 발전과는 아직 거리가 먼 시골 마을의 구태의연한 환경과 사고방식 속에서 이미 입증된 상황이 기필코 승리하고 마음속 한낱 그리움이 반드시 패배할 것임은 너무나 자명한 일이었다.

하야티는 꿈 많은 소녀였고 집안 어른들과 친척들을 실망시킬 만큼 독하지 못했다. 이제 그녀는 운명책에 적힌 대로 미래를 받아들여야 한다.

그녀는 자이누딘을 사랑했지만 그에게 도달할 길이 없었다. 그런 길 없는 사랑이 대부분 탄탄대로가 뚫린 사랑보다 더욱 깊어지곤 한다. 하지만 하디자의 충고가 머릿속에 떠올랐고 그녀를 둘러싼 관습의 요새는 너무나 강고했다. 그래서 그녀는 더욱 복잡한 심정이 되었다.

"어서 답하거라. 주후르 정오기도 시간도 벌써 다 끝나가는구나."

다툭이 다시 독촉했다.

"대답하지 않는다는 건 자기도 좋다는 뜻이죠."

다른 아주머니가 웃으며 말했다.

"하야티, 대답하거라!"

다툭이 다시 한번 종용했다.

"우리 쉽게 가자. 어서 안식향 연기를 피워 올리며 이 회의를 매듭짓게 해다오."

이 불행한 소녀에게 열려 있는 문이란 더 이상 남지 않았다. 그녀는 자신의 무력함과, 극단적으로 대조되는 주변의 강력한 압박을 실감했다.

"대답하거라, 하야티!"

"어른들께서… 좋다고 하신 대로… 저도 따르겠습니다!"

"알함둘릴라."[37]

그 자리에 있던 이들이 동시에 외쳤다. 기도문을 외우는 사람도 있었다. 그녀가 그 외에 다른 어떤 길을 선택할 수 있었을까? 그녀는 운명 앞에 무릎을 꿇고 말았다. 대부분의 다른 소녀들과 마찬가지로 그런 결정조차 스스로 하지 못하고 가족들에게 좌지우지될 수밖에 없는 그녀는 등 떠밀려 약조를 깨야만 했다.

---

37 다행스러운 상황을 맞거나 듣고 싶은 결과를 얻었을 때 신의 은혜에 감사하는 감탄사.

14. 사라진 희망

바티푸의 다툭으로부터 한 통의 편지가 도착했을 때 자이누딘의 심장은 크게 뛰었다. 하지만 그 편지는 앞으로 살아갈 그의 운명에 영원한 형벌이 될 터였다. 그는 한참 후 봉투를 뜯었다. 편지를 열어보기 전부터 그의 마음속에는 어느 정도 그 내용이 그려졌으므로 근심이 더욱 사무쳐왔다. 편지의 내용은 너무나 차갑고 간결했다.

파당판장의 자이누딘 청년에게

우리는 청년의 편지를 잘 받았고 내용도 충분히 알겠네. 하지만 미낭카바우는 만장일치의 관례가 있는 땅이어서 하야티의 가족들을 모두 불러모아 청년의 요청에 대한 전체 회의를 가졌네. 하지만 충분한 동의를 얻지 못해 만장일치에 이르지 못했네. 즉 합의하지 못했다는 말일세. 다수의 의견을 하나로 도출하는 것은 결코 쉬운 일이 아니지, 우리는 자네의 청혼을 거절하네. 솔직히 우리가 도저히 수용할 수 없는 요청이었어. 아무쪼록 양해해주게.

다툭, 다툭 가랑 등

편지를 다 읽고 나자 자이누딘의 이마에서 식은땀이 주르륵 흘러내렸다. 그는 억울했지만 미낭카바우에서 중시하는 전통과 관례를 감안하면 자신의 청혼이 결코 수락되지 않으리라는 것을 예상하긴 했다. 하지만 엄청난 수치심이 몰려왔고 아마도 누구나 가지고 있을, 모욕당하고 싶지 않은 감정이 꿈틀거렸다. 미낭카바우는 전통과 관례를 가진 곳이라 자부하며 마치 오직 그곳 말고는 세상 어디에도 전통과 관례가 아예 없는 것처럼 굴었다.

하지만 정말 미낭카바우가 전통과 관례의 땅이라면 그 같은 사람이 그런 식으로 거절당해서는 안 될 일이다. 청혼이란 원래 수락되기도, 그러지 않기도 하지만 거절하는 측에서 거절당하는 사람을 굳이 조롱할 권리는 없는 법이다. 더욱이 그가 선택해 통과한 문은 뒷문이 아니라 현관문이었다. 당당히 얼굴을 들고 정면으로 들어가 순리대로 등을 보이며 나온 것이다.

만약 관례를 이유로 거절했다면 앞서 맺은 약속을 굳게 지키려는 사람을 거절하는 관례란 도대체 무엇이란 말인가? 만일 그가 멩카사르 사람이어서 거절당한 것이라면 사실 세상의 관례는 미낭카바우 출신 아버지를 둔 아들의 귀환을 오히려 환영해야 마땅했다.

만일 돈이 없어 거절당한 것이라면 그에게는 신에 의지하는 한 사람이 인생의 격랑을 헤치며 살아나가기에 충분한 3

천 루피아라는 거금이 있다. 그는 마음속으로 그런 공평치 못한 전통과 관례를 비난했고 너무나 저급한 그 사회를 저주했다. 하지만 그토록 썩어빠지고 잔혹하기 짝이 없는 전통과 관례가 판치는 지역에 전혀 어울리지 않는 하야티의 얼굴이 다시 눈앞에 떠올랐다.

무너져 내린 그의 마음은 한동안 이런 생각에, 또 한동안은 저런 생각에 휘둘렸다. 눈앞에서 문을 세차게 닫아버린 사람들의 저주와 욕설과 함께 미낭카바우가 전통과 관례의 땅이라는 속삭임이 내내 그의 귓전을 맴돌았다. 하지만 그는 다시 이성을 찾았다. 금지됐든 그렇지 않든, 거부당했든 그렇지 않든 하야티와 맺어진 인연의 끈은 사랑과 애정으로 만들어진 견고한 것으로, 그들의 인생에 뿌리를 둔 그 사랑이 결코 변질될 리 없었다.

만약 그의 청혼이 수락되었다 해도 돈이 많다는 이유 때문이라면 하야티와의 관계는 마음으로 이어진 것이 아니라 단지 재산에 좌우되는 것이 되고 만다. 재산은 많을 수도, 쫄딱 망할 수도 있다. 재산이 많다고 해서 두 사람 사이에 진정한 사랑이 피어나는 것은 아니라고 자이누딘은 확신했다. 오히려 교만과 방종의 토양이 될 뿐이다. 그러다가 언젠가 위기가 찾아와 그 재산이 줄어들면 두 사람이 서로 존중하는 마음도 그만큼 줄어들 것이다.

만약 서로 전통과 관례에 기반한 감정으로 연결된 관계라면 그것은 너무나 이기적인 개인 중심의 관계가 된다. 남자는 고귀한 귀족의 지위를 버리고 싶지 않고 그것은 여자도 마찬가지다. 그래서 남녀의 관계가 다른 사람 눈에는 달콤해 보이지만 남자의 마음은 아내에게 가 있지 않고 아내 역시 부모와 삼촌, 가문의 친척에게 마음을 남겨둔 채 몸만 남편을 맞는다. 그녀는 건성으로 남편을 따르는 것이다.

만일 집안 어른이나 전통과 관례가 그를 받아들였다 해도, 예컨대 하야티 자신이 원치 않는다면 그것은 강요에 불과하다. 자이누딘은 한 인간이 또 다른 인간의 마음에 쇠사슬을 채우는 것에 전혀 동의하지 않았다. 남자든 여자든 한 젊은이의 마음을 압박해 강제로 결혼시키는 것은 미래에 소중한 추억으로 피어나야 할 꽃봉오리를 꺾는 것과 다를 바 없다.

청혼이 좌절되거나 거절당하면 그 결과를 받아들이는 방식은 인내, 또는 체념뿐이다. 다른 방법이 없지 않은가! 어릴 때부터 그의 운명이란 고통 속에서 성장하는 것이었고 매일 울분으로 잠 못 이루는 밤을 지내는 것이었다. 하지만 하야티가 여전히 자신을 사랑하는 한 그는 그런 운명조차 기꺼이 받아들일 수 있었다. 사랑을 이루기 위한 노력은 생각보다 광범위한 부분에서 이루어지기 때문이다. 마음먹은 대로 된다면 결혼하는 것이고 그렇지 않다면 나이 들어 흰머리가 날 때까

179

지 계속될 끈끈한 형제애의 모습으로 다시 태어나기도 한다.

알렉상드르 뒤마가 소설 《몬테크리스토 백작》에서 묘사한 바, 에드몽 단테스가 나이 들어 매우 영향력 있는 사람이 되고 메르세데스는 페르낭과 결혼해 아이까지 낳지만 15년 후 에드몽 단테스가 완전히 달라진 외모를 하고서 파리로 돌아왔을 때 아무도 알아보지 못한 그를 오직 메르세데스만이 알아본 것처럼 말이다. 이후 에드몽 단테스, 즉 몬테크리스토 백작이 옛사랑의 이름을 걸고 메르세데스의 아들과 결투를 하게 되자 메르세데스는 몬테크리스토 백작에게 결투를 포기해달라고 간청한다. 백작은 이후 야니나의 왕 알리 테페리니의 딸과 결혼하여 행복하게 살지만 친남매처럼 여기게 된 옛사랑 메스세데스에 대한 기억은 그의 인생을 관통해 한 조각 추억으로 영원히 남는다.

'거절당해도 상관없어.'

자이누딘은 마음속에서 외쳤다.

'하야티의 사랑이 여전히 나를 향하고 있다면 내 원하는 바를 신께서 모두 이루어주지 않을지라도 상관없어. 그녀가 약속을 어길 리 없어. 그토록 아름답고 정직한 소녀가 그날 아침햇살이 증인이 되어준 맹세를 절대 깰 리 없어. 그녀가 그렇고 그런 다른 여자아이들과 다를 바 없다는 어떤 기미도 보지 못했어. 만약 그녀가 강요당한 게 맞다면, 사랑이 강요한다고

없어지는 게 아니잖아.'

그의 두뇌가 모든 것을 견뎌내고 냉철한 이성을 지켜낸다면 그는 생각의 끈을 당겨 줄줄이 소환한 모든 기억을 공정하게 평가할 수 있었을 것이다. 하지만 인간의 육체는 그 안에 깃든 영혼만큼 굳건하지 못하다. 편지를 받고서 무기력해진 그는 모든 관절이 부서져 내려 금방이라도 기절할 듯 눈앞이 흐려졌다. 하지만 모든 기쁨이 메말라버린 집 안에 있는 것 역시 견딜 수 없었다.

다음 날 아침 일찍 그는 세 든 집 주인에게 자신이 미낭카바우 일대를 돌아보려 하는데 일정이 정확하지 않아 하루가 될지, 이틀이 될지, 일주일이 될지 모른다고 알렸다. 그는 파당판장을 출발해 파당을 거쳐 반다르세푸투에서 바탕카판만(灣)을 때리는 파도를 바라보았고 배에서 아이들이 부르는 뱃노래를 들었다. 그는 거기서 쿠린치로 넘어가 쿠린치산 정상의 절경과 호수 등 아름다운 자연을 구경했다.

그는 쿠린치에서 사흘을 보낸 뒤 다시 파당으로 돌아왔다. 그런 후 다시 시틴자우라웃을 거쳐 솔록과 사와룬토의 광산까지 갔다가 방향을 꺾어 바투상카르로 향했다. 그는 거기서 트밧파타를 지나 파야쿰부와 망가니를 거치며 그 일대를 돌아다녔다. 마음을 치료할 목적이었지만 전혀 소용없었다. 어떤 병은 전혀 낫지 않기도 하거니와 각각의 병마다 처방도

달라야 하는 법이어서 어떤 병은 병세만 악화되기도 한다.

　　자연은 때로는 우울하다가 돌연 활기찬 모습을 띠고 때로는 침묵하다가 다시 말을 걸기도 한다. 하지만 사실 모든 것은 어떤 색의 렌즈를 마음의 눈에 끼우고 바라보는가에 달려 있다. 그래서 계획에도 없던 어느 날 그리움 가득한 마음으로 도착한 어떤 장소는 햇빛조차 우울해 보이지만 다음에 들뜬 기분으로 다시 방문하면 같은 장소가 정겹게 보이는 것이다. 만약 그렇지 않다면 이름난 화가들이 그린 그림들 모두 똑같은 모양을 하고 있을 것이다. 마찬가지로 문필가들은 시를 통해 자연의 축복과 아름다움을 찬양하고, 때로는 한탄하며 불행을 묘사하기도 한다.

　　그는 다시 파당판장으로 돌아왔다. 아름다운 자연이 인간의 마음을 치유한다는 것은 잘못된 생각이 틀림없었다. 그는 더욱 수척해진 얼굴로 돌아와 작은 짐 가방을 내려놓고 비틀거리며 자기 방으로 향했다.

　"어서 오게, 자이누딘."

　세 든 집의 주인 노파가 그를 반겼다.

　"네, 아주머니."

　"자네 얼굴이 말이 아니네."

　"여행 중에 열이 좀 있었어요."

　그가 다시 방으로 들어가려 할 때 노파가 편지 한 통을 내밀었다. 자이누딘이 길을 떠난 사이 어떤 사내아이가 가져온 것이라고 했다.

그는 편지를 받아 들고 방으로 들어갔다. 옷을 벗기도 전에 편지부터 열어보았다. 여자에게서 온 편지 같은데 하야티가 보낸 것은 아니었다.

자이누딘 님!

우리는 아직 인사를 나눈 사이는 아니지만 당신의 가까운 벗인 하야티와 친한 친구여서 당신의 이름을 오래전부터 듣고 있었어요. 당신과 그 친구의 관계에 대해서는 우리 모두 잘 알고 있어요. 하지만 오늘 당장 그 관계를 정리하는 게 좋아요. 먼저 하야티의 명예를 지켜주세요. 그 애는 이제 약혼한 상태니까요.

그것은 당신 자신을 위한 일이기도 해요. 남의 땅에 들어와 사는 입장인데 자신의 이름을 추접스럽게 만들지 마세요. 그녀와의 관계가 당신에게 대체 무슨 소용이 있나요? 다 부질없는 일이에요. 계속해보겠다고 해도 하늘에서 별이 떨어지길 기대하는 것만으로는 아무것도 바꿀 수 없어요. 그러다가 나이만 먹고 몸은 축나고 이익도 없고 손해만 생길 뿐, 궁핍함 속에서 고통받는 미래가 훤히 그려지잖아요.

하야티는 이미 우리 가족이 되었어요. 우리 가문에서 넣은 청혼이 수락되었고 그 애는 현재 파당에 있는 한 회사에서 일하는 제 오빠 아지즈와 혼약을 맺었어요. 이 소식에 너무 실망하지 않았으면 좋겠네요.

하디자

앞서 하야티의 가족이 보낸 편지가 그의 가슴에 총질을 해댄 것이라면 하야티의 친구라고 밝힌 하디자의 편지는 그의 머릿속에 폭탄을 터뜨린 것과 같았다. 그는 편지를 반듯하게 접은 뒤 한동안 멍하니 앉아 있었다. 그는 어찌해야 할 바를 몰랐다.

사랑은 인생이란 배에 달린 방향타라 하지 않는가? 이제 그 방향타가 뽑혀버렸는데 어찌해야 하는가? 그는 이제 어디로 항해해 가야 하는가? 어디에 닻을 내려야 하는가? 육지도 섬도 보이지 않았다. 목적을 이루지 못하고 좌절한 청년은 그런 운명에 처하고 만다.

그가 한 시간 넘게 방에서 나오지 않자 노파는 저 외지인 청년이 멀리 여행에서 돌아와 몸져누운 건 아닐까 걱정되기 시작했다. 노파가 문을 두드렸다.

"들어오세요, 아주머니!"

자이누딘의 대답에 노파는 방으로 들어가 말했다.

"이보게, 무슨 생각을 그리 깊이 하나? 열흘씩이나 집을 떠나 돌아본 여행은 어떠했나? 멋진 곳을 둘러보고 왔는가? 경치 구경은 충분히 했는가?"

"네, 아주머니, 모든 게 아름다웠어요. 역시 미낭카바우는 구석구석 모두 수려하고 활기찬 곳이더군요."

"그런데 자네 얼굴은 다른 이야기를 하고 있군. 어디 몸이 아픈가?"

"아니에요, 아주머니."

자이누딘은 마음속 슬픔을 감추려고 최선을 다했다.

"왜 그러는지 얘기하게나. 예전에 고향에서 온 부고 편지를 받고서도 그랬고, 최근 여행을 떠나기 전에도 편지를 받고서 표정이 완전히 변했지. 이제 또 다른 편지가 오더니 자네 얼굴이 더 창백해졌어. 그동안은 내 굳이 신경 쓰지 않았어. 자네도 아마 나를 믿을 수 없으니 아무 말 안 했을 거야. 하지만 뭔가 자네 마음을 불편하게 만들고 생각이 복잡해지면 나한테라도 말하게. 내가 도울 수 있으면 도와줄 테니. 우리 아들, 물룩, 그놈이 친구가 많아서 아마 도와줄 거야. 주술도 좀 할 줄 알고 애가 똑똑하고 착해. 주술가나 무술인, 관습 규범에 관계된 사람하고도 잘 알고 지낸다네. 집에는 제 엄마 생활비 가져다줄 때만 가끔 오지. 엄마가 즐겁게 지내는 거 방해하고 싶지 않다나 뭐라나. 전에는 싱갈랑 사람 하나를 월급 줘가며 엄마 친구 하라고 이 집에 함께 살게 하기도 했지. 그러다가 자네가 여기 살기 시작하자 여간 좋아한 게 아니었어. 단지 자네가 경건한 시악 사람이고 자기는 거칠기 짝이 없는 파르와[38]라 좀 부끄러워할 뿐이지. 하지만 착한 녀석이야. 자네 머릿속이 복잡할 때 그 녀석이랑 얘기하면 도움이 될지도 몰라."

자이누딘은 노파가 하는 말을 들으면서 그사이 인사는 나누었지만 그리 가깝게 지내지는 않은 물룩의 선한 마음에 새삼 눈을 뜨는 기분이었다.

"아주머니, 그럼 도움을 좀 청할게요."

자이누딘이 말했다.

"물룩 형을 불러주세요. 빨리 찾아 데려와주세요."

"쉬운 일이야. 지금 아마 파사르바루에 있을 걸세."

"빨리 오라고 해주세요. 만약 그가 나를 도울 수 있다면 제가 겪는 어려움의 대부분을 해결할 것 같아요."

그의 말에 노파는 매우 기쁜 얼굴로 의자에서 일어서다가 말했다.

"저기 마침 물룩이 오고 있네."

---

38 미낭카바우의 파르와라 불리는 청년들은 도박, 닭싸움, 개싸움 등을 즐기고 픈착 호신술 고수가 많다. 교류하는 반경이 매우 넓고 부족과 마을의 명예, 우정을 중시하며 경건한 사람을 존중하고 충성스럽다.

그녀는 마당에 들어선 물룩을 안으로 불러들였다. 보통 그는 자이누딘에게 겸연쩍은 표정을 지으며 곧장 부엌으로 향하곤 했다. 하지만 이번에는 어머니가 막아서며 우선 앉으라고 말했다.

"물룩, 이분이 너랑 이야기를 하고 싶으시대."

노파의 말에 물룩은 매우 공손한 자세로 의자에 앉았다. 자이누딘도 방에서 나와 그와 악수를 나눈 후 가까이 앉았다.

"선생님, 잘 지내시죠? 여행에서 돌아오는 길에 별고 없으셨죠?"

"잘 다녀왔어요. 부족한 것 하나 없었고요. 사실 내가 이 집에 산 지 거의 1년이 다 되었는데 우리 아직 인사도 제대로 나누지 못했네요. 물룩 형이 아마도 내가 외지인이라 좀 꺼려하는 것 같아 그랬어요."

"아이고, 선생님, 그런 게 아닙니다."

물룩이 대답했다.

"선생님께서도 아시는 것처럼 저는 닭싸움, 주사위 놀이, 도박 같은 걸 즐기면서 죄를 많이 지어요. 그래서 손이 너무 더러워요. 우리는 파당판장 청년들이에요. 여긴 종교학교와 기숙사가 많은데도 우리는 대부분 모여서 농담하고 사냥 다니고 번호 맞히기 게임이나 다른 놀이를 하며 지내요. 제 꼴이 이런데도 선생님 같은 분이 저희 어머니 집에서 기꺼이 지내주시니 고마울 따름입니다. 어머니는 혼자 지내시고 저도 다른 형제가 없어요. 저희 아버지는 전에 큰 지진이 났을 때 돌에 깔려 돌아가셨어요. 게다가 저는 돌아다니는 걸 좋아하는 놈이에요. 아무쪼록 양해해주세요, 선생님."

갑자기 어머니가 끼어들어 말을 끊었다.

"이 젊은 선생이 너한테 부탁할 게 있으시단다. 물룩, 할 수 있으면 도와드려라!"

"인샬라,³⁹ 제가 도울 수만 있다면 기꺼이요, 선생님."

"하지만 이건 우리 두 사람만의 비밀이에요."

자이누딘이 의미심장한 표정을 지었다.

그러자 노파가 말했다.

"아, 나는 뒤쪽에 가서 밥이랑 커피를 준비해야겠다."

두 사람만 남자 자이누딘은 다시 이야기를 시작했다.

"물룩 형이랑 내가 아직 서로 잘 아는 사이는 아니지만 나는 형이 나를 도울 수 있을 뿐 아니라 비밀도 지켜주리라 믿어요."

"선생님, 걱정 마세요. 제가 비록 좀 험한 일을 하는 도박꾼이지만 뭐든 지시해주시면 얼마든지 처리할 능력은 됩니다. 우리 전통과 관례는 청년들에게 도박이나 닭싸움 같은 것

---

39 "알라의 뜻대로 하옵소서"라는 의미.

을 허용하지만 그건 그저 시간을 때우는 일이에요. 우리는 높은 계급장 단 분들보다 비밀 같은 거 훨씬 더 철저히 지킵니다. 우리는 동료의 등을 찌르지도 않고 친구를 배신하지도 않아요. 한솥밥 먹는 식구끼리는 더욱 두말할 나위 없죠. 그들에게도 같은 규칙이 적용됩니다."

"고마워요."

자이누딘이 대꾸했다. 그런 다음 그는 아버지가 유배당한 일부터 시작해 부모의 죽음, 미낭카바우로의 귀환, 하야티와의 만남, 바티푸에서 추방당한 일, 수양어머니의 죽음, 청혼 거절 편지, 그리고 방금 전 받은 하디자로부터의 편지까지 하나도 빠뜨리지 않고 모두 이야기했다. 이 모든 것을 물룩은 조심스러운 표정으로 경청했고 이따금 얼굴이 붉히기도, 슬픈 표정을 짓기도 했다. 늘 '선생님'이라고 부르는 자이누딘을 바라보는 그의 시선이 연민으로 가득 찼다.

모든 상황을 설명한 자이누딘은 계속 말을 이었다.

"물룩 형! 나는 이 아지즈가 어떤 사람인지, 하야티의 배필이 되기에 마땅한 자격이 있는지 형에게 조사를 부탁하고 싶어요. 형이 잘 살펴봐주세요. 만약 배필로 적격이라면, 만약 아지즈가 훌륭한 인품을 갖췄다면 하야티에게는 다행이고 행복이겠죠. 내 비참한 운명을 위해서도요. 하지만 아지즈란 인물의 성품이 형편없어 그에게 시집갈 하야티가 고통받거나,

189

낙담하고 비탄에 빠진다면 나는 내 생명이 이 육신을 떠나는 날까지 변함없이 그녀를 보호할 거예요. 그녀의 형제가 되고 그녀의 후견인이 되어주려 해요. 물룩 형, 그가 어떤 사람인지, 어디 사는지, 어떻게 처신하는 사람인지 조사해주세요. 비용이 얼마가 들든 내가 모두 지불할게요."

자이누딘이 이야기하는 동안 물룩은 얼굴을 찡그리더니 급기야 고개를 설레설레 저었다.

"물룩 형, 왜 고개를 젓는 거예요?"

"선생님, 이 일로 돈 쓰실 필요 없어요. 만약 아지즈를 찾아내는 일에 비용이 많이 든다 해도 선생님은 저한테 이미 형제와 같은 분인데 돈을 받는 건 불경한 짓입니다. 그리고 이 아지즈란 청년을 찾는 건 어렵지 않아요. 노름꾼 중에 그를 모르는 사람이 없으니까요."

"뭐라고요?"

"그 아지즈란 사람은 수탄 만타리의 아들이고 부모 모두 파당판장 사람이에요. 그는 고위직 사람들과 혈연관계에 있어서 그에 걸맞은 직장을 얻었어요. 하지만 그의 성품은… 마샬라![40] 이웃들한테 불청객이 따로 없죠. 유부녀를 건드려서 두 번인가 세 번, 죽인다는 협박도 받았어요. 다행히도 그에게는

---

40 "알라가 뜻한 바는 반드시 이루어진다"는 의미.

아버지가 물려준 재산이 있어요. 물론 곧 동나겠지만. 지금 다니는 직장에서도 돈을 좀 빼돌렸는지 몰라요. 물론 들통나서 창피당할 상황 정도는 피할 줄 아는 사람이죠. 그에게 이 세상에서 가장 쉬운 게 바로 돈이니까요."

"그게 정말이에요, 물룩 형?"

"내가 직접 본 일을 부풀리거나 축소해서 말씀드릴 이유가 어디 있겠어요, 선생님? 도박 문제에 있어서는 분명히 제가 죄를 짓고 있죠. 하지만 다른 부분에서는 저도 나름 선의를 가지고 있어요. 아지즈… 우리 중 그를 모르는 사람은 없어요. 그가 파당 집에 결혼도 하지 않을 여자를 데려다놓고 같이 산 적도 여러 번 있어요."

"오, 알라여… 불쌍한 하야티!"

"더 알아보실 필요도 없어요. 제 말을 믿으세요, 선생님."

"어떻게 그를 만날 수 있을까요?"

"누굴요?"

"아지즈 말이에요."

"뭘 하시려고요?"

"충고를 하려고요."

"소용없어요, 선생님, 소용없어요! 그런 사람 마음속에는 정직함이 없어요. 그건 제가 잘 알아요. 나중에 분명히 선생님도 화가 나서 한 방 갈기게 될 텐데 그럼 많은 사람이 알게 되잖아요. 여자 문제 때문에 싸운다는 걸 사람들이 금방 알아챌 거예요. 사람들이 그와 다른 문제로 치고받고 싸우는 걸 본 일이 없어요. 늘 여자 때문이죠. 선생님이 그 친구랑 싸우는 건 부끄러운 일이지만 그는 아예 부끄러움 자체를 몰라요. 다른 여자를 찾으세요. 이 세상에 머리 올린 영리한 여자가 단 한 명만 있는 게 아니잖아요. 이미 끝난 일이라고요."

"아… 형의 그 충고 말이에요!"

"끝났다고 한 말이요?"

"하야티는 아직 나를 사랑하고 있을 거예요. 단지 강요당하고 있을 뿐이에요."

"아, 선생님! 선생님은 너무 정직하고 또 너무 젊으세요. 선생님은 이 세상의 여자들 마음이 경전에 쓰여 있는 대로라고 생각하시는 모양이에요. 그렇지 않아요, 선생님. 아지즈네는 부자에다가 이 지역 사람이에요. 그런데 사람들은 선생님이 가난하다고 여기고 우리와 '다른' 사람이라고 생각하잖아요. 하야티는 단지 선생님이 화내지 못하도록 입발린 소리를 하는 거라고요. 하야티도 '여자'예요, 선생님, 여자!"

그 이상 자이누딘이 얻을 수 있는 조언은 없었다! 다른 사람을 붙잡고 묻는다 해도 그들의 조언 역시 물룩과 같지 않을까?

물룩의 말을 듣고 그는 밤늦게까지 잠을 이루지 못한 채 깊은 생각에 잠겼다. 그의 생각은 온통 하야티를 향했다. 왜 그녀는 더 이상 편지를 보내지 않는 걸까? 정말로 그녀와의 인연이 완전히 끊어져버린 걸까? 그녀가 맹세한 그에 대한 사랑이 아직 남아 있긴 한 걸까? 아니면 몰아친 광풍이 그마저 모두 휩쓸고 가버린 걸까? 어째서 그 잠깐 사이에 상황이 이토록 변해버렸을까?

그들이 처음 약조를 맺은 그 논, 그 원두막은 아직 그대로 서 있는데, 하야티가 그를 보내주던 파당판장으로 가는 길 왼편의 칭카링나무들이 아직 잎사귀를 떨구지도 않았는데 사랑은 왜 급히 변해가는 걸까? 1년이든 2년이든, 계절을 넘어 시대가 바뀌더라도 자이누딘이 올 때까지 반드시 기다리겠다던 그 약속이 너무 버거웠던 걸까?

"아, 그럴 리 없어. 하야티는 순결해!"

그는 그렇게 중얼거리고는 서랍에서 종이를 꺼내 편지를 쓰기 시작했다.

그의 첫 번째 편지는 이랬다.

나의 벗, 하야티!
정말 어떤 일이 벌어진 거죠, 하야티? 이제 우리가 함께 살아갈 길이 막혀버렸다는 게 사실인가요? 우리의 인연이 끊기고 말았다는 것, 당신이 이미 나를 외간 남

자로 보게 되었다는 것, 다시는 연락하지 않으리란 것,
나를 아는 척하지도, 안부를 보내거나 만나지도 않으
리란 것이 사실인가요? 당신 기억 속의 나는 이제 이
편지 쪼가리가 간신히 떠올리게 하는 오래된 꿈속의
어떤 사람 또는 시간의 흐름, 시대의 변화라는 명목 아
래 지워져버린 어떤 사람이 되고 만 건가요?

하야티, 함께 써내려가던 우리의 책은 이제 정말 종지
부를 찍는 건가요? 우리가 어쩌다 길에서 마주치면 한
사람은 오른쪽으로, 다른 사람은 왼쪽으로 모른 척 스
쳐 지나가야 하는 건가요?

어쩌면 이 모든 게 하루아침에 바뀌어버리고 시대가
이토록 빨리 변해가는군요. 우리가 함께 세운 추억의
궁전이 불과 한 달, 두 달 사이에 회오리바람에 휩쓸려
그 잔해조차 찾을 수 없게 산산조각 나버린 건가요?

하야티, 기억하세요. 우리가 그 궁전을 우리 눈물 위에
지었고 우리의 비탄과 고통 위에 세웠다는 것을요.

아무리 엄혹한 운명이 폭풍우를 몰고 와 밀어붙이고
모욕해도 나는 정수리를 짓밟히면서도 희망을 향한 문
이 열려 있기에 조금도 움츠리지 않고 극복해왔어요.
하지만 이제 그 문이 닫혀버렸고 다시 열릴 희망조차
사라졌어요. 하야티, 나는 정말 세찬 빗줄기와 불태울

듯한 더위를 온몸으로 견디며 홀로 그 닫힌 문 앞에 서 있어야 하는 건가요? 이젠 아무도 그 문을 통과할 수 없는 건가요?

나는 오직 죽음이 찾아와서야 비로소 그 추억들도 나를 떠날 거라 생각했어요. 지금 우린 아직 살아 있고 흰머리도 돋지 않았고 천지가 개벽한 것도 아닌데 이미 상황은 그렇게 변해버리고 말았네요. 이 일만은… 도저히 극복할 수 없어요.

내 입장을 이해하나요, 하야티?

무엇이 당신 마음에서 나를 향한 사랑을 그토록 빨리 지워버리게 했나요?

아, 하야티, 당신은 아시나요? 나만큼 사랑에 깊이 빠진 사람은 일찍이 없었어요. 그리고 나중에도 당신은 내가 당신을 사랑한 것만큼의 사랑을 얻을 수 없을 거예요. 당신을 향한 내 사랑은 형제가 형제를 사랑하는 것보다, 아버지가 자식을 사랑하는 것보다 커요. 어쩌면 내 사랑은 이 세상에서 오직 두 가지 외에는 필적할 수 없을 만큼 너무나 커져버렸어요. 그 첫 번째는 신이고, 두 번째는 죽음이에요.

당신의 이름은 단 한 번도 내 입술을 떠난 적이 없어요. 나는 육체적으로도, 정신적으로도 당신을 단 한 번도 배신하지 않았어요. 대자연을 바라볼 때에도 그 안에 그려지는 당신의 모습을 보았고 내 모든 감각이 오직 당신으로만 채워졌어요.

해가 질 때마다 거기 투영되는 당신의 아름다운 얼굴이 보여 나는 실로 전율하곤 해요. 호도새가 울 때 나는 귀를 쫑긋 세워 거기 실린 당신의 은은한 목소리에 귀를 기울여요. 또 꽃봉오리가 피어나는 것을 보면 그 아름다움이 당신의 수려함을 닮아 나는 활기를 되찾곤 해요.

당신을 그리워하기에 나는 스스로 살아 있음을 다행스럽게 여깁니다. 당신이 이 세상에 있기에 내게 살아가는 의미가 있어요. 당신의 모습을 볼 수 있고 당신의 이름을 부를 수 있으니까요.

만약 나의 그 사랑이 반드시 보상받는다면, 보상받고 말고요, 최소한의 자비를 베풀어 나를 가엾게 여기고 당신을 위해 흘린 그 많은 눈물을 안타깝게 여겨주세요. 만신창이가 된 내 마음이 더 이상 내 것같이 여겨지지 않을 만큼 꼬리를 물고 찾아오는 이 참담함을 불쌍히 여겨주세요.

이 세상에서 당신의 아름다움에 반한 사람을 많이 만나게 되는 것은 당연한 일이에요. 큰 재산으로 당신의 고귀함을 더해줄 사람도 적지 않겠죠. 하지만 내가 사랑한 만큼 당신을 사랑하는 사람은 결코 만나지 못할 거예요. 내 말을 믿어주세요. 제발 믿어줘요.

하야티, 당신은 속은 거예요. 달콤한 말에 넘어간 거라고요. 그들은 욕망을 숨긴 채 큰 재산을 흔들어 보이며 당신을 속였어요. 그들에게 사랑이란 재산과 정욕에 납땜해 붙여놓은 부속물 같은 것에 지나지 않아요. 인생이란 먹고 마시는 것, 또는 새 옷을 사 모으고 최신 모델의 예쁜 옷을 지어 입는 것일 뿐이라고 말하는 그들은 이미 틀렸어요.

그들은 인생의 가치를 예쁜 집과 넓은 곳간, 아름다운 저택을 기준으로 재단하려 하죠. 그들은 당신의 생각 속에 패물들과 금목걸이, 보석 팔찌에 대한 유혹을 불어넣었어요. 그들에게 부부관계란 또 하나의 재산 문제일 뿐이에요.

하지만, 하야티, 절대 그렇지 않아요. 만일 결혼이 단지 재산만을 매개로 맺어지는 관계라면 이름만 결혼이지 거래라는 면에서 그 본질이 매춘과 하등 다를 바 없어요. 여인이 남편에게 자신을 내어주는 이유가 남편이 자산가이기 때문이라면 그건 매춘부가 자신의 명예를 파는 것과 다름없어요. 심지어 매춘부의 경우보다 더 나쁜 이유는, 매춘부는 몸을 팔아 한 그릇의 음식을 구하려는 거지만 그 여인은 자신을 내주어 재산과 맞바꾸려 한다는 거예요. 금팔찌와 보석 목걸이, 예쁜 옷과 값비싼 슬렌당을 기대하면서요.

만약 남편이 몰락해 가난해져봐요, 알라여! 넓게 뚫린 길을 달려 종교 재판관 댁에 가서 곧바로 이혼을 요구하겠죠. 그들은 몇 겹씩 겹쳐서 사용했던 바나나 잎사귀를 쉽게 길가에 버리듯 남편을 버릴 거예요. 비 오는 날 우산 대용으로 썼다가 비가 그치고 쓸모없어진 바나나 잎사귀는 길섶에 버려져 사람들 발길에 밟히게 되죠.

이 세상에 사랑에서 비롯된 행복 이상의 행복이 있다고 생각하지 마세요. 사랑 이상의 행복이 있다는 믿음은 감당하지 못할 파국을 가져올 따름이에요. 결국 죽음으로 자신을 벌하는 결과를 가져오게 돼요.

당신은 아시나요? 이 세상의 수려함과 아름다움은 물 마른 꽃병에서 꽃잎이 떨어지듯 이미 내 마음을 떠난 지 오래임을 깨달았어요. 그 긴 시간을 짐짓 이게 정말 인생인 척 살아오다가 결국 무너져 내린 마음과 마주하게 되었어요. 악마가 인간의 마음을 제멋대로 갖고 논 것이죠. 내가 본 가장 순결한 것은 오직 당신, 당신

한 사람뿐이에요.

오직 당신에게서만 사랑과 성실이 아로새겨진 순수함과 순결함의 표시를 보았어요. 내가 가난해 가진 것 없고 어느 종족에도 속하지 못해 모든 사람이 나를 미워할 때 오직 당신만이 내 힘없는 손을 잡아주었고 당신만이 내 쉰 목소리를 들어주었기 때문이에요. 하야티, 오직 당신뿐이었어요.

당신 같은 사람이 앞 못 보는 이에게 행복을 전해주던 그 손을 이제 정말 놓아버리기로 마음먹은 건가요? 그 장님이 그동안 받은 것들에 대해 막 감사하려고 하는데 그 내민 손을 도로 빼려는 건가요? 당신은 내 모든 응석을 받아주면서도 나를 가르치고 이 세상이 담은 아름다움의 이치를 알려주지 않았나요? 그래서 나는 당신 덕분에 이 세계를 품고, 사랑하고, 살아가게 되었어요.

그런데 이게 정말 당신인가요, 하야티? 당신이 사랑의 바다로 떠밀어 넣은 내가 비로소 헤엄칠 수 있게 되자 혼자 뭍으로 나가 내가 바다 밑바닥으로 가라앉게 놓아둘 만큼 당신은 그토록 잔인한 사람이었나요? 그럴 리 없어요. 당신이 그렇게 잔인하고 난폭할 리 없어요. 나는 아직도 그 부드럽고 선한 마음을 기억합니다.

당신의 혼처가 정해졌다는 소식을 들었어요. 내가 그걸 부정하겠다는 게 아니에요. 어떻게 그럴 수 있겠어요! 그래 봐야 나만 더 불행해질 뿐이죠. 나는 단지 당신의 약혼자가 아지즈란 걸 알고 그가 어떤 사람인지 알아본 후 당신의 결혼이 진정한 이상과 부합되지 않을 거란 사실을 알리려 이 편지를 보냅니다.

나는 당신의 인생이 그의 인생에 휩쓸려 어디로 갈지 알게 되었어요. 이 결혼은 단지 재산과 미모의 결합일 뿐이에요. 그러니 어느 한쪽이 부족해지는 순간 그 관계는 위협받고 말 거예요. 만약 그런 일이 벌어진다면 그건 내게도 큰일이에요. 나 자신이 아니라 당신이 피해를 입기 때문이에요.

아, 선지자여, 아, 신이시여, 내 이 양심의 고백이 내가 바라보는 사람, 내 마음에서 영원히 지워지지 않을 사람에게 전달될 수 있을까요?

하야티, 당신을 사랑하는 마음으로 온갖 용기를 끌어모아 이 편지를 보낸다는 걸 알아주세요. 내게 더욱 중요한 것은 나 자신의 필요와 만족이 아니라 당신의 행운과 행복이에요.

우선 이 편지를 받아주세요. 곧 다음 편지를 보낼게요. 이렇게 편지를 보내는 것만으로도 심장에 생긴 상처의 쓰라림이 조금 덜어지네요.

자이누딘

그는 곧 두 번째 편지를 보냈다.

세상은 적막하고 고요한데 내 기운을 북돋을 만한 어떤 움직임도 없어요. 밤은 끝없이 계속될 것만 같고 낮이 될 기색은 전혀 보이지 않아요. 나는 때때로 스스로가 사람 한 명 다니지 않고, 흐르는 개울물도, 바람에 흔들리는 나뭇잎도 하나 없는 메마른 사막 한가운데에 버려진 보잘것없는 사람처럼 느껴져요. 마치 유배당한 사람처럼 그곳을 빠져나갈 통로와 방법을 목마르게 찾지만 길은 보이지 않아요. 나는 인내하며 벗어날 방법을 모색하지만 이미 내 정수리 위에는 죽음이 찾아와 너울거리고 있죠.

그때가 언제 올까요? 죽음은 언제쯤 내 생명을 거두어 이 감당할 수 없는 고통으로부터 해방시켜줄까요?

하야티, 나는 당신을 잃고 말았어요. 당신 단 한 사람에게 내 모든 인생을 쏟아부었기에 이미 그 누구도 당신을 대신할 수 없어요. 내 운명은 도박판에서 운이 다해가는 도박꾼과 다름없어요. 남은 돈은 달랑 1링깃뿐인데 운을 믿고 그 돈을 다 걸었지만 그마저 잃을 수 있다는 걸 잘 알죠.

당신이 내 인생에 들어온 후 내 마음속에는 몇 가지 커다란 포부가 생겼고 멋진 계획도 그렸어요. 그 순수한 감정에 충만해 나는 활력이 넘쳤죠. 당신은 내 영혼이 이 세상 모든 역경을 이겨내도록 하는 힘의 원천, 나의 생명이었음을 기억하세요. 하지만 이제 당신의 소식을 접한 뒤 나의 모든 계획은 기름이 떨어져 불꽃이 사그라지는 등불처럼 연약해졌고 다시 불꽃을 키워보려는 생각도 다 부질없어졌어요.

나는 이제 아무것도 느낄 수 없고 생각의 흐름조차 느슨해져버렸어요. 주변에 무슨 일이 벌어지는지 더 이상 둘러볼 의욕조차 없어요. 어느 방향으로 가야 할지, 어느 길을 따라 걸어야 할지 알 수 없게 되어버렸어요. 지금 내 운명은 마치 아이들이 쏜 공기총을 맞고 길섶에 떨어진 작은 새 같고, 공터에 버려져 아무도 신경 쓰지 않는 작은 돌멩이 같아요.

하야티! 당신은 세상의 종말이 두렵지 않나요? 그날이 오면 심판의 법정 카디 라분 잘릴[41]에서 당신은 인생의

---

41   코란에 따르면 종말의 날에 열리는, 신이 인간을 심판하는 최후의 법정.

순결한 목적을 가진 한 사람 가슴에 왜 못을 박았느냐는 질문을 받게 되겠죠. 그는 망연자실해서 결국 인생의 목적을 이루지 못했으니까요. 내가 당신보다 먼저 죽어 내 혼이 당신 가는 곳마다 따라다니며 당신이 앗아간 그 인생을, 당신이 망가뜨린 그 마음을, 당신이 깨뜨려버린 그 꿈들을 돌려달라 통곡하고 한탄할까 두렵지 않은가요?

그 혼은 당신이 어딜 가든, 잠잘 때나 깨어 있을 때나, 먹고 마실 때나, 심지어 남편 품에 안겨 있을 때도 쫓아다닐 거예요. 그 혼은 당신 귀에 이렇게 속삭일 거예요.

"그가 살았다면 품격 높은 남편의 진면목, 모든 아름다운 것의 귀감이 되었을 것이고 사랑 충만한 아버지, 충실한 벗, 사회의 큰 기둥이 되었을 텐데…"

당신의 약속은 어디에 있나요? 그때 그 마음을 다한 맹세는요?

그때 천상의 천사들이 인간의 행복을 지켜주듯 당신이 내 행복을 지켜주겠다고 하지 않았나요?

애석한 일이에요. 만일 당신이 지금의 나를 볼 기회가 있다면 야윈 몸과 흐릿한 눈, 거듭된 고통과 재난으로 완전히 기력이 소진된 남자일 거예요.

하야티! 이리로 와줘요. 단 한 번만, 잠시만이라도 충분해요. 당신의 얼굴을 보고 싶어요. 내 잃어버린 행복과 꺼져버린 이상이 거기 있거든요. 내 영혼에 이 세상 살아갈 의욕을 북돋아주던 당신의 달콤한 목소리를 들려주세요. 당신의 사랑으로 내 심장이 다시 뛰게 해주세요. 아직 나를 사랑하고 있다고 단 한 마디만이라도 해주세요. 그 말이 진실이든 아니든 이젠 상관없어요. 그것으로 충분해요.

사람들 하는 말 따위 신경 쓰지 않고 조만간 중간 지점에서 나를 만나줄 수 있다면 나는 왕실을 섬기는 고귀한 분을 만난 것처럼 당신에게 모든 예의를 다 갖출 거예요. 그리고 만약 나에 대한 미움이 사무쳐 아무것도 신경 쓰고 싶지 않다면 내가 당신이 원하는 곳 어디든 뒤따라갈 테니 잠시 한번 뒤돌아보기만 해주세요.

당신을 괴롭힐 어떠한 말도 꺼내지 않을게요. 나는 그저 당신 앞에서 울고 싶을 뿐이에요. 혹시라도 당신이 내 머리를 만져준다면 나는 다시 살아갈 힘을 얻을 거예요. 그런 다음, 나를 죽인다 해도 상관없어요.

나는 지금 매우 아파요, 하야티. 아마 나보다 더 가슴 아픈 사람은 없을 거예요.

예전에 당신이 준 사랑과 행복은 이제 당신이 도로 가져가버렸어요. 이제 그것들은 더 이상 나를 살아가게

할 수 없어요!

자이누딘

그리고 세 번째 편지.

나는 여전히 불행해요. 나는 내 인생의 꽃이 개화하기도 전에 죽음까지 앞서 생각해봅니다. 나는 아직 젊지만 노년도 조금씩 다가오고 있어요. 지금 내 인생을 한 번 둘러봅니다. 아버지도, 어머니와 수양어머니도 돌아가셨어요. 이 세상은 모두 나를 혐오하고요.

집 가까이 선 나무 잎사귀들, 쾌적한 공기를 품고 불어오는 아침 바람, 평소라면 기력을 회복시켜줄 달콤한 잠, 이 모든 것조차 나를 떠나버렸어요. 그리고 내가 기댈 수 있는 유일한 세계이던 당신마저 갑자기 잃고 말았어요! 이제 내가 어디로 가야 하는지 가르쳐주세요. 당신이 무덤 속을 가리킨다면 기꺼이 그리로 들어가겠어요.

나는 당신의 이름을 하루에도 100번 이상 부르곤 해요! 때로는 노래를 부르면서도, 때로는 울면서도요. 문이 바람을 맞으며 끼익 끼익 내는 소리 속에 당신 발소리가 들리는 듯해요. 당신 기억에서 정말로 나를 지워버렸다는 것을 아직 믿을 수가 없어요. 내가 당신에게 무슨 잘못을 했는지 스스로에게 물어보기도 해요. 하지만 그런 적 없어요. 내가 지은 죄라곤 당신에 대한 사랑을 늘 가슴 가득히 채우려 했던 것밖에 없어요.

아내와 아직 어린 세 자녀를 데리고 배를 타고서 메카로 하지 순례[42]를 떠난 사람의 이야기를 들은 적이 있나요? 아내는 그때 또 임신 중이었어요. 그 성스러운 나라에 갑자기 전염병이 돌아 남편은 거기서 세상을 떠났어요. 그리고 그곳 관리는 순례자들에게 이제 하지 기간이 끝났으니 모두 제다를 경유해 본국으로 돌아가라고 통보하죠. 아내는 아이 셋을 데리고 남편의 무덤에 가서 그들은 이제 돌봐줄 동반자 한 명 없이 홀로 고향으로 돌아가 아버지 없는 아이들과 함께 가난을 마주해야 하는데 축복받은 남편은 성지에 남아 카바[43]를 지키게 되었다고 탓하며 통곡했다고 해요.

위아래 논을 오가며 음율에 자기 아이 이름을 넣어 노

---

42 이슬람을 떠받치는 무슬림의 의무 중 하나로 최소한 평생에 한 번 무함마드가 탄생한 메카 성지를 순례하는 것.

43 카바는 이슬람 본산이라 할 수 있는 메카 소재 모스크 알-하람 사원 중심에 있는 정육면체 검은색 구조물이다. 이슬람 최고의 성소로 전 세계의 무슬림이 카바가 있는 쪽을 향해 기도를 드린다.

래 부르는 한 노파를 본 적 있나요? 사실 그 노래 속 아이는 어린 여자아이였는데 혼인하기 직전에 죽었어요. 하지만 준비한 혼수는 큰 수레에 실려 시댁에 전달되었지요. 결국 마을 사람들이 함께 그 혼수품을 무덤에 장식해주었다고 해요.

막 약혼한 한 청년의 이야기를 들어보았나요? 나중에 고향에 돌아오면 약혼녀에게 줄 요량으로 혼수용 금붙이와 옷감을 사러 머나먼 타지로 나갔어요. 그런데 그가 2년 만에 돌아오니 약혼녀는 가난한 청년을 버리고 더 큰 부자인 다른 남자에게 시집간 뒤였어요. 그 뒤의 이야기를 들어보았나요? 약혼녀가 벌써 혼인했다는 소식을 들은 그는 물이 세차게 흐르는 수로변에 앉아 스스로의 운명을 한탄하며 울다가 마침내 그동안 애써 준비한 작은 상자를 물속에 던져버렸어요. 그런 뒤 다시 먼 길을 떠난 그는 아직까지도 돌아오지 않았다고 하죠.

두 아들을 가진 한 여인의 이야기를 들어본 적 있나요? 두 아들 중 하나는 자카르타에 갔고 다른 하나는 메단으로 갔어요. 그러던 어느 날 갑자기 큰아들이 병원에서 죽었고 둘째 아들도 죽었는데 없어진 머리통은 찾지 못했고 배 속이 텅 빈 시체로 발견되었다는 소식을 듣게 돼요. 그렇지만 그 여인은 외지에 나갔다 돌아오는 사람마다 자기 아들을 만나보았느냐고 물어요. 당신 아들들은 이미 죽었다고 말하면 그녀는 깊은 시름에 잠기지만 눈물을 흘리지는 않아요. 더 이상 흘릴 눈물조차 남지 않았거든요.

잡초 제거 일을 하던 한 노인의 이야기를 들어본 적 있나요? 그에게는 몸이 아픈 아내와 젖먹이 아기가 있었어요. 어느 날 쌀이 떨어져 옆집에서 빌리려 했지만 앞서 빌린 사나흘 치 쌀도 갚지 못했기 때문에 이웃은 더 이상 빌려주지 않았어요. 그는 너무나 힘든 나머지 결국 그 이웃의 쌀을 훔쳤어요. 그가 부엌에서 밥을 지을 때 아내는 방에서 마지막 숨을 몰아쉬고 있었어요. 그때 갑자기 경찰이 들이닥쳐 그를 끌고 갔죠. 그가 집에 돌아왔을 때 밥은 다 타버리고 아기는 울고 있고 아내는 숨을 거둔 뒤였어요. 그는 너무나도 큰 고통에 정신이 나가버렸고 재판소에 다시 끌려가는 대신 정신병원을 전전하게 되었죠.

이 모든 이야기를 직접 듣거나 본 적이 있나요? 만약 유배형을 기다리는 죄인의 노랫소리, 병원 환자들의 신음이나 비명, 또는 헝클어진 긴 머리에 누더기를 걸친 미친 사람이 깔깔거리며 웃는 소리를 들으면 당신은 그들이 불쌍해 마음 아파하고 그들의 불행한 운명에 눈물짓겠죠.

그러니 꼭 알아주세요, 하야티, 내 운명이 그들보다 더욱 비참하다는 것을요. 나야말로 당신이 동정하고 통곡하고 눈물을 흘려줄 자격이 있어요.

이제 더 이상 당신에게 쓸 이야기가 없어요. 내 마음속 등불이 조금씩 꺼지는 중이에요. 아마도 이게 마지막 편지가 될 거예요.

잘 사세요, 하야티! 혹시 내게 아직 살날이 많이 남아 당신을 다시 만날 수 있을지 모르지만 만약 그렇지 않다면 이게 내 마지막 말이 되겠군요.

자이누딘

하야티의 답장이 마침내 도착했다.

존경하는 당신께!

당신께 숨길 수 없는 일이라 오히려 솔직하게 말씀드릴게요. 당신이 보낸 편지들을 읽을 때 나도 마음을 억누르지 못해 소리 죽여 울었어요. 하지만 당신의 편지가 내 마음속에 일으킨 파도와 해일이 잦아든 후 이성을 되찾자 그것이 절망한 사람이나 흘릴 눈물, 온갖 방해를 받아 끝내 좌절당한 사람의 울음이란 걸 깨달았어요. 그 눈물과 슬픔도 시간이 흐르면 마침내 사그라지겠죠. 세차게 내리던 빗줄기가 점차 엷어지다가 멈추는 것처럼요.

우리는 이제 막 어머니의 태에서 나온 갓난아기처럼 잠시 함께 울긴 하겠지만 세상에 나온 것이 좁은 세계에서 더 넓은 세계로 장소를 옮긴 것임을 깨닫는 날이 꼭 올 거예요. 나중에 당신도 이런 인생조차 신이 당신의 행복을 위해 선택해준 것임을 스스로 깨달을 거고요. 신은 훗날 당신이 더욱 행복하고 순수한 인생을 살아가도록 먼저 모든 걸 준비하셨어요.

신은 내가 가난한 소녀라는 걸 아세요. 그리고 당신도 한 가정을 제대로 세우기엔 여러모로 충분치 않은 가난한 삶을 살고 있어요. 그러니 우리 감정을 잠시 옆으로 밀어놓고 찬찬히 따져보는 게 좋을 듯해요. 그렇게 훗날을 위해 어느 쪽이 더욱 유용한지 따져본 결과 우리는 헤어져 각자의 삶을 살아가는 게 더 낫다고 판단했어요.

나 역시 당신이 느끼는 것과 똑같이 벌받을 마음의 준비가 되어 있어요. 하지만 우리가 나를 위해서도, 당신을 위해서도 도저히 이루어질 수 없는 것들을 너무 오랫동안 꿈꿔왔다는 것은 꼭 깨달아야 해요.

아무쪼록 나보다 더 예쁘고 더 복 많은 아내를 선택하세요. 그리고 우리는 영원히 좋은 친구로 살아갔으면 해요. 아지즈에게 당신이 앙심을 품을 이유는 없어요. 이 문제에 그는 아무 잘못도 없어요. 그와 결혼하는 것은 내가 스스로 내린 결정이에요. 종친 회의의 결과를 내가 마음먹고 거절할 수도 있었지만 결국 내가 어른들의 결정을 수용한 거예요.

이미 지나간 모든 일을 당신도 훌훌 털어버리길 바라요. 내 모든 실수와 잘못을 용서해주세요. 전의 일은 우리 이제 없던 걸로 해요.

하야티

이 편지를 받고 나서 자이누딘은 지금껏 하야티가 아직도 자신을 사랑한다고 전제했기에 그토록 발버둥치며 힘들어했다는 사실을 깨달았다.

애당초 그 전제가 틀렸다.

그는 명예를 아는 남자로서 그동안 길고 길었던 모든 사연을 마지막 편지로 마감하기로 했다.

나의 벗, 하야티!

알함둘릴라, 당신의 편지를 끝까지 다 읽었어요. 나는 벌써 예전의 일을 모두 잊었어요. 그간의 모든 일도 애당초 없던 일로 할게요.

훗날을 위해 스스로 운명을 결정한 벗에게 잘했다 칭찬하고 싶습니다. 그리고 나 역시 노력할게요. 내가 모든 것을 다 잊었음을 증명하기 위해 벗이 내게 보내준 첫 번째 편지부터 마지막 편지까지 모두 온전히 돌려보냅니다. 더 이상 보관할 이유가 없으니까요.

친구로 지내자는 벗의 제안도, 예전에 벗이 준 사랑을 내가 받아들인 것처럼 열린 마음으로 받아들입니다. 벗이나 벗의 약혼자에게는 추호의 실망이나 앙심도 가지고 있지 않아요. 단지 벗의 생활과 인생이 아무쪼록 영원히 행복하기를 기도할게요.

자이누딘

15. 결혼

정말 진심인가, 자이누딘? 어찌 그토록 순식간에 편지의 톤이 변할 수 있지?

그것은 남자라면 누구나 가지고 있을 인류애적 진심을 담은 편지였다. 남자는 아직 희망이 있다고 느끼는 한 끝까지 포기하지 않고 자신이 사랑하는 여인에게 손을 내민다. 그러나 그렇지 않다는 걸 알고 나서도 계속 추근대는 것은 남자의 가치만 떨어뜨릴 뿐이다. 하지만 사랑이 너무 깊으면 그가 얼마나 남자다운지와 상관없이 전염병 걸린 닭처럼 육체가 먼저 속절없이 무너져 내리는 법이다.

하야티도 자이누딘이 보낸 편지를 모두 받은 후 생각이 혼란해진 것은 당연하다. 지난 일들이 너울거리듯 기억 속에 떠올랐다. 하지만 그녀는 자신이 속한 세계에 너무 많은 은혜를 입었고 반드시 스스로 갚아야만 했다. 그녀가 자유로운 사교 생활을 알기 전, 새로운 스타일의 옷 입는 법을 알게 되기 전 그녀의 행복은 마을을 둘러싼 아름다운 자연 속에 사는 것, 그리고 그녀의 첫사랑을 사랑하는 것이었다.

하지만 이제 많은 변화가 있었다. 물론 그것을 진정한 변화라 할 수는 없다. 그것은 바깥에 색깔을 덧입힌 것에 지나지 않았다. 하지만 그녀가 속한 인간관계와 은혜를 갚으라고 좌우에서 속삭이는 사람들의 감언이설이 그녀가 가지고 있던 본연의 색깔을 잠시 잃게 만들었다. 역사 속에서도 우리는 그런 여인들을 본 적이 있다. 그들은 쉽게 연인이 되었다가 쉽게 헤어지는 방식으로 남자들을 간단히 낙담시켰다.

하지만 그런 이들은 대개 자신이 저지른 잘못에 대가를 치러야 한다. 율리우스 카이사르와 다른 젊은이들을 농락한 클레오파트라 여왕이 그런 범주의 좋은 예라 할 수 있다. 그녀는 결국 안토니우스를 사랑하면서 추락했고 스스로 모욕을 감내해야 했다.

자이누딘에게 보낸 저 마지막 편지를 봉투에 넣기 전에 한 번만 더 읽어보았더라면, 아니면 이틀만 묵혔더라면 아마 애당초 보내지도 않았을 것이다.

하지만 여자들은 그렇다. 절대 악의 없이 처신하면서도 자주 사람들 가슴에 비수를 꽂는다.

≋≋

아지즈는 여동생 하디자와 결혼식 날짜를 같은 날 목요일 오후로 정했다. 정해진 그날이 오기 전에 하야티는 분주히 집안일을 하면서 친구들이 선물로 준 화분과 컵, 쟁반, 큰 접시,

밥그릇 등도 정리했다.

"어머나, 우리 예쁜 시골 아가씨한테 도시 의상이 있네."

아직 시집가지 않은 또래 친구들에게 하야티가 가진 예쁘고 화려한 것들은 큰 부러움을 샀다. 그들은 언제 저런 것들을 한번 걸쳐볼까 하는 표정이었다. 결혼식 사흘 전 파당판장에서 비단 꾸러미 하나가 배달되었는데 부드러운 옷감들과 유명한 바틱 산지인 프칼롱안과 치아미스, 툴룽아궁의 사룽들이 잔뜩 들어 있었다. 남편 될 사람이 직접 준비해 선물한 짧은 크바야들도 있었다. 그녀의 방은 매우 아름답게 장식되었는데 신부 방 장식을 잘하는 사람이 시골에는 없어 파당까지 나가 전문가 여성을 불러왔다.

촌수 관계없이 모여든 친척들, 어머니와 아버지 쪽 집안 사람들로 그 큰 집이 북적거렸다. 벌써 몇 차례나 창고에서 볏단을 꺼내 말리고 타작하는 과정이 반복되었다. 미낭카바우 관습에 문중의 재산을 함부로 탕진하거나 서로 가지려고 다투어서는 안 되는데 종갓집에 사고가 났거나 문중 재산에 대한 규례가 제대로 정해져 있지 않거나 집안에 초상이 났거나 본가의 처녀가 아직 시집가지 않은 경우 등 네 가지 상황은 예외로 쳤다. 만약 이 네 가지 사유 중 하나에 해당되면 "평소에 안 쓰던 것조차 급할 땐 급한 대로 꺼내 쓰는" 상황이 된다.

그날이 오자 집안에서는 결혼식 준비로 분주했는데 하야

티는 그저 미소만 짓고 있었다. 틈만 나면 자이누딘이 불쑥 떠오르곤 했지만 그녀는 일부러 그 기억을 마음속에서 지우려 했다. 그녀는 지금 머릿속에 떠오르는 미래의 행복한 시간들을 친구들과 이야기했다.

낮 12시쯤 되자 그제야 파당판장으로부터 신랑이 관례가 허락하는 규모에 맞추어 친구들로 구성한 들러리를 이끌고 도착했다. 먹고 마시기에 앞서 종교 재판관 앞에서 신부를 넘겨주는 이잡과 이를 수락하는 카불 행사가 집전되었다. 하야티와 자이누딘이 함께 쌓아 올린 꿈과 계획이 불과 1~2분 만에 무너져 내리는 순간이었다. 오후 2시쯤 되자 그 많던 손님도 귀가하고 파당판장에서 온 사람들도 돌아갔다. 그들 중에는 자이누딘의 친구 물룩도 끼어 있었다.

손님들이 모두 돌아간 뒤 신부 측 요청에 따라 마주 앉은 신랑과 신부를 가족들이 가까이 둘러앉아 한참 동안 축복해 주었다. 전통과 관례에 따른 것이었다. 그런 후 두 사람은 신혼방으로 안내되어 들어갔다.

아지즈와 하야티의 인생에서 가장 중요한 날이었을 이날 밤 파당판장의 실라잉에서는 잠 못 이루며 뒤척이던 자이누딘이 신음하며 한숨을 내쉬고 있었다.

다음 날 해가 중천에 솟도록 그는 한숨도 자지 못한 채 마음만 바티푸 하늘에 날아가 너울거리고 있었다. 수많은 장면이 상상 속에 떠오르며 그의 머리를 복잡하게 만들었다. 그날 낮이 되도록 자이누딘이 뒤척이고 있을 때 물룩이 도착했다.

"물룩 형 오셨어요?"

자이누딘이 말하며 방에서 나왔다.

"네, 문 좀 열어주세요, 선생님."

물룩이 대답했다.

문이 열리고 안으로 들어온 물룩이 의자에 앉기도 전에 자이누딘이 질문을 던졌다.

"어떻게 되었어요?"

"결혼식이 거행되었어요."

그 말을 들은 자이누딘은 온몸의 뼈마디가 녹아내린 듯 비틀거렸고 벽의 붙박이 등을 잡은 손이 미끄러질 뻔했다. 다시 방으로 돌아간 그는 작은 책상 앞에 주저앉아 참아온 눈물을 터뜨렸다. 그의 입에서 새어 나온 두 마디 말에 그의 심경이 모두 담겨 있었다.

"아, 운명아!"

그날 자이누딘은 다시 방을 나설 수 없었다. 온몸에 열이 올랐고 시간이 지날수록 상태는 더욱 심해졌다. 물룩과 그의 어머니가 양옆에 앉아 간호했지만 그는 식사도 거절했고 물 한 잔 마시는 것조차 쉽지 않았다. 그는 완전히 자신을 놓아버렸다.

우선 주술사들이 불려왔다. 그들은 귀신의 조화라거나 강제로 상사병을 일으키는 주술, 즉 투주 파라마요 주술이나 투주 스낭머란다 주술에 걸렸다거나 또 다른 병명들을 대며 의견이 분분했다. 병세가 열흘을 넘기자 그는 정신을 차리지 못한 채 잠꼬대 같은 헛소리를 했다. 그는 아버지와 어머니, 바세 아주머니를 부르기도 했고 바티푸, 결혼, 아지즈 등의 이름도 나왔다. 하지만 그가 가장 많이 부른 이름은 하야티였다!

주술 해독제로 널리 알려진 쿰파이, 치카라우, 시타와르, 시딩인 같은 식물을 비롯해 도깨비풀, 도깨비불, 경락이 한곳으로 흘러 모이는 시리 잎사귀,[44] 외쪽 마늘, 벽을 뚫고 자란 등나무 뿌리 등 온갖 종류의 주술적 약제까지 동원했지만 환자의 병세는 더욱 위중해졌다.

그를 이미 가족처럼 여기게 된 물룩과 그의 어머니는 그런 상황에 걱정이 더욱 커졌다. 그들은 이 불쌍한 유랑객이 그들의 노력에도 불구하고 이 집에서 세상을 떠나는 건 아닐까 우려했다. 그래서 이들 모자는 의사를 불러오기로 했다. 이때까지만 해도 병이 아주 위중하지 않으면 의사에게 가지 않는 게 보통이었고 사람들이 의사 모욕하기를 주저하지 않던 시

---

44 시리 잎사귀를 씹고 그 침을 사랑하는 사람의 방 창문에 바르면 사랑이
    이루어진다고 한다.

절이었다.

"도대체 의사가 뭘 안다고? 의사들은 이런 환자를 치료하지 못해! 상처를 치료하려면 주술사를 불러와야지!"

그러다가 나중에 환자 상태가 정말 위중해지면 그때 가서야 의사한테 달려가곤 했다. 하지만 위독한 지경에 이른 환자는 주술사 두쿤은 물론 의사에게도 버거운 상대였다.

왕진을 온 의사는 환자를 진찰한 다음 물룩과 그의 어머니에게 그간 환자의 용태와 어떤 일이 있었는지 물었다. 의사가 다시 방으로 들어가면서 문소리가 나자 환자의 목소리가 흘러나왔다.

"하야티, 당신이오? 이리 와서 앉아요. 난 이제 다 나았어요. 이제 아프지 않아요. 왜 그리 오랫동안 오지 않았어요?"

의사가 병명을 눈치채는 순간이었다! 물룩이 그동안의 일을 이야기해주었다.

의사는 고개를 가로저으며 말했다.

"가능하다면 인간적으로 그 여자분에게 한 번이라도 괜찮으니 방문해달라고 하는 게 좋겠습니다. 만나고 나면 아무래도 병세가 호전될 겁니다."

"싫다고 하면 어쩌죠?"

"그때는 내가 따로 수를 내볼게요."

의사는 단호한 표정을 지었다. 의사는 늙었지만 청년들의 뜨거운 피와 그들의 마음을 이해하는 사람이었다. 비록 하야티가 혼인한 상태지만 의사는 속임수까지 망라한 모든 수를 내서 하야티가 자이누딘을 만나러 오도록 했다.

노력한 끝에 하야티 집안 어른들의 마음을 돌려 허락을 받아냈지만 아지즈만은 처음부터 내켜하지 않았다. 마을 사람들 역시 그것이 관례에 어긋난다는 입장이었지만 의사가 강력히 요청해 결국 모든 반대 의견을 물리쳤다.

아침 9시, 하야티를 태운 마차가 실라잉의 자이누딘 집 앞에 섰다. 하야티와 동행한 남편 아지즈는 한눈에 보기에도 불편한 기색이 역력했다. 의사가 함께 들어가자 안에는 물룩과 그의 어머니가 기다리고 있었다. 그들은 천천히 환자가 있는 방으로 들어갔다. 그는 편안하게 잠든 듯했지만 몸은 뼈에 껍질만 덮어씌운 모습이었다. 의사와 물룩, 그리고 그의 어머니는 침대 가장자리에 섰고 하야티는 침대 앞에 준비된 의자에 앉았다. 남편은 의자 뒤에 섰다.

"자이누딘, 일어나시오. 눈을 떠보시오."

의사가 말했다.

"하야티가 당신을 보러 왔단 말이오."

그는 아무런 반응도 없었다!

의사는 잠시 하야티에게 속삭였다.

"부디 그가 눈을 뜨도록 당신이 직접 불러주면 좋겠어요."

그녀는 등 뒤의 남편을 돌아보았으나 아지즈의 일그러진 얼굴이 보일 뿐이었다. 의사가 얼굴을 붉혔다.

"자이누딘!"

하야티가 말했다. 그 감미로운 목소리는 자이누딘의 귀에 천상의 나팔 소리처럼 들렸다. 마침내 가늘게 눈을 뜬 그가 좌우를 둘러보며 목소리의 주인공을 찾으려 했다.

"누가 날 불렀나요?"

그가 물었다.

"일어나세요, 자이누딘, 제가 왔어요."

하야티가 말했다.

"하야티라고요? 그래요, 이 목소리!"

그는 그렇게 말하며 일어나려 했지만 몸이 말을 듣지 않았다. 물룩과 그의 어머니가 부축해 등에 베개를 괴어주었다. 흐릿한 두 눈에 한 줄기 생명의 빛이 비쳐들었다.

"어디 있소, 하야티?"

그는 손을 뻗어 하야티를 찾았다.

"오, 그래요, 하야티! 때맞춰 잘 와줬어요! 우리가 살 집을 준비해두었어요. 집 안에 필요한 물건도 충분히 채워두었어요. 나중에 내 검은색 옷을 찾아오리다. 결혼 예복 말이에요. 이분이 종교 재판관이세요."

그는 시선을 의사 쪽으로 돌리며 말했다.

"혼인 서약을 집전하려고 벌써 오랫동안 기다리셨어요. 식을 마치고 나면 우리 함께 멩카사르로 가요. 함께 우중판당을 둘러보고 우리 부모님께도 성묘하러 가요! 거기 화분을 놓아드려요. 오늘 당신이 얼마나 아름다운지 몰라요! 이런 검소한 복장도 정말 마음에 들어요. 우리가 처음 만났을 때에도 검소한 긴 원피스를 입었잖아요. 이 슬렌당, 요즘 예복에는 다들 이런 흰색 비단 슬렌당을 해요."

자이누딘이 말하는 동안 하야티의 얼굴은 창백해졌다. 아지즈의 얼굴은 말할 나위도 없었다. 의사는 그런 환자를 보며 고개를 설레설레 저었고 물룩의 어머니는 눈물을 떨구었다.

"손을 이리 줘봐요. 우리 손을 맞잡아요. 우리 함께 당신 삼촌을 만나러 가요. 당신 손을 잡을 거예요. 이 세상을 사는 동안. 죽을 때까지도. 아, 왜 망설여요? 아직 부끄러운가요? 오늘 우리가 결혼하는 날인데?"

하야티는 손을 피하며 아지즈의 얼굴을 먼저 돌아보았다. 그녀를 바라보는 아지즈의 얼굴은 여전히 뭐라 정의하기 어려운 감정을 담고 있었다.

망설이던 하야티는 환자에게 손을 잡히자 뿌리치려 했다. 그 손을 가져가 입을 맞추려던 자이누딘은 갑자기 전율하며 손을 놓았다.

"오, 물들인 당신 손톱, 아, 그래, 그랬지… 잊었어요. 당신 결혼했죠. 이미 다른 사람의 여인이 되었죠. 이미 내 손에 닿지 않게 되었죠."

그제야 조금 제정신을 찾은 그는 침대에 쓰러지듯 등을 기댔다.

"이제야 정신이 들었어요. 손을 잡은 건 경건치 못한 짓이었어요. 내 정혼자의 손이, 내 아내의 손이 아니었어요."

그는 담요 끝을 잡아 끌어 얼굴까지 덮었다. 그런 후 다시 입을 열었다.

"모두 나가주세요. 모두 돌아가요. 나 혼자 내버려두세요. 나는 그들과 다시는 만나지 않을 거예요. 그들 역시 진작 나와 연을 끊었어요. 그러니 가세요. 당장 돌아가세요!"

하야티의 마음속 깊은 곳에서 이 불쌍한 청년의 운명에 대한 연민이 다시 눈을 떴다. 그녀는 부드러운 손길로 자이누딘의 머리를 쓰다듬으려 했다. 하지만 내밀던 손은 남편에게 붙잡혔고 그녀는 방에서 이끌려 나갔다.

16. 그래도 살아가야지

자이누딘의 병세는 두 달간이나 계속되었다. 병을 앓는 기간은 꿈 많은 청소년기를 마감하고 이제 살아가야 할 새로운 시대의 관문이라 말할 수 있다. 병상에서 그는 몇 번이나 차라리 죽음을 달라고 기도했지만 아무래도 신은 그가 더 살기를 원하는 모양이었다. 그는 아직 어딘가 쓸모 있는 게 틀림 없었고, 이 세상에 그가 노력하며 살아갈 공간은 얼마든지 있었다. 그는 조금씩 회복하기 시작했고 사고와 이성도 돌아와 결국 원래의 건강을 완전히 회복했다. 단지 눈언저리와 미간에 그간 겪은 사건들의 흔적이 남았다.

고통을 극복하는 과정에서 만난 사람과는 기쁠 때 알게 된 사람에 비해 훨씬 견고한 우정을 쌓게 된다. 자이누딘과 물룩의 관계가 그랬다. 그가 아프기 시작해서 회복할 때까지 두 사람은 한시도 떨어지지 않았다. 자이누딘은 아직 젊고 마음 속에 높은 이상을 가진 반면, 나이가 더 많고 경험도 많은 물룩은 지식은 없어도 광범위한 인맥을 구축하고 있었다.

그러던 어느 날, 널어놓은 빨래가 형형색색 바람에 나부끼는 낮 시간, 마을도 조용해 역 가까이 기지창에서 수리 중인 기차의 기적 소리와 멀리 아나이 조림지에서 들려오는 물소리만이 감상을 돋우고 있었다. 물룩이 시장에서 돌아와 보니 자이누딘이 집에 없었다. 방을 들여다봐도 없어 어머니에게 물으니 모른다고 했다. 그는 최근 자이누딘이 큰 나팔 소리처럼 엄청난 물소리를 내는 아나이 강변 조림지에 혼자 나가 있곤 하던 것을 기억했다. 그는 황급히 그곳으로 달려갔다. 그가 예상한 바는 한 치도 틀리지 않아, 자이누딘은 큰 바위에 앉아 뭔가를 외치듯 큰 소리로 흐르는 물줄기를 바라보고 있었다. 그곳에서 조금만 더 가면 사람들이 물놀이하러 놀러 오는 루북마타쿠칭이 있었다.

　물룩이 온 것을 자이누딘도 알았으나 아무 말 하지 않았다, 결국 물룩이 먼저 입을 열었다.

　"뭔가 고민되는 일이라도 있으세요, 선생님?"

　"나도 나이를 먹을 만큼 먹었고 이제까지 겪은 시련도 적지 않은데 어찌 고민할 일이 없겠어요? 물룩 형도 그런 걸 느끼셨다면 아마 묻지 않았겠죠!"

　"그런 고민은 이제 그만하세요, 젊은 선생님. 그 일은 모두 지나가버린 옛날이야기잖아요. 게다가 엄마 배 속에서부터 이미 결정된 일이라면 어차피 피할 수도 없었을 텐데요."

　물룩은 사뭇 진지한 표정이었다.

　"가까운 친구로서 내가 선생님께 속상한 부분을 솔직히 말씀드릴게요. 선생님은 공부도 많이 하셨고 신중한 처신에서 드러나는 성품도 훌륭하세요. 생각의 폭과 깊이도 남다르고 안목이야 말할 것도 없고요. 그런데 이런 상황에 이르면 선생님은 언제나 축 처지시네요. 비스밀라[45]도 읽을 줄 모르는 우리 파르와들보다 더 축 늘어져요. 고작 여자 한 명을 생각하느라 순결하고 고귀한 인품을 꽁꽁 가둬놓고 허비하며 사는 건 좋지 않아요. 이 세상에 여자가 오직 그분 하나뿐인 것처럼 말이죠. 선생님이 숭배하는 그 여자분은 결혼하기 전까지 선생님께 실로 금쪽같고 보석 같은 존재였겠죠. 하지만 그분이 배신해 맹세를 깼고 그 일로 선생님은 마음이 아파 날 선 크리스 단검과 죽창에 심장이 꿰뚫린 사람처럼 앓아눕기까지 했어요. 신이 불쌍히 여기지 않았다면 선생님은 죽었을지도 몰라요."

그는 잠시 생각하는 듯하더니 곧 말을 이었다.

"선생님은 여기서 소리를 억누르고 눈물짓거나 목놓아 통곡하면서 세상의 기쁨도 사라지고 소중한 보석도 잃었다고 탄식하지만 정작 그 여자분은 남편 무릎에 앉아 행복한 미소를 짓고 있을 거라고요. 그분은 우리를 기억하지도 않을 거고 잊었을 뿐 아니라 내버리고 짓밟기까지 했어요. 선생님은 조용한 곳을 찾아 혼자 앉아 생각에 잠기시죠. 하지만 어딜 가

---

45 "신의 이름으로", "신의 이름에 도움을 청합니다"라는 의미. 무슬림들은 식사를 하거나 어떤 일을 시작할 때 "비스밀라"라고 말한다.

든 악마는 늘 우리를 쫓아다녀요. 그 악마가 선생님에게 절망하라고, 자살하라고 속삭일지도 모르는데 그게 얼마나 위험한 짓이에요? 선생님이 사랑하는 사람들을 위해서라도 조금 행복해지도록 노력하세요. 만약 선생님이 이 세상에서 사라지면 악마는 이 넓은 세계를 더욱 날뛰며 돌아다닐 거예요. 만약 사람들이 다답나무의 가지에 목을 맨 선생님 시체를 찾아내거나, 선생님이 아나이강의 이 격류에 몸을 던지거나 방 안에서 자기 손으로 목을 긋거나 해봐요. 그 소식을 그분이 듣게 되면 선생님을 찾아와 울어줄 것 같아요? 오히려 자신의 아름다움에 반한 또 한 사람이 스스로 목숨을 끊었구나 하며 자랑스러워할걸요. 정신 차리세요, 젊은 선생님! 남자라면 누구나 가지고 있는 자존심은 어디다 뒀어요? 선생님도 가지고 계시잖아요? 유배당한 선생님 아버님이 그 자존심을 지키기 위해 결국 다른 민족의 땅에서 돌아가신 걸 기억하세요. 선생님 혈관 속에는 두 민족의 뜨거운 피가 흐르고 있잖아요? 아버지로부터 받은 미낭카바우의 피와 어머니로부터 받은 멩카사르의 피 말이에요. 선생님의 용기와 책임감은 어디에 있나요? 다른 문제에 있어서는 얼마든지 가지고 계시면서 왜 이 문제에 대해서만은 늘 물러서며 처음부터 지고 들어가세요? 더 솔직히 말하면 나는 선생님이 다른 사람들에 비해 더 많은 문제에 치이고 고통받고 인생의 어려움을 겪는 건 스스로의 책임

227

이라고 봐요. 청년으로서의 힘과 아직도 뜨거운 피, 요정들과도 충분히 겨룰 만큼 뛰어난 두뇌, 이 모든 것이 그 여자분 때문에 망가져버렸어요. 제발 그러지 마세요! 선생님은 반드시 완전히 회복하실 거예요. 싸우러 가야죠. 전쟁터에선 언제나 군대가 필요하고 병사는 부족해요. 이 넓은 세상에, 이 사회에 뛰어드세요. 그곳에 큰 행복과 마음의 평화가 숨어 있을 거예요. 어디에나 사람들은 단체를 설립해 헐벗고 가난한 사람들을 도와요. 어디서나 사람들은 병원을 지어 몸 아프고 가진 것 없는 사람들을 치료해요. 어디서나 사람들은 요양소를 세워 기력이 쇠한 노인들의 노후를 돌봐요. 하지만 그런 사업이 쉽지 않잖아요. 거기 뛰어드세요. 그런 일에 몸담다 보면 마음의 상처도 치료될 거예요. 사람들은 어디서든 정치 단체나 경제 단체를 만들어 자기 부족이나 국가의 이익을 보호하고 사람들의 행복과 완벽한 삶을 추구해요. 거기 들어가서 날개를 펼치고 그런 목적을 위해 능력이 바닥날 정도로 열정을 퍼부어보세요. 그러다 보면 선생님 병도 반드시 나을 거고 늦기 전에 인생의 방향도 정해질 거예요. 사람들은 어디서든 신문을 발행해 뉴스와 지식, 시, 영가, 산문, 소설을 실어 우리가 더 똑똑해지도록 가르쳐요. 고가의 로맨스 책들도 팔리기 시작했어요. 만약 선생님의 훌륭한 사상과 생각을 쏟아부어 글로 담아낼 수 있다면 반드시 성공할 거예요. 더욱이 이미 많은 경험을 하셨고 심적 고통도 많이 당했고 슬픈 일도 많이 겪었잖아요. 만약 선생님께서 다른 사람에게 간섭받고 싶지 않다면 선생님이 가진 돈으로 직접 출판할 수도 있어요. 그런 식으로 선생님도 행복과 행운이 어떤 건지 맛볼 수 있어요. 언어로 펼쳐지는 세상 속에서도 뭉게구름이 떠다니고, 강물도 흐르고, 독수리가 높이 날던 새를 채가기도 하고, 마당에선 닭들이 소리를 내고, 산꼭대기에는 구름이 걸려요. 요컨대 마음과 영혼을 치유하는 것들이 곳곳에 널려 있어요. 그 세상에서까지 슬프고 고통스러워야 할 이유가 어디 있어요? 오히려 영광스럽고 행복한 세계가 모든 사람에게 열려 있는 거잖아요! 이 세상에 나쁜 놈은 단 세 부류뿐이에요. 그 첫 번째는 화내는 사람이에요. 신이 다른 사람에게 내린 기쁨을 보고 늘 배 아파하는 사람이죠. 그 질투심 때문에 사고를 치고 말지만 신이 내린 기쁨은 사람의 손으로 없앨 수 있는 게 아니잖아요. 두 번째 부류는 탐욕스러운 사람이에요. 자기 손에 쥐고 있는 것으로는 충분치 않다고 생각해 언제나 짜증 내고 불평하지만 우린 어차피 신이 그 전능하신 능력으로 이미 정해놓은 것 이상은 얻을 수 없어요. 세 번째 부류는 도적질이나 살인을 저지르고 타인의 아내와 딸을 겁탈한 죄를 짓고서도 재판장 손에 넘겨지지 않는 죄인이에요. 이런 사람들은 비록 법의 처벌은 피했지만 행복이 뭔지 전혀 알지 못하고 자기가 어디로 가는지조차 몰라요. 자신이 지은 죄와 피 묻은 두 손이 언제나 눈앞에 떠올라요. 경찰이 늘 뒤에 따라붙는 것 같은 강박감에도 시달려요. 수군거리는 사람들을 보면 모두 자기를 잡으려고 모의하는 거라 의심하죠. 선생님 마음을 괴롭히는 것들 중엔 이 세 가지 병증은 없잖아요? 선생님이 나를 바라보는 눈에서 내 말을 믿지 않는다는 게 다 느껴져요. 내가 무식한 파르와라서 그렇다는 거 알아요. 하지만 선생님, 많은 사람이 길을 잃고 방황하게 버려두지 마세요. 선생님도 벼랑에 떨어지기 전에 스스로 조심하세요. 나는 선생님이 경건하고 많은 지식을 쌓은 분이란 걸 알아요. 하지만 꼬불꼬불한 인생의 오솔길을 선생님은 아직 많이 지나보지 않았어요. 내 말과 관점은 많이 경험해보고 많이 고통받아본 사람의 그것이에요. 친구가 길을 잃고 방황하지 않도록 미리 경고해주고 싶은 거라고요. 사람은 깊은 벼랑에서 쉽게 떨어지지만 그 벼랑에서 헤어나오는 건 정말 쉽지 않거든요. 선생님 같은 분이 예쁜 집에서 사는 게 행복이라거나 세상에서 가장 중요한 건 돈이나 아름다운 여자라고 말한다면 그건 매우 잘못된 일이에요. 만약 그렇다면 학식 높고 현명한 선생님과 요즘 시대 보통 사람들이 뭐가 다르겠어요. 사람들이 머리가 다 빠지도록 열심히 돈을 찾아 나서는 것도 자기 자신을 만족시키려는 게 아니라 여인의 웃음을 사려고 무리하는 거잖아요. 여자들에게 사랑을 구걸하며 흐느끼고, 사랑하는 사람이 원하는 걸 구해주기 위해 자기를 희생하고 고통받고 모욕당해도 좋다는 이 시대 젊은이들을 보세요. 그런 건 잘못된 생각이에요. 젊은 선생님, 사랑은 우리에게 약해지라고 가르치는 게 아니라 우리를 격려해 더욱 강하게 만드는 거예요. 사랑은 활기를 꺾는 게 아니라 더욱 의욕 넘치게 만드는 거라고요. 만약 여자에게 마음을 다쳤다면 상처를 극복하는 길은 두 가지예요. 그 첫 번째 길은 자기를 모욕하고 무시한 바로 그 여자를 통하는 것이고 또 다른 길은 마음속에 둔 다른 여자를 통하는 거예요. 물론 우리 파르와의 극복 방식은 똑같은 고통을 줘서 복수하는 거고요. 용한 두쿤을 시켜 너무 사랑하거나 너무 미워하는 상대방 여자가 남자와 이혼하거나 미쳐버리도록 시쿤다이나 파렌당안 같은 흑마술[46]을 걸어버리는 거죠. 하지만 그건 그 여자를 사랑하는 게 아니라 잔인한 짓일 뿐예요. 사랑한다면서 사실은 고문하는 것이고 자기만족만 추구하는 거예요. 그러니 그런 건 덕도, 사랑도 아니고 단지 아주 저열한 욕망일 뿐이죠. 그건 현명한 사람이 갈 길이 아니에요. 현명한 사람은 언제나 그런 낙담을 겪을 때 자신이 그 정도로 쉽게 쓰러져 죽진 않는단 사실을 그 여자 앞에 보여

---

46 펠렛(Pelet) 주술의 일종으로, 상대방의 마음에 강제로 병적인 사랑을 심어 시전자의 의도대로 움직이거나 평생 고통받게 한다.

주려 노력해요. 아직 살아 있고 아직 똑바로 설 수 있다는 걸 말이죠. 여기서 그 목적을 이룰 수 없다면 다른 곳에서 기어이 목적을 이루어내는 모습을 여자 앞에, 그리고 그 남편 앞에 보여주는 거예요. 선생님이 먼저 가르쳐주신 거지만 이제 내가 거꾸로 선생님께 가르쳐드릴게요. 실로 위대한 사람들은 사랑에 실패했을 때 완전히 다른 길을 택했어요. 그들은 정치인의 길로, 시인의 길로, 작가의 길로, 생명을 건 투사의 길로 나아가 끝내 정상에 올라 그 여자가 밑에서 우러러보도록 만들었죠. 비록 처음에는 그의 마음이 그 여자로 인해 낙담하여 무너졌지만 결국 수많은 다른 사람에게 혜택을 나누어주는 사람이 된 거예요."

물룩의 충고는 매우 구체적이어서 자이누딘은 이 친구가 파르와 사람의 낙인을 받은 것이 아니라 사실은 영혼 깊은 곳에 생명수를 잔뜩 머금은 스승의 표식을 타고난 것이 틀림없다고 생각했다. 자이누딘은 그동안 물룩처럼 자기 마음속 느낀 바를 모두 털어놓는 친구를 가져본 적이 없음을 새삼 깨달았다.

"내가 보기에 선생님은 글을 잘 쓰세요."

물룩이 계속 말을 이었다.

"책상에 쌓인 책들 가운데는 선생님이 쓰신 산문과 소설이 많잖아요? 선생님, 왜 그걸 계속하지 않으세요?"

"생각이 막혀버렸는데 어떻게 글을 쓸 수 있겠어요?"

자이누딘이 말했다.

"사람들 말이 이런 일을 겪으면 글을 쓰고 싶은 마음이 더 생긴다고 하던데요."

물룩이 답했다.

"물룩 형이 하신 말씀 다 맞아요. 하나도 틀린 게 없어요. 말씀하신 모든 걸 노력해봤고 공부도 해봤어요. 하지만 무엇이 더 옳은 일인지 분간하지도 못할 만큼 의욕이 부족했다는 걸 인정하지 않을 수 없어요. 이 모든 것은 어차피 일어날 일이었고 그 어려움도 반드시 닥칠 것들이었어요. 상처가 나서 피를 흘리고 얻어맞아 다치게 될 걸 진작 알고 있었어요. 이제 다친 곳을 회복하고 부은 상처가 가라앉을 시간이 필요할 뿐이에요. 나도 지금부터 내 사고방식을 뜯어고치겠어요. 나는 더 이상 그 사람을 기억하지 않고, 그렇다고 결코 잊지도 않겠어요. 심장을 찌르는 이 고통은 부디 신께서 조금씩 낫게 해주시길 빌어요. 하지만…."

"하지만, 또 뭐예요?"

물룩이 물었다.

"행복하려면 앞으로 어떻게 살아나가야 할까 생각해보았는데 부득이 파당판장을 떠나야 할 것 같아요. 나는 자바로 갈 겁니다. 여기보다 자바 땅에서 물룩 형의 그 충고를 훨씬 더 잘 따를 수 있을 것 같아요. 더욱이 파당판장에서는 옛일이 늘 눈에 보이고 자꾸 떠오를 테니까요."

"벌써 결정하신 건가요?"

"네, 그래요."

"그럼 나도 함께 가겠어요!"

물룩이 말했다.

"나는 선생님께 관심이 많아요. 그러니 나를 하인으로 데려가세요. 낮에는 시키는 일을 하며 섬기고, 어려움이 닥치면 선생님을 지켜줄 성실한 친구가 되어드릴게요."

물룩을 바라보는 자이누딘의 눈에 기쁨이 넘쳤다.

"형, 정말로 나와 같이 가겠어요?"

"정말이에요. 선생님에겐 내가 모범을 삼을 만한 좋은 점이 많아요. 나도 내 파르와 복장을 벗어버리고 새 삶을 살고 싶어요. 우리가 길을 잃고 멀리 와버렸다 해도 반드시 원래 목적지로 돌아가야 하잖아요. 나도 그 진리에 복종하고 올바른 길로 돌아가고 싶어요."

"나도 형이 같이 가주길 바랐어요. 우리 헤어지지 말아요. 나를 늘 선의로 대해주고 깊이 이해해주는 물룩 형이 나도 필요해요."

"죽을 때까지 절친으로 지내요."

물룩이 말했다.

"죽을 때까지 절친으로!"

자이누딘도 그렇게 말하며 두 사람은 오랫동안 두 손을 맞잡았다.

일주일 후 자이누딘과 물룩은 텔룩바유르 항구를 출발해 자카르타의 탄중프리옥을 향하는 슬루트판데르베엘레호의 갑판에 모습을 드러냈다.

17. 작가 정신

사람들이 말하기를 절반 정도가 학습을 통해 작가가 된다고 한다. 언어와 문법을 이해하고 다른 푸장가[47] 작가의 작품을 읽고 모방하면서 작가가 된다는 것이다. 사람들은 반드시 이래저래 해야 하고 절대 이를 어겨서는 안 된다는 등의 창작 규칙을 많이도 정해놓았다. 하지만 훌륭한 푸장가 작품들은 그 내용 전개가 다른 작품들과 늘 차별성을 보인다. 작가들은 다른 이의 작품 속 언어의 난해함에 흥미를 느낀다. 다른 부분에서도 내용 자체에는 별 관심이 없으면서 종종 남의 습관을 트집 잡고 일반적으로 통용되는 문법과 글쓰기 방식조차 비판하곤 한다. 하지만 정작 독자들은 그런 작품을 더욱 즐겨 읽는 법이다.

인도네시아 땅에서 현대 문학의 연조는 아직 깊지 않았다. 민족 고유의 언어를 더욱 아름답게 다듬으려는 노력과 관심은 새로운 조류에 속했다. 그래서 작가로서 살아가는 여정은 사뭇 쉽지 않았다. 그런 책을 읽는 사람도 아직은 많지 않았다.

---

47 인도네시아 문학의 한 형태로 수필, 산문, 시 등의 형식을 망라한다.

자이누딘….

수마트라섬을 떠나 새로운 삶의 격전지인 드넓은 자바 땅에 들어선 그는 절친 물룩과 함께 한 조용한 마을에 작은 집을 한 채 임대했다. 그는 거기서 우선 쓰다 만 소설들을 완성하는 일에 주력해 일간지와 주간지에 기고했다. 그의 글은 언어와 스토리가 매끄러워 좋은 반응을 얻었고 많지는 않지만 얼마간의 사례금도 받았다.

자신의 글을 독자들이 호의적으로 받아들이자 그의 마음 속 열정과 의욕이 불타올랐다. 그리하여 불과 1년도 안 되는 사이 그가 쓴 책이 여러 권 출판되었다. 매주 토요일마다 'Z'라는 필명으로 쓴 매우 흥미로운 서사들도 지면에 실리면서 관심을 모았다.

그가 글을 보내지 않으면 새 글을 보내달라고 편집장이 득달같이 편지를 보내왔다. 왜 지난주에 'Z'의 글이 실리지 않았느냐는 독자들의 문의가 쇄도했기 때문이다. 전에는 그가 직접 신문사를 오가며 글을 전달했지만 이제는 신문사 편집부에서 찾아와 글을 의뢰했다. 몇몇 주간지와 일간지는 그에게 응분의 사례금을 지불했다. 얼마 지나지 않아 한 일간지에서 그의 집을 찾아와 편집장 자리를 제안했다. 소설과 로맨스, 시를 싣는 지면을 특별히 관리하는 일이었다. 하지만 그는 다른 계획이 있었으므로 이를 거절했다.

자신의 작품이 대중의 관심사가 되었다는 것을 안 뒤 그는 비로소 그것이 자신이 인생을 걸고 나아갈 진로임을 확실히 깨달았다. 그는 다른 사람 밑에서 일하기보다 스스로 회사를 설립해 운영하는 것이 좋겠다고 생각했다. 수라바야가 멩카사르와 더 가까웠고 그곳의 출판 활동은 아직 충분히 발달하지 않은 상태였다. 그는 수라바야로 이사를 작정하고 자신이 쓴 소설들을 자비로 출판해 인도네시아 전역에 보낼 계획을 세웠다.

그는 그런 확고한 목표를 가지고 물룩과 함께, 가장 큰 자산이자 나중에 수라바야에서 새로운 운명을 시험하는 데 사용하게 될 필명 'Z'를 얻은 자카르타를 떠났다. 그는 자신의 책들을 통해 조국의 모든 지역 사람들이 온전히 단합할 수 있는 단초를 마련하고 여성들을 계몽하며 구태의연한 관습을 폐지하고 전 국민이 함께 올바른 방향으로 발전을 일구어가자는 이상을 피력했다. 그가 쓰는 이야기는 사람들의 마음을 끌어당겼다. 그는 늘 차분하고 고요한 시간을 기다려 소설을 썼는데 어린 시절부터 그의 마음속 깊은 곳에 사무친 모든 슬픔을 쏟아부어 글 속에서 가장 명료한 모습으로 구현해냈다.

아이가 가진 어머니에 대한 기억, 어머니의 죽음 앞에, 그래서 더 이상 어머니가 그 어디에도 없다는 사실에 울음을 터뜨리는 아이. 그가 사랑을 그리면 그것은 진정한 사랑의 모습이 되었다. 낙담, 고뇌, 한 자루 나무 막대기처럼 홀로 사는 외톨이가 운명의 막장에 다다랐을 때의 심정, 이 모든 것이 그의 글에 생생하게 그려졌다. 울고 있는 사람이 다른 사람의 깔깔거리는 웃음소리를 전달해줄 수 없는 것처럼 기쁨에 들뜬 사람은 슬픔에 잠긴 이의 눈물을 그릴 수 없는 법이다. 귀족 출신 작가가 다 쓰러져가는 오두막집 농부의 삶을 제대로 이야기해주는 데에 큰 어려움을 겪는 것처럼 말이다.

독자들이 그의 글을 좋아하는 것은 그래서 어쩌면 당연한 일이었다. 뿐만 아니라 그의 훌륭한 처신도 좋은 평가를 받았다. 그는 헐벗고 가난한 사람에게 연민을 품었고 길가에서 구걸하는 노파들에게 친절을 베풀었다. 수마트라나 멩카사르 사람이 고향을 떠나 수라바야에서 방황하다가 그에게 도움을 청하면 절대로 그들을 빈손으로 돌려보내지 않았다. 그 도시나 다른 지역이라도 수마트라 청년들이 흘러 들어와 일하면서 결성한 모임이 있으면 그도 즉시 거기에 이름을 올렸다. 그는 회비를 완납하는 것은 물론, 때로는 남보다 더 많은 돈을 냈다. 예술가인 그에게 돈은 문제가 아니었다. 예술가가 추구하는 부유함은 돈이 많음에 있는 것이 아니라 행복의 총량, 마음속 깊이 풍성함으로 가득 찬 내면의 세계 같은 것에 있었다.

어떤 화가의 그림이 예술품 회사에 팔려 갤러리에 전시되면 그 화가는 빈털터리가 되어 배를 곯더라도 그곳에 가서 그림을 보며 지나는 사람들 표정을 살피는 것만으로도 배고픔을 잊는다. 어떤 작가가 그의 인생에서 수많은 절망을 겪었을지라도 어느 날 그가 쓴 책을 읽으며 몰입하는 독자를 보면 당시의 절망과 고통을 잊게 되는 것과 같다.

다른 사람에게 강요하지 않고 오히려 타인의 생각을 존중하는 그의 진중한 성품과 선한 마음은 수마트라 사람들의 모임에서 좋은 평판을 얻었다. 얼마 지나지 않아 그의 제안으로 수마트라섬의 옛 이름을 차용한 '안달라스' 극단이 설립되었다.

그의 이름은 더욱 유명해졌고 수입도 크게 늘었다. 그의 필명 'Z'는 소설가이자 극단 안달라스의 대표로서 이제 모르는 사람이 없었다.

순결한 사랑에서 시작된 영감은 발전해갔다. 순결한 사랑이란 하늘에서 알라의 땅 위에 떨어지는 이슬방울과도 같다. 이를 받아들인 토지가 비옥해지면 그 위로 형형색색의 향기로운 꽃들이 피어난다. 우리 스스로에게는 평화와 안녕, 행복, 자성과 자신감의 꽃을 피워낼 씨앗을 심어야 한다. 그러면 그 사랑의 이슬 한 방울이 종국에는 인간을 천국으로 인도한다. 하지만 그 씨앗이 불모지의 메마른 돌밭에 떨어지면 바위를 타고 오르는 시리 넝쿨 외에는 싹을 틔우지 못해 뿌리는 연약하고 이파리는 노랗게 말라갈 것이다. 그런 사람들은 절망 속에서 다른 사람들을 질투하고 일말의 믿음마저 잃고서 복수를 꿈꾸며 이를 갈기만 할 뿐이다.

하야티에 대한 사랑과 꿈은 비록 망가져버렸지만 그럼에도 불구하고 결과적으로는 이 청년의 영혼이 치열한 투쟁 속에서 새로운 의욕을 활활 불태우며 마침내 인생의 큰 바다로 흘러가게 만드는 원동력이 되었다.

우리의 등에는 각각 운명이란 이름의 기념비가 하나씩 서 있는데 거기에는 우리가 살아가면서 맡게 될 역할이 적혀 있다. 운명으로 결정된 것을 피하려고 아무리 애써봐도 부질없는 일. 우리는 운명이 명하는 바를 따를 뿐이다.

18. 하디자에게 보낸 하야티의 편지들

첫 번째 편지.

나의 벗 하디자!

결혼식이 끝난 후 우리가 이렇게 멀리 헤어져 지낼 줄은 몰랐어. 너는 거상인 남편을 따라 메단으로 떠나고 나는 월급쟁이 남편을 따라 파당에 왔잖니.

아지즈가 나를 즐겁게 해주지만 나는 아직 늘 너를 생각해. 언제쯤 우리 어린 시절에 그랬던 것처럼 자유롭게 날갯짓하면서 다시 만날 수 있을까?

우리가 살아가는 인생이 역시 쉽지 않네. 예전에 나는 진정 마음으로 아무것도 저울질하지 않은 채 다른 사람, 다른 청년을 사랑했지. 하지만 신은 내가 아지즈의 아내가 되도록 결정하셨어. 사랑이 결혼 후 비로소 다가오는 것이 우리 민족의 특징이라고 한 푸장가 작가 하지 아구스 살림[48] 님의 시 구절은 사실인 모양이야.

하디자! 우리 부부는 아주 행복하게 지내고 있어. 그런

---

48   인도네시아 독립 선언 후 수카르노 초창기 정부의 외무장관을 역임.

데 남편을 음해하는 소문이 있는 모양이야. 그이가 도박판에서 돈을 물 쓰듯 한다는 거야. 결혼 전에는 그랬는지 몰라도 지금은 그렇지 않아. 그는 충실한 남편의 표본이거든.

우연찮게도 지금 막 수라바야에서 신간 소설 카탈로그를 보내왔어. 전에 내가 《추방》이란 책을 주문했던 바로 그 출판사야. 살룩[49] 모자를 쓴 덩치 큰 노인에서부터 작은 보따리 하나만 들고서 쫓겨나는 어린아이를 그린 그 책은 표지 디자인도 예쁘고 표현도 아름다우면서 시리도록 가슴 아파.

거기 이런 게 쓰여 있어. "떠나거라! 여긴 전통과 관례의 땅이다!" 소름이 끼쳤어, 하디자. 이 말은 그동안 우리가 자주 얘기했던 그 청년, 자이누딘이 겪은 일을 떠올리게 하거든. 나는 그 책을 단숨에 읽었어. 나도 모르는 사이에 책이 눈물로 젖어 있었어.

우연의 일치인지 몰라도 이 책을 비롯해 일련의 소설을 쓴 작가도 가명인지 실명의 일부인지 모르지만 'Z'라는 필명을 쓰고 있어. 그 필명의 약자와 책 내용을 생각하면 내가 약속을 깨고 만 그 청년, 자이누딘이 절로

---

49 미낭카바우의 족장이나 신랑 등 남자들이 터번처럼 쓰는 전통 모자.

떠올라. 그가 쓴 게 아니라면 어떻게 그때의 사건과 책 내용이 거의 같을 수 있지? 다른 점이 거의 없어.

하지만 때때로 정말 그가 맞는지 곰곰이 생각해보면, 늘 생각만 많던 그 청년이 이렇게 아름다운 책을 쓸 능력까지 있다고는 믿기지 않아. 몇 달 전 자카르타에서 발행한 신문에서도 'Z'란 필명의 작가가 쓴 짧은 소설들을 읽은 적이 있어. 그것도 무척 아름다운 내용이었지만 수라바야에서 출판된 이 소설만큼은 아니었어. 너도 한번 이 책을 읽어봐.

만약 정말 그가 쓴 게 맞다면 현실감각이 부족하다고 생각했던 그 청년을 우리가 완전히 잘못 본 셈이야. 그가 사실은 높은 사상을 지닌 사람이어서 마침내 훌륭한 작가가 된 거니까. 솔직히 이 소설들은 정말 마음에 들어. 남편은 슬픈 이야기를 그리 좋아하지 않아서 탐정 나오는 소설책이라면 좀 좋아할까?

하야티

두 번째 편지.

사랑하는 벗, 하디자!

쿵쾅쿵쾅! 이 편지를 쓰는 지금도 내 심장이 마구 뛰

어. 완전히 새로운 상황이 우리 인생에 들이닥쳤어. 그 기분이 어떤지 너도 알길 바라, 친구야.

남편이 일을 마치고 아까 1시에 돌아왔는데 그이가 환한 얼굴을 하고서 내게 다가왔어. 평소보다 더 기쁜 표정을 지으면서 말이야. 그이는 내 이마에 입을 맞추더니 웃으면서 이렇게 말하는 거야.

티,[50] 우린 이사할 거요. 발령장이 나왔어요.

어디로 이사해요, 여보? 내가 물었어.

어디일 것 같소? 그이가 웃으면서 되묻더라.

모르겠어요. 내가 대답했지.

우린 자바로 이사할 거요. 그이가 그렇게 말하는 거야!

자바로 이사한다고요? 그렇게 묻는 내 심장은 엄청나게 뛰었어.

그래요, 우린 배를 타고 크타훈해(海)를 건너서 자바로 갈 거요. 우린 번잡한 자카르타 시내도 볼 거고 그보다 더 붐비는 지역도 보러 갈 거요. 우리가 살 곳은 수라바야로 정해졌어요.

남편은 기쁜 나머지 밥도 먹는 둥 마는 둥했어. 계속 웃기만 했거든. 그이는 지금 우리 물건들을 경매에 넘기

---

50   하야티를 줄여 부른 애칭.

는 걸 알아보려고 나갔어. 하지만 나는 정말 걱정돼 죽겠어, 하디자! 점점 더 불안해져서 심장이 쿵쾅 뛰는 바람에 기쁜 소식을 들은 사람처럼 행동할 수가 없어.

나도 전근 소식을 듣고 매우 기뻤어. 이건 월급쟁이 남편을 가진 아내라면 누구나 매일 꿈꾸는 일일 테니까. 너도 메단으로 떠날 때 밤새 설레는 마음으로 아침이 빨리 오길 기다렸지. 하지만 나는 자바 땅에서 어떤 위험이 닥칠 것만 같아 여전히 가슴이 뛰고 마음의 갈피를 잡을 수가 없어.

아, 물론 그저 기우일 뿐이야. 나 좀 진정하도록 노력해 볼게. 나는 남편을 충분히 믿거든.

만약에, 하디자, 네가 아직 여기 집에 있다면 텔룩바유르 항구까지 따라와 배가 출항할 때 손수건을 흔들며 배웅해줬겠지. 하지만 날짜가 너무 촉박해….

우리가 이사하는 건 이미 결정 났고 시간 여유가 없어. 새로 살 집에 도착한 뒤 곧바로 너한테 편지 띄울게.

우리 다시 만날 수 있겠지, 하디자?

하야티

세 번째 편지.

사랑하는 벗, 하디자!

자바 땅을 밟은 후 남편과 함께 무사히 도착했다는 소식만 전하고 그 후 한 번도 편지를 보내지 못했네. 벌써 거의 3개월이 되었어. 궁금하고 너무나 이상해. 나 때문이야? 그동안 열심히 편지를 쓰더니 지금은 네 편지가 끊겨버렸어. 여기 자바 땅은 자연도 수려하고 도시도 아름다워서 너한테 말해주고 싶은 일이 많아.

나는 꾹 참고 한 번 더 이 편지를 써. 하지만 분명히 말하고 싶은 건 우리 우정이 애당초 시누이 올케 관계로 시작된 게 아니란 점이야.

하디자! 내 이름은 기억하니? 우리가 자바 땅으로 이사 온 뒤 바다에 빠져 죽기라도 한 것처럼 어째서 아무 소식도 없는 거야?

텔룩바유르 항구에서 배에 몸을 싣기 전, 마치 뭔가 닥쳐오는 위험에 맞서야만 할 것처럼 가슴이 마구 뛰었어. 하지만 나는 그 감정을 끝내 억눌렀어.

지금 생각해보면 가슴을 뛰게 할 뭔가가 있었던 거 같아. 이유는 모르지만 남편 행동이 결혼 전과 완전히 달라졌거든. 파당에서 반년 좀 못 되게 사는 동안 우린 행복했고 남편이 어딜 가든 나도 함께 다닌 걸 기억해.

하지만 지금은 회사에서 돌아오면 미소부터 예전과 달

라. 일부러 웃어 보이는 게 역력해. 나에 대한 그이의 마음이 변할 거라고는 감히 단 한 번도 의심해본 적이 없어. 단지 나에 대한 그이의 평가가 크게 달라진 것만큼은 분명해 보여.

예전엔 나랑 가까이 앉기만 해도 즐거워했고 둘이 오후의 바람을 쐬며 함께 걷는 것이 우리 생활의 낙이었는데 지금은 완전히 변해버렸어. 그이는 집에 있으면 늘 불안해 보이고 보통 밤늦게 돌아와. 질투하는 게 아니야. 그이 말은 친구들, 지인들을 만나 돌아다녔다는 거야. 그이가 그리 대답한다면 나도 그렇게 믿을 거야. 이해하지 못할 일은 전에 파당에 살 때 받은 월급으로도 생활하기 충분했는데 지금은 아니라는 점이야. 벌써 여러 번 돈이 떨어졌고 식재료를 살 돈도 여러 번 모자랐어. 월급은 파당보다 훨씬 더 많이 받는데. 혹시 수라바야의 식재료가 너무 비싸서 그런가 알아봤지만 그렇지도 않아. 우리 생활은 전에 시골 살 때와 다를 바 없는데 말이야.

만약 네가 내 절친이 아니었다면 남편의 누이한테 감히 이런 얘기를 하는 건 큰 결례겠지. 하지만 나는 네가 나한테 늘 솔직했던 걸 잘 알고 네가 사랑 넘치는 좋은 사람이란 걸 알아. 네가 얘기를 좀 해주면 그이도 네 말은 들을 거야. 그래서 너한테 이 말을 전하는 거야.

그리고, 친구야, 그에 대한 내 사랑이 조금도 변함없다는 걸 알아줘. 혹시 그가 잊었다면 다시 깨닫게 해줘. 우리 함께 이 문제를 해결해보자.

하야티

하디자의 답장은 이랬다.

나의 벗 하야티

네 마지막 편지가 내 마음을 무척 혼란스럽게 하는구나. 너는 너무 걱정이 많고 생각도 많아. 아지즈는 여전히 너를 진정 순결한 마음으로 사랑하고 있어. 그토록 멀리 떨어진 외지에서 오빠가 너를 배신할 마음을 가질 리 없어. 남편의 변심을 의심하는 건 매우 무거운 혐의를 두는 거야. 오빠가 집에 있는 시간이 적다면 그건 충분한 생활비를 마련하려고 다른 방편을 찾고 있기 때문일 거야. 가정의 식재료 문제는 내가 한두 번 본 게 아닌데 그건 남편이 아니라 집안의 기둥인 아내의 현명함에 달린 문제야. 마음 굳게 먹고, 그렇게 먼 외지까지 갔는데 조금이라도, 다시는 남편을 의심하지 마.

하디자

19. 아낙 수마트라 클럽

어느 날 오후, 하야티가 남편 곁에 앉아 차를 마시고 있을 때 우편배달부가 초대장을 한 장 가지고 왔다.

존경하는 신사분께

오늘밤 저희 클럽 건물에서 샤비르(필명 'Z'와 함께 매우 잘 알려진) 씨 작품의 연극 공연이 있습니다. 아무쪼록 부인과 함께 왕림하시어 이미 명성의 사다리를 오르기 시작한 우리 작가의 마음속에서 건져낸 창작 예술 공연을 관람해주시기 바랍니다.

관리인 드림

이 초청장에는 클럽 관리인이 쓴 또 한 장의 편지가 동봉되어 있었다.

존경하는 아지즈 님

우리 모임 '아낙 수마트라' 클럽의 몇몇 회원으로부터 당신께서 수라바야에 오신 지 이미 3개월째라는 소식을 듣고 인사를 나누고 싶었습니다. 저희는 진심으로 당신과 부인께서 이러한 사회 활동에서 제외되길 원치 않으리라 믿습니다. 우리 클럽은, 동봉한 저희 정관에 기재된 바와 같이, 외지에 나와 사는 수마트라 출신 청년들이 서로 만나 친목을 도모하는 곳입니다.

우리는 오늘밤, 유명한 책들을 출판하며 필명 'Z'로 잘 알려진 젊은 극작가 샤비르 씨가 쓴 푸장가 5막의 초연 무대에 당신을 초대합니다.

저희 작가의 소설을 각색한 공연은 그가 직접 연출하여 작가의 의도에 충실하게 이야기가 전개됩니다. 그리고 이 공연이 순조롭게 성공하면 우리가 최근 설립한 '스투디폰즈'[51]의 제작 지원을 받게 됩니다.

아무쪼록 부인과 함께 왕림하시어 저희와 수인사를 나누고 앞으로도 왕래하며 지내기를 희망합니다.

와살람.[52]

아낙 수마트라 클럽 관리인 백

회장 (무기명)

작가 (상동)

---

51 Studiefonds, 연구 기금.
52 평화의 기원을 담은 이슬람식 이별 인사.

편지를 끝까지 읽은 아지즈는 다시 원래대로 접어 내려놓았다. 하야티가 탁자에 놓인 것을 가져가 읽어보고는 말했다.

"나를 데리고 가줄래요, 여보?"

"아, 가봐야 별것 없어요. 겨우 우리가 만든 연극이라면 재미없을 거요. 연기도 부자연스럽고. 네덜란드 연극이랑 달라요."

"그렇다 해도 이번 한 번만 데려가줘요. 거기서 우리 종족 여자분들을 만나고 싶어요."

아지즈는 아내의 요구를 거절하고 싶었지만 달리 핑곗거리가 없었다. 그리하여 그들은 저녁 7시가 지나 준비를 시작해 말쑥한 복장으로 갈아입고 공연을 보러 출발했다. 그들이 늦게 도착하는 바람에 연극은 벌써 15분쯤 진행된 상태였다. 클럽 건물은 관객들로 가득 차 미어터질 듯했다.

연극의 제목은 〈귀향〉이었다. 많은 가르침과 교훈을 담은 이 작품에는 지나칠 정도로 큰 꿈을 꾸면서도 사랑하는 여인이 지상의 모든 여인 가운데 가장 순결하고 가장 아름답다고 믿는 청년이 등장한다. 하지만 그는 자신이 속았음을 알게 되고 망상과 현실은 항상 반대라는 사실을 깨닫는다. 그런 깨달음 후 그는 귀향하여 마침내 진정한 평안을 얻는다는 내용이었다.

이야기는 매우 매끄럽게 전개되어 관객들 마음속에 스며

들었다. 소설 내용은 훌륭하기 그지없으면서도 실제 우리 주변에서 벌어지는 일이었다. 더욱이 모든 배우가 각자의 역할을 유감없이 소화했다.

연극이 진행되는 중에도 작가 'Z', 즉 극작가 샤비르에 대한 사람들의 칭찬이 끊이지 않았다. 공연이 끝나고도 관객들은 좌석에 못 박힌 듯 떠나지 않았고 빼어난 스토리를 칭찬하는 우레와 같은 박수 소리가 건물을 뒤흔들었다.

간사 몇 명이 공연 시작부터 마지막까지 열정적이고도 세심하게 연출한 샤비르가 무대 뒤에서 내려오기를 기다렸다. 관객들도 수고했다는 말 한마디를 하기 위해 모두 자리를 떠나지 않았다. 아지즈조차 그 작품에 관심을 보였다. 하야티는 두말할 나위 없었다.

이야기를 매끄럽게 선보이면서도 높은 예술성까지 담아내는 것은 쉬운 일이 아니었다. 마침내 막 뒤에서 무대 밑으로 내려온 젊은 작가와 배우들을 간사들이 맞았고 그와 동시에 큰 박수가 터졌다.

자이누딘은 이제 '샤비르'라는 이름을 사용하고 있었다. 그는 기다리고 있던 사람들을 향해 차분하고 미소 가득한 얼굴로 인사했다. 격조 있는 동작과 믿음직한 얼굴, 탁 트인 이마, 모든 것이 달라진 그는 마음 가득 슬픔을 품고 살던 예전의 자이누딘이 더는 아니었다. 현재의 자이누딘은 인내심 깊고 차분하여 새 이름 샤비르에 어울리는 사람이 되어 있었다.

그는 미소를 띤 채 사람들이 내민 손을 맞잡고 정중하게 인사했다. 그는 마침내 아지즈와 하야티 앞에 다다랐다. 하야티는 얼굴이 창백해지고 심장이 크게 뛰었다. 그녀는 자신과 남편을 마주한 자이누딘이 어떤 표정을 짓는지 보고 싶었다. 그가 병을 앓은 몇 년 전 손톱을 물들인 그녀의 손을 잡던 당시 이 청년의 얼굴에 떠오른 슬픔이 어떠했는지 그녀는 생생히 기억하고 있기 때문이었다.

아주 잠시, 눈 깜짝할 정도의 순간 자이누딘의 얼굴에 변화가 스쳤으나 곧 그의 따뜻한 미소 속으로 사라졌다.

"오, 아지즈 님, 그리고 하야티 씨! 수라바야에 오신 지는 오래되셨나요?"

자이누딘은 고개 숙여 예를 갖추면서 물었다.

"3개월 되었소."

아지즈가 대답했다.

"놀라운 일이군요. 그리 오래 수라바야에 계셨는데 이제야 처음 만나다니요."

"우리 역시 상상도 못 했소."

아지즈가 말했다.

"유명한 소설가, 극작가에 유명 작품들로 세간에 이름을 날린 천하의 'Z' 작가가 우리와 아는 사이였다니요."

"샤비르!"

자이누딘은 그런 말은 할 필요가 없다는 듯이 일축했다.

"옛날 이름은 이제 존재하지 않아요. 지금의 나와는 어울리지 않는 이름이라서요. 샤비르란 이름이 딱 좋아요. 그렇지 않나요?"

그는 여전히 미소 지으며 말했다.

"어떤 이름인들 당신 같은 분에게 어울리지 않겠소?"

아지즈가 맞장구쳤다.

"친한 분들이군요."

두 사람이 이야기하는 것을 아까부터 옆에서 지켜보던 다른 회원들이 끼어들었다.

"여러분께 파당판장에서 온 제 친한 친구 아지즈와 그 부인 하야티 씨를 소개합니다."

자이누딘이 친구들을 향해 말했다.

사람들은 서로 인사를 나누었고 아지즈와 하야티는 그날 밤부터 아낙 수마트라 클럽의 회원이 되었다.

자이누딘은 정말 예전의 그가 아니었다. 낯빛은 예전보다 더욱 또렷했고 고가의 옷을 입고 체격도 건장해졌다. 물론 그의 얼굴이 아름답다기보다 빛을 활용한 기술, 경험, 능력, 조명 등이 새로운 인상을 구축한 것이다.

그는 수라바야에서 넓은 인맥을 쌓아 노동자와 작가, 언론인, 사회 지도자 등과 통했다. 자이누딘, 즉 샤비르는 매일 같이 민족이 무엇을 필요로 하는지 말하고, 고통받는 이들을 구제하고 자선사업을 벌이며 늘 대중의 편에 섰다. 그리고 물룩은 그의 충실한 친구였다.

20. 가정

　타지 생활을 하는 이들의 관계는 급속히 가까워졌다. 서로 인사를 나눈 뒤 이들 부부와 자이누딘은 다시 친구로 연결되었다. 자이누딘의 태연한 표정이나 태도, 처신에는 과거 병자이던 시절의 흔적이 전혀 남아 있지 않았다. 공연이 있고 이틀 후 아지즈는 아내와 함께 자이누딘의 집을 방문했다. 그리고 며칠 후 자이누딘도 아지즈의 집에 들렀다. 거기서 그들은 비로소 과거 파당판장 시절을 꺼내며 추억을 나누었으나 자칫 사랑 이야기로 흘러가지 않도록 조심했다.

　한편, 이들 부부의 가정에는 모종의 비밀스러운 일이 벌어지고 있었다. 그것은 자이누딘을 만난 뒤가 아니라 그 전, 그들이 막 자바 땅에 도착한 직후부터 시작되었다.

　하야티에 대한 아지즈의 사랑이 사람들이 흔히 말하는 '요즘 방식의 사랑'이라는 것이 조금씩 사실로 밝혀졌다. 그것은 하야티가 결혼하기 직전 자이누딘이 편지에 적어 일찌감치 우려했던 종류의 사랑이었다. 아지즈는 물질적인 면에서 하야티에게 완벽한 행복을 줄 수 있었다. 하지만 두 사람이 함께 살기 시작한 뒤로 관계가 깊어질수록 서로를 더욱 알아가는 것이 아니라 서로의 인생이 같은 곳을 향하고 있지 않음을 점점 더 분명히 느끼게 되었다.

아지즈가 느끼는 사랑이란 방금 봉오리를 맺은 꽃의 귀엽고 아름다운 자태에 대한 것이었다. 그것이 사라져버리면 사랑도 기틀을 잃고 비틀거리게 된다. 사랑이 흔들리면 가면처럼 쓰고 있던 가식과 그 뒤에 숨겨둔 진면목이 서로 자리바꿈한다. 그러면 비록 여전히 웃는 표정으로 달콤한 말을 흘린다 해도 아내는 직관적으로 그것이 가식임을 깨닫는 법이다. 아이들도 관심이 다른 곳으로 쏠리면 울음을 터뜨려 다시 관심을 끌려고 한다. 사람들 생각이란 다 똑같은 법이다.

하지만 그러지 못한 하야티는 시간이 갈수록 더욱더 고독을 느꼈다. 자신의 인생이 친구도 동료도 없이 희뿌연 벽에 둘러싸인 것 같아 하릴없이 눈물만 흘렸다. 그녀는 아지즈와의 관계가 예전 자이누딘을 알게 되면서 가졌던 기쁨이 샘솟는 관계가 아님을 비로소 깨달았다. 그녀는 자신과 남편의 영혼이 마치 물과 기름처럼 겉도는 것을 점점 분명히 느꼈다.

그들의 관계는 거의 2년이 되어가고 있었다. 아지즈는 벌써 아내를 보는 것이 지겨워지기 시작했다. 번잡하고도 자유로운 도시에서 사랑이 만약 미모에 좌우되는 것이라면 한 여인의 미모는 반드시 더 아름다운 다른 여인의 미모에 밀리고 만다. 결혼할 당시 아지즈가 보인 처신의 변화는 잠시 위장한 것이었고 그런 억지 위장은 오래가지 못하는 법이다.

아지즈가 빨리 싫증을 느끼도록 만든 것은 기쁨을 잘 표현하지 않으면서 차분하고 신앙심 깊은 하야티의 성품이었다. 그녀는 화려한 옷이나 도시에서의 생활 방식을 그다지 좋아하지 않았다.

자기 자신은 특별히 삶의 방향을 가지고 있지 않은 채 그저 남편이 하는 대로 따르는 여자들이 있다. 하지만 남편이 어떤 삶의 목표가 있든 스스로의 독자적인 의견이 있는 여자들도 있다. 아지즈에게 결혼할 당시 하야티의 목표나 태도, 교육 수준 같은 것은 하나도 중요하지 않았다. 오직 그녀의 아름다운 외모가 중요했을 뿐이다.

사실 현실에서 아지즈에게 걸맞은 짝은 하야티가 아닌 환락적인 속세의 물 한 모금을 기꺼이 함께 마실 도시 여자였다. 하야티의 진정한 짝 역시 거만하게 턱을 내밀고 다니는 대신 늘 고개를 조아리는 사람, 다름 아닌 자이누딘이었던 것처럼.

요즘 사람들은 배우자가 추구하는 사랑의 본질, 인간으로서의 수준, 사고방식과 포부 같은 것을 알아보려는 생각조차 하지 않는다. 요즘 세상에서 사람들은 재력, 출신 부족, 관습, 가문 같은 것을 오히려 더 중요한 결혼 조건으로 여긴다. 요즘 사람들은 껍데기밖에 보지 못한다. 멋진 집을 보면 사람들은 그 집을 디자인한 설계자의 능력이 아니라 아름다움이라는 결과물에만 감명을 받는다. 훌륭한 소설을 읽으면 작가의 사상에 몰입하는 것이 아니라 고개를 좌우로 움직이며 글의 형식을 따라가는 데에 몰두한다. 만약 그가 아름다운 여인의 외모에 끌린다면 이를 창조한 신의 권능보다 악마의 욕망이 그의 마음속을 파고드는 것이다.

이 사회의 쓰레기라 불릴 이들은 단지 간음하는 자나 독주를 마시는 주정뱅이, 소매치기와 도둑들만이 아니다. 앞서 언급한 사람들이 뭔가 있어 보이지만 오히려 이 사회의 더욱 위험한 쓰레기들이다. 그들은 사람들이 울 때 오히려 너털웃음을 터뜨리며, 그들의 생각은 오직 재산을 늘리고 욕망을 분출하는 데에만 몰입한다. 세상을 바라볼 때 그 핵심을 꿰뚫는 눈을 가진 이들도 있다. 그들은 계급과 지위의 높고 낮음, 부와 재산의 많고 적음을 따지지 않고 오직 그 인품과 언어만을 살피는데 그 숫자가 매우 적다. 물질의 시대라 불리는 요즘 세상에선 더욱 그렇다.

최상위 계층이 그 아래 계층을 만나 결혼하면 그 관계는 결코 평화로울 수 없다. 함께 아무리 오래 살아도 그들의 집은 행복한 보금자리가 아니라 생지옥과 다름없다. 만약 한 여인이 최상위층에 속하면 남편의 급여가 아무리 많을지라도, 남편의 지위가 예언자 술라이만[53]보다 높을지라도, 재산이 카룬

53 이슬람의 선지자 중 한 명으로 예언자이자 왕이었던 인물.

대왕[54]보다 많을지라도 그 집안에 이를 족히 여기며 기뻐할 사람은 단 한 명도 없다.

그 반대의 경우도 마찬가지다. 만약 최상위층의 남자가 바람 잔뜩 든 오만한 마음을 가졌고 아내가 그 아래 계층 사람이라면 아내는 남편에게 길 가다 지치면 잠시 들러 가는 구멍가게에 지나지 않는다. 그들에게 즐거움은 집 안에 있는 것이 아니라 집 밖에 있다. 이런 사람들은 영원히 만족하지 못한다. 이혼을 뜻하는 탈락,[55] 츠라이,[56] 파사크,[57] 쿨루[58] 같은 단어가 이들 입에서는 너무나 쉽게 튀어나온다. 그런 이의 아내는 평생 심장을 찌르는 고통 속에 살아가게 된다. 더욱 안타까운 것은 그 병증의 흉터가 아이들에게도 남는다는 점이다.

편의상 최상위 계층을 유물론자, 그 아래 계층을 유심론자라 해도 좋다. 최상위 계층은 자연적인 것을 부정하고 화려한 것을 좋아한다. 그들은 번잡한 도시를 좋아한다. 그들이 가장 좋아하는 의상은 여자의 경우 남자들의 시선을 끄는 잘록

---

54 카룬은 모세의 사촌으로 신의 축복을 받아 거대한 부를 이루었으나 오히려 그로 인해 교만에 빠지게 된 인물이다.

55 남편이 아내에게 이혼을 선언하는 방식. 재결합이 가능하나 90일의 이다(iddah) 기간이 완료되면 법적 이혼이 성립한다.

56 가장 일반적인 형태의 이혼.

57 이슬람 샤리아 법에 의거한 합당한 사유로 이루어지는 이혼.

58 아내가 제기하는 이혼 요구.

한 허리부터 진하게 칠한 입술까지 범상치 않은 스타일이다. 그 아래 계층은 사람들 손을 아직 타지 않은 곳, 안전하고 평화로운 곳을 좋아한다.

우리가 살펴본 것처럼 하야티는 영원한 신의 축복이 가득한 시골에서 살 때 분명 더욱 그녀다웠다. 하지만 수라바야처럼 정신없는 도시에 살게 되면서 그녀는 삶의 집중력을 잃고 말았다. 반면 남편은 수라바야에 들어서면서 마치 물 만난 고기처럼 자유롭게 헤엄치기 시작했다.

얼마 전부터 이들 부부의 관계는 더 이상 마음으로 이어진 것이 아니라 오직 혼인 서약으로만 유지되는 사이가 되었다. 여인의 마음은 상상 속의 푸른 하늘로 날아올라 만족을 구했고, 남자의 마음은 아름다운 여자들의 얼굴과 무릎에 살포시 내려앉았다. 수라바야는 실로 그를 위한 불야성이었다.

두 사람은 오랫동안 그런 식으로 살다가 그날 자이누딘을 만났다. 그날 만남 이후 집에 돌아온 하야티에게는 얼마간 기쁜 마음이 생겼다. 예전에 사랑한 사람이 아직 이 세상에 살고 있다는 사실 때문이었다. 물론 지난 일이었지만.

그녀가 살펴본 것은, 비록 그저 궁금해한 것뿐이지만, 모든 여자의 일반적인 성향대로 '자이누딘이 과연 그녀를 아직 기억하고 있을까?'였다. 그날의 만남은 그녀의 마음을 부풀게 했고 그래서 자이누딘의 마음이 알고 싶어졌다. 물론 그냥 알고만 싶었지 그 이상은 아니었다. 혼인 서약을 통해 이미 묶인 현재의 관계를 부정하고 싶지 않았다. 신은 그녀가 고통받아야 한다고 이미 운명지어버렸다. 신이 다른 길을 열어줄 때까지 그녀는 그 운명을 통과해야 한다. 그 길은… 수의와 무덤을 향해 가는 길이다.

그녀는 자신에게도 이 세상을 살아가며 쾌적한 공기를 맛볼 권리가 있다는 것을 확인하고 싶었다. 설령 자이누딘이 빈정거리는 말투로 눈을 부라리며 오만한 행동거지를 보였더라도 그녀는 거기서도 희망을 찾아보려 했을 것이다. 심지어 심연의 저 깊은 곳에서조차. 하지만 희망은 그 어디에도 없었고 그녀는 너무 지치고 무감각해져버렸다.

자이누딘은 하야티의 집에 두 번 더 찾아갔다. 그때마다 우연히 아지즈가 집에 없었다. 그는 하야티에게 고개 숙여 인사했지만 집에는 들어가려 하지 않았고 나중에 아지즈가 있을 때 다시 오겠다는 약속만 하고서 돌아갔다.

전에 하야티는 모든 일과 마음속 감정을 가감없이 편지에 털어놓을 만큼 하디자에 대한 믿음이 있었다. 하지만 하디자가 결국 자기 오빠 편임을 깨달은 뒤로 그녀는 편지 쓰기를 그만두었다.

21. 자이누딘의 마음

자이누딘의 이름은 이미 널리 알려졌다. 수라바야에 사는 모든 부류의 사람들 중 그의 이름을 모르는 이가 없었다. 자바 땅 전체로 퍼져나간 그의 이름 중 특히 필명 'Z'는 빠른 속도로 인도네시아 전역에서 명성을 얻었다. 부지기수의 팬레터가 배달되었고 수많은 방문객이 그의 집을 찾아와 신간과 연극에 찬사를 쏟아냈다.

그런 상황은 멩카사르에서도 마찬가지여서 작가 'Z'가 자이누딘에서 따온 철자고 지금은 '인내심 많은 자'라는 의미의 '샤비르'로 활동하고 있음을 많은 사람이 알게 되었다. 그곳 사람들은 그를 자랑스러워했다.

이처럼 이 젊은 작가는 사람들 사이에서 큰 명성을 얻었다. 독자들은 그가 일상에서 사람들과 즐겁게 교류하는 것을 보면서, 작품 내용이 그의 실생활과 별다른 접점이 없는데 어떻게 고통받는 사람들의 운명을 그토록 소상하게 이야기로 풀어내는지 궁금해했다.

하지만 대중 앞에서는 매혹적인 미소와 활기찬 모습을 보이는 작가가 밤이 내려 도시 사람들이 각자의 집으로 돌아가고 자동차 소리도 그치고 나서야 비로소 집필실에 홀로 앉는다는 사실을 아는 사람은 단 한 명뿐이었다. 그는 때때로 소설을 썼지만 더 많은 시간을 깊은 생각에 잠겼고 어쩌다 한번쯤은 비올라를 꺼내 슬픈 노래를 연주하거나 싱갈랑산 비탈에서 들은 구슬픈 노래를 직접 부르기도 했다. 이런 것을 아는 사람은 그의 절친 물룩뿐이었다.

그는 대개 조용히 홀로 앉아 있었지만 가끔 물룩이 마주 앉아 그의 이야기를 들어주었다. 그는 어린 시절부터 겪어온 질곡의 리스트를 책상 위에 늘어놓듯이 이야기한 뒤에는 서부 수마트라에서 겪은 사랑의 실패담으로 넘어갔다. 그 추억에 하야티가 등장하고 그녀의 약속, 성심을 다한 맹세, 바티푸에서 쫓겨나던 순간과 하야티의 결혼, 편지들, 그리고 파당판장에서 앓아누웠던 이야기까지 이르면 그는 긴 한숨을 내쉬었다. 때때로 그런 추억들을 되새기다가 불현듯 의욕의 파도가 밀려오기도 했다. 소설의 영감은 그런 식으로 꼬리에 꼬리를 물고 그에게 다가왔다.

그의 눈앞에 낟알 따먹으려는 새 한 마리 날아들지 않아 굳이 새 쫓는 채를 휘두를 필요 없이 평화롭게 벼가 익어가는 서부 수마트라의 논들이 떠오른다. 그곳에 갑자기 엄청난 회오리바람이 일어 벼의 줄기가 꺾이고 낟알들이 흩어진다. 벼는 모두 쓰러져 이제 다시 곧게 설 희망조차 없다. 그의 감정은 그렇게 망가져 사람 손길이 다시는 닿지 않는 황량한 농토

같기만 했다. 세상 모든 것과의 단절. 그는 정신없이 번잡한 도시에 살면서도 번듯한 먼 친척 하나 없이 적막하기 그지없는 인생을 살았다. 그것은, 하야티가 곁에 없기 때문이었다.

그는 이제 충분히 부를 쌓았고 든든한 수입원도 있었다. 지금은 그가 책을 써서 출판사에 가져가는 게 아니라 오히려 그들이 먼저 조바심을 내며 달려와 신간을 요구했다. 그가 상속받은 돈은 진작 몇 배로 불어났고 사교계에서 그를 모르는 이가 없었다. 요컨대 그는 자신에게 걸맞은 응분의 명성을 누렸다.

그러나… 화려한 집에 살고 모든 것이 풍족하고 높은 명성과 찬사를 누린다 한들 그의 마음속 한 장소, 처음 그의 마음을 열고 자리 잡은 첫사랑의 보금자리에 풍족함이 없다면 모두 부질없는 일이었다. 그 마음은 오래전에 닫혀버렸고 그 첫사랑 외에는 누구도 다시 열 수 없었다.

그래서 그가 쓴 소설과 관객의 영혼을 울리고 심지어 마음을 찢는 연극은 그저 꾸며낸 슬픈 이야기가 아니었다. 독자와 관객은 그 모든 것이 이 사회를 위해 흘리는 눈물이고 스스로의 운명에 대한 흐느낌이라고 평했다.

하야티가 그의 마음에서 사라진 지 오래라고 생각한다면 그것은 오산이다. 그녀는 여전히 거기서 생생히 숨 쉬고 있었다. 그녀를 다시 만났을 때 그는 온몸의 힘이 다 빠져나가는 듯했다. 하야티가 수라바야 시내에 와 있음을 물룩에게서 들은 것이 한 달 전이었다. 아낙 수마트라 클럽 모임의 관리인에게 그녀와 남편을 초대해달라고 부탁한 것도 그였다. 하야티와 그녀의 남편을 만났을 때 그는 밀려드는 무력감 속에서도 마음을 다잡고 낯빛 하나 변하지 않도록 의지력을 발휘해 그런 기색을 조금도 보이지 않을 수 있었다.

그들은 아무렇지도 않은 듯 다시 친구가 되었다. 영악한 아지즈는 그간의 일에 대해 먼저 사과하면서 얼굴을 세웠다. 자이누딘 역시 우호적인 태도로 지난 일은 아예 일어나지 않은 것처럼 모두 잊어버리자고 화답했다. 옛일은 청소년기에 접어들 때 종종 찾아왔다가 이성이 싹트면 저절로 없어지는 감정이어서 그때 일을 떠올리면 웃음만 나올 뿐이라고 설명을 달았다. 그 말에 아지즈는 더욱 그에게 접근했고, 아내에게는 예전 일은 이미 끝난 거라며 이렇게 덧붙였다.

"우리가 이 유명한 사람과 다시 친구가 되어 손해날 건 없어요."

그 우정은 곧 더욱 친밀한 관계로 발전했다. 하지만 자이누딘은 하야티와 단둘이 만나는 것은 피했다. 그는 항상 하야티의 남편이 동석한 자리에서만 그녀를 만났다. 그의 마음속에서는 두 가지 생각이 서로 싸우고 있었다. 하나는 하야티에 대한 강고한 사랑이었고 또 다른 하나는 하야티가 그와의 약속을 저버린 것에 대한 떨치기 힘든 복수심이었다.

하루가 지나고 한 달이 지나면서 아지즈가 오직 집 밖 생활만을 만끽하는 것이 더욱 분명해졌다. 집에 싫증이 난 그는 성실한 아내에게도 염증을 느꼈다. 그는 매일 밤 예쁜 여자들에게 수작을 걸었고 종종 친구들과 도박판을 벌였다.

그런 상황에 처한 이 가엾은 젊은 여인의 심정은 어떠했을까? 남편의 행동을 만류해도 그의 마음에 닿지 않을 뿐 아니라 더 큰 문제, 즉 벌써 몇 차례 그랬던 것처럼 한 집 건너 이웃집까지 들리도록 또다시 말다툼이 벌어질까 두려웠다.

하야티는 그런 일을 겪으면서 성격도 변해갔다. 그녀는 모든 소란스러운 것을 혐오했고 사람들과의 교류를 기피하면서 바느질하는 것 말고는 친구도 없이 집 안에서 홀로 지냈다. 그녀는 더 이상 남편이 어디 가는지 묻지 않았고 신경도 쓰지 않았다. 가면 가는 것이고 오면 오는 것, 아무 관심도 없었다! 그녀의 낯빛은 어두워지고 몸도 말라갔다.

바로 그 지점에서 그녀는 과거 자이누딘이 보낸 편지 내용이 하나씩 기억나며 심장을 찌르기 시작했다. 그것은 한동안 수면 아래 숨어 있었으나 시간이 지날수록 분명한 현실이 되어 다가왔다.

"이 세상에 사랑에서 비롯된 행복 이상의 행복이 있다고 생각하지 마세요. 사랑 이상의 행복이 있다는 믿음은 감당하지 못할 파국을 가져올 뿐이에요. 결국 죽음으로 자신을 벌하는 결과를 가져오게 돼요."

~~~

그즈음 아지즈는 몇몇 용서받지 못할 사고를 쳐놓은 상태였다. 그는 저열한 사람들이 흔히 그렇듯 자이누딘과 맺은 친구 관계를 기회로 이용했다. 예전에 잘못을 저질렀음에도 불구하고 뻔뻔스럽게 그는 두세 차례 자이누딘에게 돈을 빌렸다. 그것이 그때 하야티에게, 이 유명한 사람과 다시 친구가 되어 손해날 건 없다고 속삭인 말의 진짜 의미였다.

그는 도박을 하러 다녔다. 돈을 따는 날이면 그 돈을 들고서 친구들과 함께 여자를 사러 갔다. 돈을 잃으면 퉁명스러운 표정으로 돌아와 아무것도 아닌 일로 불같이 화를 내며 집 안을 발칵 뒤집어놓았다. 입주 하녀가 벌써 두세 차례 바뀐 것도 오래 버텨내는 사람이 없기 때문이었다. 그는 더욱 도를 넘어 아내 앞에서도 자주 어린 하녀를 희롱하곤 했다.

싸움과 의견 충돌을 피하려고 하야티는 그가 뭐라 하든 순종했다. 모든 금붙이, 즉 보석 목걸이와 팔찌, 핀 같은 것은 이미 전당포에 저당 잡혀 남은 것이 없었다. 하지만 무엇보다도 그녀의 마음을 아프게 한 것은 하야티 앞에서 돈 문제로 고민하던 그가 재수없는 시골 여자를 아내로 삼아 후회한다고 말한 일이었다. 여자가 아둔해 남편을 위로할 줄 모른다는 것이다.

우는 것 말고 할 수 있는 게 없는 연약한 여인 하야티는 그런 말을 듣고서 어떤 생각을 했을까? 자기 자신 말고 어느 누구를 탓할 수 있을까? 집안 어른들이 아지즈의 청혼을 받아들였을 때 그녀 자신도 좋아하지 않았는가? 그를 남편으로 선택한 것도 그녀 자신이니 남편에게 앙심을 품지 말라고 자이누딘에게 편지까지 보내지 않았는가?

집은 지옥 같았지만 도망칠 수도 없었다. 하야티는 자기를 희생하고 목숨을 내어줄지언정 남에게 폐를 끼치지 않으려는 성품이었다. 그녀는 책에서 읽은 격언 하나를 기억했다.

"남자는 전쟁터에서 싸우고 여자는 집 안에서 투쟁한다."

언젠가 반드시 일어날 거라 우려하던 사건이 마침내 터졌다. 아무리 예쁘게 포장해도 그 안에 썩은 고기는 악취를 풍기기 마련이다. 아지즈가 파당판장에 살 때는 돈이 떨어지거나 융통해야 할 경우면 그의 어머니에게 돈을 빌렸다. 하지만 지금 그는 멀리 타향에 나와 있었다. 친구를 불쌍하게 여긴 자이누딘은 아지즈가 고리대금업자들에게 진 빚을 벌써 여러 차례 갚아주었다.

그런데 더욱 나쁜 일이 벌어졌다. 같은 회사에서 일하는 동료 중 한 명은 그러잖아도 눈꼴시던 아지즈가 그간 저지른 과오들에 대한 증거를 확보했다. 아지즈가 직장에서 해고당할 수도 있는 중대한 사안이었다. 증거들을 비밀리에 수집한 동료는 기왕이면 아지즈가 갑작스럽게 회사에서 해고당하는 상황을 만들고 싶었다. 만약에 그가 이를 미리 알게 되면 가깝게 지내는 그 작가 친구에게 도움을 청하거나 수라바야 시내에서 도주할지도 모른다고 예견했다.

어느 날, 그가 돈을 빌린 곳에서 사람을 보내와 갚을 날짜가 이미 지난 빚의 변제를 독촉했다. 그의 적들은 먼저 용의주도하게 서로 조율하고서 불시에 찾아왔다. 마침 준비된 돈이 없던 아지즈는 변제 약속을 지킬 수 없었다. 집 앞에는 사람들이 모여들어, 얼굴은 꿀을 바른 듯 번들거리면서도 마음은 이리처럼 잔인한 채권 집행자가 빚을 갚으라고 종용하는 장면을 구경했다. 그는 돈을 갚지 않으면 집 안에서 물건들을 끌어내 경매에 부치겠다고 윽박질렀다.

한창 말다툼이 벌어지고 있을 때 아지즈가 일하는 회사의 사장이 함정을 준비한 그 동료와 함께 나타났다. 아지즈가 얼굴이 창백해진 채 어쩔 줄 몰라하며 사장을 맞자 채권 집행자가 그 옆에 섰다.

"이보시오."

그가 입을 열었다.

"이미 오랫동안 여기 아지즈 씨는 약속을 번복해왔소. 나도 더는 참을 수 없어 책임질 만한 분에게 도움을 청하지 않을 수 없었소."

진작 이성을 잃은 듯 보이는 남편을 돕기 위해 하야티가 끼어들려 하자 채권 집행자는 그녀의 말을 잘랐다.

"젊은 여자, 당신은 잠자코 있는 게 좋아! 당신은 당신 남편에게 깃든 사탄의 욕망에 희생양이 된 거요. 당신이 무슨 약속을 대신할 수 있다는 거요? 당신 패물도 남아난 게 있을 리 없고 당신 인생도 이제 가난에 처박힌 거요. 우리는 이 안에 있는 물건을 다 들어낼 거요!"

"그리고 넌 내일부터 회사에 출근할 필요 없어!"

사장이 아지즈에게 말했다.

아지즈의 얼굴이 하얗게 질렸다!

그런 일이 일어나고 며칠 후 사람들이 아지즈의 집에서 의자, 책상, 장식품, 그림 등 물건들을 들어내기 시작했다. 이 일이 벌써 법원 압수 집행관의 손에 넘어간 것이다. 가구와 물건이 모두 빠지자 이번에는 집 임차료 독촉 해결사들이 찾아와 이미 3개월간 임차료를 받지 못해 집 열쇠를 회수한다고 통지했다. 아지즈는 단 한 마디도 대꾸하지 못했다. 이제 그에게 남은 것이라곤 몸에 걸친 옷뿐이었다. 하야티 역시 거친 천으로 지은 바틱 문양의 낡은 크바야를 입고 있었다.

그들은 처참하게 길바닥에 나앉고 말았다. 집을 떠나면서 아지즈는 여전히 저주를 담은 날카로운 욕설을 뱉어 하야티의 가슴을 후벼 팠다.

"재수 없는 년!"

하야티는 대답하지 않았다. 그렇다고 눈물을 흘리지도 않았다. 슬픔이 그 한계를 넘어서면 눈물도 나오지 않는 법이다.

"우리 이제 어디로 가요?"

하야티가 물었다.

아지즈는 침통한 표정으로 아무 대답도 하지 않았다. 그들은 걸어서 자이누딘의 집을 향하며 일말의 희망을 품었다.

그들은… 그리로 걸어갔다.

자이누딘과 물룩은 진중하고도 순수하게, 가장 친한 벗에게 팔을 벌리듯 그들을 맞았다. 그의 집에는 충분히 넓으면서 간단한 가구가 구비된 손님방이 있었다. 집의 넓고 좁음은 사실 집에 달린 것이 아니라 각자의 기꺼운 마음에 달렸다.

자이누딘은 우선 그들의 빚을 모두 갚아주려 했으나 물룩이 이를 말렸다. 물룩은 저들이 생계도 끊긴 상태이니 당장 뺏긴 물품들을 되찾아주는 것보다 집에서 함께 지내며 당분간 돌봐주는 것이 좋겠다고 말했다. 당연한 일이지만 그들에게서 더 이상 얻을 게 없어지자 예전 친구들 중 그들을 가까이하려는 사람은 아무도 없었다.

그 집에서 살기 시작한 뒤 아지즈는 일주일간 몸져누웠다. 그가 아픈 동안 하야티가 지극정성으로 돌보았고 자이누딘과 물룩 역시 간병하며 빠른 회복을 도왔다. 그가 병상에서 일어난 뒤에도 자이누딘은 그와 그의 아내를 보살폈는데 물룩은 그 결정을 존중했다. 그들을 기죽게 하거나 그 집에서 사는 것에 부담을 느끼게 할 만한 어떠한 말도 하지 않았다.

　　그렇게 거의 한 달이 흘렀다.

≈〰≈

　　벌써 한 달이 지났다.

　　"형제!"

　　부엌에 딸린 식당에서 아내와 함께 아침식사를 마친 아지즈가 갑자기 자이누딘에게 말을 건넸다.

　　"우리에게 베풀어준 형제의 은혜가 너무 큽니다. 아무것도 보답하지 못하는 나는 정말 쓸모없는 인간이에요. 할 수 있는 거라곤 신에게 아무쪼록 형제가 행한 공로가 그의 곁에 새겨지게 해달라 기도하는 것밖에 없군요."

　　"그건 공로가 아니라 친구를 대하는 친구의 의무일 뿐이에요. 게다가 우린 고향을 떠나 멀리 타향에서 함께 살고 있는 걸요."

자이누딘이 대답했다.

"우리는 서로를 보호해줘야 할 의무가 있어요."

"아, 나는 당신에게 받기만 했지 준 게 없어요."

"아직 때가 오지 않았을 따름입니다."

자이누딘이 미소를 지어 보였다.

"지금 내게 도울 능력이 있으니 돕는 거예요. 나중에 당신의 능력으로 나를 도울 날도 곧 올 겁니다."

"당신의 선의를 어떻게 보답해야 할지 모르겠어요."

"오직 신만이 선하시죠."

자이누딘이 답했다.

"이렇게 합시다, 형제!"

아지즈는 매우 조심스럽게 말했다.

"나는 어린 시절부터, 청년이 되어서도, 이제는 아내에게조차 너무 많은 잘못을 저질렀어요. 지금 그 죗값을 치르고 있는 거예요. 신이 주신 이 쓴잔을 마셔야 하겠죠! 나는 이제 진심으로 회개하고 올바른 길을 택하고 싶어요. 이를 위해서 한 번 더 형제의 도움을 청하고 싶어요."

"내 능력이 닿는다면요!"

"나는 모든 걸 잃었어요. 나와 아내뿐이죠. 형제는 우리를 맞아 이 집에 이토록 오래 묵게 해주었어요. 하지만 이런 식으로는 오래 버틸 수 없어요. 수라바야 시내에서 나는 얼굴을 들고 다닐 수도 없어요. 그러니 수라바야 바깥에서 일할 곳을 찾도록 보내주세요. 우선 나 혼자 떠날 겁니다. 직장을 얻게 되면 곧바로 편지를 보내 나 있는 곳으로 아내가 뒤따라오도록 하겠어요."

"나는 형제의 아내가 이 집에서 지내는 것이 전혀 부담스럽지 않아요. 단지 우려하는 건 형제의 건강이 아직 충분히 돌아오지 않았으면 어쩌나 하는 겁니다. 완전히 회복된 게 아닌데 단지 여기 오래 있는 게 면목이 없어 서둘러 출발하는 거라면 나중에 낭패를 보기 쉬워요. 몸이 충분히 건강해질 때까지 우선 좀 더 참고 기다리는 편이 나을 것 같네요."

"나는 이제 정말 다 나았어요. 형제에게 받은 은혜가 크니 나를 여기 붙잡는 것도 형제의 권리가 맞습니다. 하지만 나는 앞으로도 살아가야 하고, 나 자신과 아내에게 책임이 있는 사람으로서 먹고살 직장을 찾는 것은 내 의무이기도 해요. 그리고 만약 끝내 일거리를 찾지 못한다면 내가 여기 말고 어디로 돌아오겠어요?"

"하야티의 생각은 어때요? 두 분이 파당으로 돌아가는 것은요?"

자이누딘이 하야티를 돌아보며 물었다.

"제 생각에는 우선 고향으로 돌아가는 게 좋을 듯해요. 두 분 경비는 제가 부담할게요. 출발 계획 변경을 한번 검토해보고 마음을 정하세요. 비록 나중에 다시 고향을 떠나게 된다 하더라도요."

"안 돼요, 그건 너무 창피한 일이에요!"

아지즈가 말했다.

"하야티, 당신은요?"

"저는 그저 따를게요!"

"좋아요. 아지즈 형제가 충분히 고려해 결정한 거라면 출발하세요. 어디든 도착하는 곳에서 저한테 곧바로 편지를 보내줘요. 이후 소식도 전해주세요. 감히 내가 조언을 한다면, 형제여, 인생의 항로를 바꿔보세요!"

"반드시 그렇게 할게요, 나의 형제!"

다음 날 아침 자이누딘과 하야티가 역까지 배웅한 가운데 아지즈는 반유왕이[59]행 기차를 타고 출발했다. 거기서 세 젊은이는 모두 회한에 싸여 눈물을 흘렸다.

---

59 동부 자바 끝의 행정 구역 중 하나.

22. 가깝지만 먼

마그립 저녁기도가 끝난 시간, 자이누딘은 수라바야 시내 어느 분주한 식당 베란다에 혼자 앉아 허공에 담배 연기를 내뿜고 있었다. 식당 앞으로 많은 차량이 지나갔지만 정신이 완전히 다른 곳에 가 있는 그에게는 아무 소리도 들리지 않았다.

그가 그토록 사랑하던 희망의 원천, 하야티가 그의 집에 혼자 있다. 벌써 몇 주째 그는 하야티가 해주는 요리를 먹고 그녀가 내주는 음료수를 마시고 그녀가 세탁해준 옷을 입었다. 만일 하야티와 결혼했다면 그런 손길이 얼마나 행복했을까? 투쟁하며 살아온 이 삶의 현장이 얼마나 평화롭고 넉넉했을까? 물론 머리가 다 빠질 정도로 고생하진 않았을 것이다. 분명 즐거운 마음으로 투쟁에 임했을 테니까.

그는 거의 모든 꿈을 이루었다. 화려하진 않지만 번듯한 집이 한 채 있고 가구나 물품도 풍족하고 재물도 충분하고 유명해져 인기도 누리고 있다. 단 하나 부족한 것은, 말하자면 대자연에 태양이 없는 것처럼 그의 운명에 하야티가 빠져 있는 것이다. 그 하야티가 지금 그의 집에 살고 있다. 하지만 혼인 서약인 '이잡카불'은 아지즈와 했고 일전에 그를 문병 온 그녀의 손톱에는 그 증표인 헤나 물이 들어 있었다. 그 모든 것은 견고한 벽이 되어 두 사람을 땅과 하늘로, 또는 동쪽 끝과 서쪽 끝으로 완전히 갈라놓았다.

아지즈를 배웅하고 돌아온 그는 물룩에게 하야티의 말상대가 되어줄 하녀를 한 명 구해달라고 했다. 그 후 그는 밥 먹을 때와 잠잘 때를 빼고는 집에 있는 시간을 줄였다. 결국 그만큼 글 쓰는 시간도 줄어든 셈이다.

하야티도 그 집에서 자이누딘에게 짐이 되었다는 생각에 마음이 편치 않았다. 만약 부담이 되었다면 왜 남편이 데리러 올 때까지 집에서 묵도록 허락해주었을까? 또 한 가지 그녀의 마음을 편치 않게 하는 것이 있었다. 자이누딘은 처음부터 하야티가 얼마든지 자유롭게 지내게 했지만 단 한 군데 금지한 곳이 있었으니 바로 그가 글을 쓰는 서재였다. 그런 제한 요청조차 물룩을 통해 부드럽고 정중하게 전달되었다.

세상의 윤리적 관점에서는 이 부분을 이해하기 힘들 것이다. 그는 삶의 모든 리듬과 창작 의욕을 북돋아주는 영감에 큰 희열을 느꼈는데 그 모든 것은 하야티에 대한 기억에서 비롯된 것이었다. 하야티는 지금 그의 집에 있지만 그는 그 사실을 애써 무시하려 했다. 그것은 그의 마음속에 깃든 사랑이 정염에 불타는 것이 아닌 순결한 사랑이기 때문이었다. 그 사랑이 이 청년의 인품을 움직여 그녀를 성심껏 돌보면서도 가까이 다가가지 못하게 했다.

그날 밤 자이누딘이 그 식당에서 사색에 잠겨 있을 때 하야티는 집에서 초조하게 그를 기다렸다. 이미 저녁식사 시간이었다. 그녀는 물룩에게 물었다.

"왜 자이누딘 님이 들어오지 않죠?"

"아마 밤늦게 올 모양입니다. 바깥에 볼일이 많거든요."

"내가 여기 온 뒤로 그분은 왜 겁먹기라도 한 것처럼 행동하죠? 내가 있는 것이 부담스러운가요?"

하야티가 불편한 마음을 드러냈다.

"그렇지 않아요, 아씨."

물룩은 한숨을 쉬며 답했다.

"절대 그런 게 아니니, 아씨, 그분을 오해하지 마세요."

"물룩 씨는 왜 내가 서재에 가까이 가지 못하게 하죠?"

"아… 아씨!"

물룩은 고개를 저으며 탄식한 뒤 또다시 한숨을 내쉬었다.

"나는 이곳에서 실망감에 오랫동안 가슴이 아팠어요. 그러니 분명하게 얘기해줘요, 물룩 씨! 나한테 아직 복수심을 품고 있는 거죠? 자이누딘 님이 아직 나를 용서하지 않은 거죠?"

"아씨! 일단 여기 의자에 앉아보세요."

물룩이 말했다.

"사실은 자이누딘 선생님이 나한테 반드시 비밀을 지켜달라고 몇 번이나 부탁했어요. 하지만 이제 나도 더 이상 견딜 수가 없네요. 나중에 그분이 나한테 화를 내는 한이 있더라도 설명해드릴게요. 그분은 사실 화를 내는 경우보다 용서할 때가 훨씬 많지만요."

하야티는 그가 이제부터 하려는 설명이 궁금해 가슴이 두근거렸다.

"그분은 그저 불행한 청년이에요."

"불행하다고요? 그게 무슨 말이에요? 화려한 명성과 영광은 남자들의 꿈 아닌가요? 여자들에게 아름다움과 사람들의 칭찬이 꿈인 것처럼요."

"영광이란 말의 의미가 뭔가요, 아씨? 뜻을 이루지 못했다는 의미인가요? 그분은 하늘 높이 날아오르려다가 날개가 부러져버린 독수리 같은 처지예요."

물룩이 말했다.

"나는 그분을 잘 알기 때문에 기꺼이 그분의 친구가 되었어요. 파당판장에서 그분이 1년 넘게 우리 어머니 집에 세 들어 살았어요. 그때 그분은 가난한 청년이었어요. 애당초 그렇게 태어났고 아버지와 어머니로부터 가난을 유산처럼 물려받았지요. 아버지는 고향으로부터 멀리 유배당한 사람이었고 유배지에서 풀려난 뒤에도 고향에 돌아가는 것이 부끄러워 결국 타향에서 돌아가셨어요. 고향으로 돌아간다 해도 이런 노래가 있잖아요.

탄중나무 메마르지 않으면
빨랫줄로라도 써먹겠지만
금붙이 한 조각 품지 못한 누이는
더 이상 여자도 뭣도 아니리.

어머니는 멩카사르 사람인데 아직 그분에게 어머니 품이
필요하던 시절에 돌아가셨어요. 그래서 다른 사람 품에서 자
랐죠. 그분이 큰 포부를 안고 미낭카바우 땅을 향해 출발할 때
는 세상 어디에서나 통하는 상식적인 전통과 관례에 따라 자
신을 부족으로 받아들여줄 아버지의 고향 땅에 가보고 싶었
던 거예요. 하지만 그곳에 도착하자 사람들은 그분을 물 위에
뜬 기름처럼 여겼고 멩카사르 사람으로 취급했어요. 멩카사르
에서는 파당 사람으로 취급당했는데 말이죠.”

물룩의 말을 들으며 하야티의 심장은 더욱 빠르게 뛰었다.

“결국 그분은 거기서 쫓겨났어요. 조상들의 땅에서 쫓겨
났다고요. 하지만 그분은 쫓겨나면서도 그분을 품에 보듬어주
고 그분이 돌아올 때까지 반드시 기다려주기로 약속한 여인
이 있어 한결같은 마음을 굳건히 지킬 수 있었다고 말하더군
요. 그분은 그 희망을 붙잡고 파당판장에서 살아갔어요. 그분
은 현세와 내세에 대한 학문을 공부하고 나중에는 그 지식을
가지고 약조한 여인과 이 세상을 살아가겠노라 마음먹었죠.

그런데 경마장에서 마주친 그 여인은 다른 남자에게 관심을 두게 돼요. 그 남자는 훨씬 건장하고 신분도 높고 부자에다 전통과 관례에도 밝은 토착 미낭카바우 후손이었어요. 그때 멩카사르에서 수양어머니가 돌아가셨다는 부고가 갑자기 날아들었어요. 그리고 유산 3천 루피아를 상속받아요. 그 돈으로 그 여인을 데려올 능력이 생겼다고 생각한 그분은 여인의 가족에게 청혼을 넣었어요. 하지만 그분의 청혼은 그분이 미낭카바우 사람도, 전통과 관례를 아는 가문의 후손도 아니라는 이유로 차갑게 거절당하고 말았죠."

"됐어요, 물룩 씨, 그만하세요."

하야티가 두 손으로 얼굴을 가리며 말했다.

하지만 물룩은 못 들은 척 이야기를 이어갔다.

"그분의 청혼을 거절한 이들은 전통과 관례를 훨씬 잘 충족시킨 다른 남자의 청혼에 더 관심을 보였어요."

"됐다고요, 물룩 씨, 이제 됐어요."

"그때 그분의 마음이 무너져 내리기 시작했어요. 그분이 상상 속에서 지은 추억의 저택이 흔적도 없이 무너져버린 거예요. 그분은 그 여인에게 두 차례인가 세 차례 편지를 보내 자신의 희망을 돌려달라고, 그녀의 얼굴에 자신의 생명이 숨겨져 있었기에 한 번만이라도 찾아와 들여다봐달라고 사랑을 구걸했어요. 하지만 그분은 사랑 대신 친구로 지내자는 답장을 받았죠. 그 답장에는 그녀가 사람들의 강요로 결혼하는 것이 아니라 심사숙고 끝에 스스로 결정한 것이란 내용도 포함되어 있었어요. 돈이 필요한 시대에 그녀 스스로도 가난한 여자고 자이누던 선생님 역시 가난하기 때문이라고 설명했대요. 그분은 담대하게 그 형벌을 받아들였어요. 하지만 그 여인이 결혼했다는 이야기를 들은 후 거의 두 달간 몸져누웠죠. 아픈 중에도 헛소리를 하면서 그 여인의 이름만 중얼거렸어요."

"물룩 씨, 됐다니까요. 그 이야기는 이제 그만하세요."

"아니에요, 아씨, 계속하게 해주세요. 그분이 앓은 뒤 벌어진 일들은 굳이 이야기할 필요 없겠죠. 우리는 자바 땅으로 출발했을 뿐 아니라 우리 흔적도 지워버렸어요. 그분은 앓아누운 자리에서 일어난 후 거의 자살에 이를 뻔했어요. 그분이 아나이강의 격류에 몸을 던지려는 걸 내가 찾아냈죠. 내가 그분을 따라 자바 땅까지 온 것도 그래서였어요. 아씨, 그분은 나한테 수도 없이 말했어요. '물룩 형! 모든 게 나를 힘들게 하니 제발 죽게 내버려두세요.' 물론 그분은 이제 유명한 사람이 되었어요. 소설이 되고 시가 되고 연극이 된 그 모든 것이 그분 자신의 고통, 눈물, 때로는 그분의 피였기 때문이에요. 다른 사람들에게는 그분이 당연히 행복한 것처럼 보일 테니 내가 이런 말을 하는 거예요. 그분 내면에는 여전히 가난한 한 남자가 있어요. 그래서 그분은 연민 가득한 사람이 되었고 애정을 베푸는 사람이 되었어요. 그분이 언제나 가난한 이들을 즐겨 돕는 것도 사실은 그분 스스로가 가난한 사람이기 때문이에요. 결혼식 올릴 돈이 부족한 청년들이 자주 그를 찾아오는데 그분은 단 한 번도 거절하지 않고 그들을 도와 결혼식에 쓸 돈을 충분히 내주었어요. 그분은 이렇게 말하곤 했어요. '목적을 끝내 이루지 못해 좌절하면 그 결과가 미치는 영향이 어떤 것인지 나는 잘 알아요. 나는 저 젊은이들이 나 같은 일을 겪지 않았으면 해요.' 아씨, 사실 자이누딘 선생님은 아직도 아씨를 사랑하고 있어요. 하지만 그분은 양식 있는 사람이어서 예전에 그분의 인생을 좌절시킨 적 있지만 이제 친구로 인정한 사람의 아내로서 아씨를 존중하는 거예요. 아씨가 남편과 지내면서 고생한다는 이야기를 들었을 때 그분은 말도 못하게 침통해했답니다. 아씨를 저 방에 들어가지 못하게 하라고 했지만, 자, 제가 모시고 들어갈게요. 마침 지금 그분이 없으니 저 안에 뭐가 있는지 우리 함께 들어가서 봐요."

물룩은 의자에서 일어나 하야티를 서재로 안내했고 열쇠를 꺼내 문을 열었다. 그가 불을 켜자 벽에 걸린 그림 몇 점이 눈에 들어왔다. 그가 쓴 책들의 가죽 표지를 잘라 모은 것이었다. 책 표지 중에는 오늘날 그의 명성을 있게 한 《추방》도 있었다. 그 외에도 다른 그림이 좀 더 있었다. 방은 전체적으로 어두웠지만 깔끔하고 견고해 보였다. 야자수가 자라난 베란다로 이어지는 창문 가까이에는 집필용 예쁜 책상이 놓여 있었다. 그 옆에는 자이누딘이 글을 쓰다 지치면 누워 휴식을 취하는 긴 의자도 하나 있었다. 벽에 기대놓은 책장에는 네덜란드 책, 영국 책은 물론 제본된 아랍어 책 등 외국 문학책으로 가득 차 있었다. 위쪽에는 알 아프가니, 알 압둘 파리드, 타릭 입누 카들룬, 이햐 울루무딘의 책이 꽂혀 있었다. 아래쪽에는 윙클러 프린스의 백과사전과 또 다른 제본판 책들이 있었다. 책장 위에는 큰 그림이 하나 걸려 있었는데 녹색 비단으로 덮여 어떤 그림인지는 알 수 없었다.

"하야티 아씨!"

물룩은 방 안에서 하야티의 궁금증을 풀어주었다.

"바로 이곳이 그 가엾은 청년이 매일 자신의 운명을 새삼 되새기는 곳이에요. 우리 민족 문학 작가로서 그분의 명성이 커져가기 시작한 곳 역시 바로 여기죠."

"방이 이렇게 예쁘기만 한데 왜 나를 들어오지 못하게 했어요?"

하야티가 물었다.

"이것 때문이에요."

물룩은 자이누딘의 작품에 감명받은 동갈라 지역 한 마을 이장이 선물로 보낸 그 지역 특산물인 오래된 크무닝나무를 깎아 상아 손잡이와 결합한 지팡이를 들면서 말했다.

"이것 때문이라고요."

물룩은 지팡이로 책장 위 그림의 비단을 걷어냈다. 그것
은… 크게 확대한 하야티의 초상이었다. 그녀가 아직 처녀 때
의 모습이었다. 그림 밑에는 이런 문구가 적혀 있었다. '잃어
버린 나의 보석.'

"오, 물룩 씨, 그가 나를 아직 기억하고 있군요!"

그림을 보고 얼굴이 하얗게 질리도록 놀란 하야티의 입에
서 튀어나온 말이었다.

"기억하고말고요. 그리고 절대 잊지 않을 겁니다. 단지…
그분이 사랑한 하야티는 이제 없어요."

"여기 있잖아요, 물룩 씨. 저건 나예요."

"그분이 사랑한 하야티는 더 이상 존재하지 않아요. 이미
죽었거든요. 자이누딘 선생님의 사랑을 향한 의욕도 그때 이
미 그녀와 함께 무덤에 묻혔어요. 지금 이 집에 머물고 있는
하야티는 그분의 벗이고, 친구의 아내일 뿐이에요."

하야티는 넘어질 듯 비틀거리며 방에서 나왔다. 자기 방
으로 돌아온 그녀는 베개에 머리를 파묻었다. 그제야 그녀는
비로소 자이누딘이 아직도 자신을 사랑한다는 사실을 깨달았
다. 비록 이제는 영원히 넘을 수 없는 선이 그어져버렸지만 그
의 사랑은 단 한 번도 꺼진 적 없는 횃불처럼 삶을 헤쳐 나가
는 투쟁 속에서 불타오르고 있었다.

하야티는 방 안에서 잠이 들었다. 하지만 매시간 시계 우는 소리를 들었고 한밤중에 자이누딘이 돌아오는 발걸음 소리를 들었다. 그리고 닭들이 시끄럽게 홰치는 소리가 들리며 날이 밝았다.

23. 이혼장

나의 벗 자이누딘

나는 침통한 마음으로 수라바야 시내를 벗어났어요. 사람들 앞에서 감당할 수 없는 치욕을 당했죠. 그래서 굳이 직장을 구하러 멀리 반유왕이까지 온 거예요. 하지만 아직 일감은 잡히지 않았습니다. 이 모든 게 신이 나를 벌하는 것이니 감수할 수밖에 없다는 걸 알아요.

내가 당신에게 지은 죄가 너무 커요. 막 봉오리를 맺던 형제의 희망을 가로막고, 좌절시키고, 그때 당신이 그토록 그녀를 사랑하고 그녀 역시 당신과 결혼하길 원하는 걸 잘 알면서도 하야티를 당신 손에서 빼앗았죠. 나는 그녀의 가족들에게 돈과 가문의 후광을 과시해 영향을 주었어요. 그들 앞에서 당신을 모욕했고요. 나는 이 인생이라는 것이 높고 낮은 곳을 번갈아 구르는 수레바퀴 같은 것임을 미처 깨닫지 못했어요.

하야티와 결혼하고 나서 몇 달간은 내 꿈을 이루었다는 생각에 스스로 자랑스럽기 그지없었어요. 소문난 바티푸의 피어나는 꽃봉오리를 내가 꺾었으니까요. 하지만 그 후 우리 관계는 생각대로 되지 않았어요. 그녀는 고귀한 성품을 가진 반면 내 인격은 형편없었기 때문이에요. 신의 노여움이 나에게는 닿지 않을 거라 생각했죠. 나는 도박의 늪에 너무 깊이 빠져들었어요. 정신을 차려보니 어느새 번잡한 수라바야 시내에 와 있었어요. 내가 낙담에 빠뜨린 사람, 내가 모욕을 주고 얕잡아본 사람이 거기 살고 있었고요.

나는 지금 전혀 상상도 해본 적 없는 상황에 처하고 말았어요. 잘난 척하며 위세를 부리고 다녔지만 완전히 곤두박질치고 말았어요. 나는 이 쓰디쓴 부끄러움의 독배를 마실 수밖에 없어요. 이 쓴잔은 너무나 공명정대하고 현실적이어서 분명 신이 내린 형벌일 거예요. 이제야 나는 이런 상황을 깨달았어요.

그토록 큰 죄를 지은 나한테 어떤 벌을 내려야 할지 이미 결정했어요. 목숨을 끊어 하루속히 비켜줘야 하겠죠. 그래서 그 전에 하야티를 당신 손에 돌려드린다는 말을 이 편지를 통해 분명히 전합니다. 나는 그녀의 손을 놓았으니 이제 더 이상 나와 아무런 관계도 없습니다. 오직 이것만이 내가 감히 모욕했던 두 분께 응분의 대가를 치르는 것이라 생각해요.

나는 정식으로 형제의 손에 하야티를 돌려드립니다. 형제야말로 그녀에게 더 큰 권리를 가지고 계시니까

요. 우리 관계는 거의 2년이 되었지만 서로 맞지 않았
어요. 명색은 결혼이었지만 나는 속임수로 그녀를 얻은
거예요. 고귀한 성품을 지닌 그녀와 이어졌다면 형제도
더욱 행복했겠죠. 그녀 역시 영혼의 파동이 어울리는
남편을 얻으면 더욱 만족스러운 인생이 될 거예요.

나는 벌써 스스로에게 선고를 내렸어요. 내가 삶을 접
는 것에 대해 형제가 마음 쓸 일은 없어요. 나 같은 사
람 하나 우리 사회에서 사라지는 건 달걀 한 알 깨지는
것만도 못한 일이에요.

진심으로 용서를 빕니다.

아지즈

사랑하는 하야티!

우리는 거의 2년을 함께 지냈어요. 2년 동안 당신은 죄
악으로 가득 차고 추악한 행동으로 얼룩진 내 형편없
는 인생 항로를 따라와주었어요. 결국 내 유치한 욕망
에 순종해준 꼴이 되어버렸죠. 당신은 내가 결혼 전에
저지른 잘못이 있다면 신에게 기도해 용서를 구하라
했지만 나는 고작 한두 달 그리했을 뿐이에요.

내가 한 일은 너무 추악해서 시간이 지날수록 그 소문
이 돌고 돌아 내 귀로 들어올 정도였어요. 나는 당신 마

음을 상하게 했고 내 빗나간 욕망을 해소하는 데에 월급과 수입을 날렸어요. 당신이 나와 결혼하게 된 불운 때문에 자주 울며 한탄한 것을 알고 있어요. 그런 당신을 나는 자주 욕하고 비난하고 내가 감당해야 마땅한 무거운 짐들을 당신 등에 지웠어요.

하야티! 이 시간부터 더 이상 내게 성의를 다하지 마세요. 당신 남편으로서 그간 얼마나 못되게 굴었는지를 이제야 깨달았어요. 그 대가를 치러야 한다는 것도요. 그래서 나는 피낭 열매를 그 껍질에 돌려보내고 시리 잎사귀도 그 줄기에 돌려보냅니다.[60] 내가 빼앗아버린 당신의 젊음과 아름다움을 굳이 기억할 필요 없도록 나 스스로를 치워줄게요. 시간이 너무 지나 후회하기 전에 당신 꿈의 새싹이 다시 솟아나도록 내가 비켜줄게요.

나는 모든 점에서 저열하기 그지없는 주제에 오직 돈과 가문의 후광으로 한 문학가의 삶을 낙담케 하고 한 여인의 희망을 앗아가버린 그 잔인한 청년에게 벌을 내릴 거예요. 당신 이마에 새겨진 슬픔의 흔적이 지워

---

60 미낭카바우식 이혼 선언. 청혼할 때 피낭 열매와 시리 잎사귀를 보낸 것을 회수한다는 말은 청혼 취소, 파혼, 이혼을 뜻한다.

지기를, 당신의 예쁜 미소가 돌아오기를, 당신의 기쁨이 되살아나기를, 지난 2년간 나로 인해 당신이 겪어야 했던 모든 비탄과 마음의 상처가 사라지기를 바라요.

이 편지의 도착과 함께, 예전에 종교가 정한 바에 따라 정식 결혼을 통해 온전히 당신을 취했던 것과 같이 이제 종교가 정한 바에 따라 온전히, 공식적으로 당신을 해방합니다. 이 편지가 당신 손에 도착함과 동시에 내 첫 번째 탈락 통지[61]를 받은 것으로 간주하세요.

당신이 더 이상 내 아내가 아니란 말을 내 입으로 이미 꺼냈지만 당신과 2년간 함께 산 사람으로서 감히 부탁하건대 이다 기간이 차면 파당으로 돌아가지 말고 자이누딘과 함께 지내세요. 만약 그가 아직도 당신을 마음에 품고 있다면 그의 아내가 되세요.

내가 편지에 쓸 내용은 이게 다예요. 자이누딘은 내가 그에게 저지른 모든 나쁜 짓을 그 오랜 시간 동안 오직 선의로만 갚아주었는데 그가 베풀어준 은혜를 갚기 위해 이제 내가 희생할 것은 고작 이 정도뿐이에요.

그리고 만약 나에 대해 무엇이든 좋지 않은 소식이 들

---

61   두 번째 탈락까지는 재결합이 가능하나 세 번 이혼하자는 말을 하면 재결합도 불가능해진다.

리면 내가 당신의 남편이던 시절 저지른 모든 잘못을
아무쪼록 용서해주고 당신의 고귀한 성품대로 이 불쌍
한 인간을 위해 기도문을 읽어주세요.

전 남편 아지즈

한 일간지 2면에 반유왕이에서 기자가 보내온 다음과 같
은 사건 기사가 실렸다.

호텔에서 벌어진 자살 사건

어제 아침 ○○호텔 한 객실에서 일주일간 묵고 있던 손
님이 아침 9시가 넘도록 문을 열어주지 않아 종업원들
사이에 소란이 있었다. 10시경 억지로 문을 열고 들어
갔을 때 방 안에는 끔찍한 상황이 벌어져 있었다.

객실 손님은 영원히 깨어날 수 없는 상태였다. 그는 수
면제로 잘 알려진 아달린을 10알 넘게 먹고 자살을 시
도한 것으로 보인다. 탁자에서 발견된 약통은 텅 비어
있었다.

이 사건은 즉시 경찰에 신고되었고 경찰 조사 결과 자살
한 사람은 수마트라 출신으로 수라바야에서 온 것이 확
인되었다. 검시를 마친 시신은 당일 오후 시내 이슬람교
도 묘지에 곧바로 매장되었다.

24. 마지막 눈물

자이누딘은 서재에서 방금 받은 편지를 앞뒤로 돌려보고 예의 신문을 함께 보면서 매우 먹먹한 심경이었다. 그때 하야티가 용기 내어 금지된 서재 안으로 들어왔다.

"여기 앉아요!"

자이누딘이 말했다.

하야티는 의자에 앉아 자이누딘을 마주 보았는데 젊은 여인의 얼굴은 매우 어두웠다.

"남편한테서 편지가 온 게 있나요?"

하야티가 물었다.

"있어요!"

"나도 받았어요. 이걸 보세요."

그녀는 편지를 자이누딘의 손에 쥐여주었다. 두 젊은이는 말 한 마디 꺼내지 않았고 방 안에는 오랫동안 적막이 흘렀다. 마침내 하야티가 먼저 입을 열었다.

"나는 이제 어떻게 해야 해요, 자이누딘 님?"

"아, 어떻게 해야 할까요?"

그가 고개를 설레설레 저으며 반문했다.

"당신한테 솔직하게 말할게요. 나는 당신을 전에 부르던

대로 부를 거예요, 자이누딘! 당신이 내 모든 잘못을 용서해줄 마음만 있다면 앞으로 나에게 쏟아질 모든 시련을 감당할 준비가 되어 있어요."

그 말에 자이누딘은 안색이 창백해졌다. 그는 돌연 얼굴을 들어 하야티를 향했는데 눈빛이 형형했다.

"용서? 당신이 망쳤잖아요. 당신이 내 모든 희망을 꺾어놓고서 이제 용서를 구한다고요?"

하야티는 벼락을 맞은 것 같았다. 물룩에게서 사실 이야기를 들은 하야티로서는 자이누딘이 그렇게 대답하리라곤 상상도 못 했다.

"왜 그리도 잔인한 대답을 하세요, 자이누딘? 당신 마음에서 우리 상황을 그토록 빨리 지워버린 건가요? 나한테 그토록 무서운 벌을 내리지 마세요! 연이어 감당키 힘든 일을 당한 여자를 가엾게 여겨주세요!"

다시 고개를 숙인 자이누딘은 신음하듯 말했다.

"그래요, 여자들은 그렇죠. 자신이 당한 험한 일은 그게 아무리 작은 일일지라도 기억해요. 그리고 자신이 다른 이에게 했던 잔인한 행동은 그게 아무리 엄청난 일일지라도 잊어버리고 말죠."

그는 덧붙여 말했다.

"벌써 잊었나요? 우리 중 누가 잔인한 말을 했나요? 내 출신이 분명치 않다는 이유로, 미낭카바우 사람이 아니라고 비웃음당하며 당신 집안 어른들에게 쫓겨날 때 당신이 약속하지 않았나요? 그때 당신이 갈림길에서 나를 배웅해주었어요. 거기서 당신은 시간이 얼마나 걸리든 내가 돌아오길 기다려주겠다고 약속했어요. 하지만 당신은 변심하고서 더 건장하고, 더 부유하고, 전통과 관례를 지닌 부족 출신, 더 훌륭한 가문과 혈통을 가진 사람에게 가버렸어요. 당신은 그와 결혼하면서 그 결혼이 다른 이들의 강요가 아니라 당신 스스로 결정한 거라고 분명히 설명했잖아요. 하지만 나는 사랑을 지키려고 거의 죽을 뻔한걸요, 하야티! 두 달 동안 나는 침대에 누워있었어요. 당신이 아픈 나에게 와서 보여준 것은 당신이 이미다른 사람의 것이라는 증표인 헤나로 물들인 손톱뿐이었어요. 우리 중 누가 잔인하다는 거예요, 네? 젊은 부인? 내가 여러통 편지를 보내면서 눈물짓고 스스로 비하하며 불쌍히 여겨달라 구걸했었죠. 모든 사람이 나를 모욕하고 있다 해서 나라고 스스로의 명예를 지키고 싶지 않았을 리 없어요. 그런데 당신은 갑자기 이것도 저것도 아닌 이상한 답변을 했어요. 당신도 가난하고 나도 가난한데 돈이 없으면 인생이 행복하지 않을 거라면서요. 그래서 당신은 더 즐겁고 화려하고 풍족한 인생을 선택한 거예요. 금덩이 속에서 헤엄치고 지폐로 날개를달아 날아다니는… 그럼 우리 중 누가 잔인한 건가요? 더 높은 학문에 대한 꿈을 가진 젊은이를 좌절시켜 결국 고향과 살던 곳을 버리고 자바 땅으로 멀리 유랑하게 만든 건 누구인가요? 사람들이 폭소를 터뜨리게 하는 희극을 쓰는 사람이 되고서도 무대 뒤에서 몰래 눈물짓게 만든 것은요? 그렇지 않아요, 하야티! 나는 잔인한 적 없어요. 단지 당신 말을 따랐을 뿐이에요. 편지에서 우리 사랑을 잊고, 지워버리고, 좋은 친구 사이가 되자고 한 건 당신 아닌가요? 나는 지금 그 말을 지키고 있는 거예요. 당신은 내 사랑이 아니에요. 내 약혼녀도, 내 아내도 아니에요. 당신은 다른 사람의 미망인이에요. 그래서 한 사람의 벗으로서, 한 사람의 형제로서 나는 그 우정의 약속을 견고히 붙잡고 여기 돌아와 있는 거예요. 내가 전에 내 사랑을 그토록 견고히 붙잡으려 한 것처럼요. 내가 아무 거리낌 없이 당신을 데려와 이 집에서 남편이 돌아오길 기다리도록 한 것은 그 때문이었어요. 하지만 이제 돌아온 것은 그 자신이 아니라 이혼장과 끔찍한 소식이군요. 나는 당신의 벗으로서 당신을 고향, 원래 살던 곳, 모든 것이 풍족하고 전통과 관례와 가문이 건재하고 비에도 썩지 않고 가뭄에도 논바닥처럼 갈라지지 않는 미낭카바우로 돌아가도록 해드릴게요. 돌아갈 경비는 내가 마련할게요. 필요한 물품을 살 비용도요. 그리고 내가 살아 있는 한, 당신이 새 남편을 얻기 전까지, 인샬라, 고향에서 살아갈 비용도 내가 보내줄게요."

"자이누딘… 그게 나에 대한 당신의 결정이라고요? 당신은 어디서나 고귀한 성품으로 명성이 자자한 사람 아니었나요? 나는 돌아가지 않겠어요. 여기서 당신과 함께 살 거예요. 당신이 나를 비난하든, 비루한 하녀처럼 하찮게 여기든 상관없어요. 나는 당신이 나한테 많은 걸 사주길 원하는 게 아니에요. 당신 가까이에 있고 싶을 뿐이라고요!"

하야티의 눈물과 그녀의 말이 자이누딘의 마음을 움직인 것은 사실이었다. 그때 그의 마음속에서는 복수심과 사랑의 감정이 뒤엉켜 싸우고 있었다. 도대체 뭘 더 기다리는 거야? 그동안 하야티는 네 인생의 노래였잖아? 그 모든 것이 새록새록 다시 기억났다. 그는 하야티를 곁에 두고 싶었다. 하야티가 없다면 그의 인생에도 행복이 없다는 걸 그는 알고 있었다. 하지만 그녀가 어떻게 약속을 배신했는지도 다시 떠올랐다. 그 일이 생각나면 그의 마음은 다시금 산산조각 났다. 그가 상심하는 동안 들려오는 하야티의 울음소리와 동정을 구하는 느낌, 그녀의 슬픈 얼굴이 더욱 그의 마음을 무너뜨렸다.

하지만 하야티의 집안 어른들이 한 말이 또다시 그의 귓전에 울렸다.

'만일 하야티와 결혼한다면 그래서 낳게 될 아이에게 아버지의 가문은 도대체 어디란 말인가?'

사형이냐 방면이냐의 선고를 내릴 판사의 입술만 바라보

는 피고처럼 하얗티는 거기 앉아 그의 입술만 바라보았다. 올림머리 차림의 그녀가 흘리는 눈물은 이미 더할 수 없이 아름다운 그녀의 얼굴을 더욱 아름답게 만들고 있었다. 그간 그녀의 얼굴은 자이누딘에게는 모든 기억이 흐르다 퇴적되어 쌓이는 추억의 강 하구와 같았다. 그가 고슴도치 가시처럼 가느다란 그녀의 손가락으로 눈을 돌렸을 때 문득 헤나로 물들인 손톱이 떠올랐다. 바로 거기서 눈앞이 새카매지면서 결심이 굳어졌다. 그간 아무리 큰일이 벌어져도 평정심을 잃지 않던 자이누딘도 이번만은 참을 수 없는 울분이 터질 듯 차올라 마음속에서 이렇게 외쳤다.

'안 되오! 바나나가 두 번 열매 맺어서는 안 되고 청년들이 남은 음식을 먹어서는 안 되오!'[62]

그와 함께 하얗티 집안의 어른, 다툭의 목소리가 좀처럼 사라지지 않는 모깃소리처럼 그의 귓전에서 쉴 새 없이 앵앵거렸다.

'이곳은 전통과 관례의 땅이다.'

그 목소리를 기억하며 그는 단호히 말했다.

---

62 바나나가 한 번 열매 맺은 자리에 또 열매가 맺는 것은 불길한 징조며, 미낭카바우의 남성들은 남이 남긴 음식을 먹지 않는다. 여인의 재혼을 옳지 않다고 보는 시각을 강조하는 말.

"아니요, 하야티! 당신은 파당으로 돌아가야 해요. 지금 상황에선 내 말을 들어요. 당신은 미낭카바우로 돌아가세요! 나랑 함께 살 생각은 하지 마세요. 나는 근본이 없는 사람입니다. 미낭카바우는 전통과 관례의 땅이에요. 이번 월요일 수라바야에서 탄중프리옥을 거쳐 파당으로 가는 배가 있어요. 그 배를 타고 가세요. 당신 고향으로요."

그는 지갑에서 100루피아 지폐 세 장을 꺼냈다.

"돌아갈 때 필요한 물품을 사세요."

그렇게 말한 그는 밖으로 나갔고 방 안에는 하야티 홀로 남았다.

25. 귀향

1936년 10월 19일 월요일 아침 일찍 K.P.M. 라인[63]의 선박 판데르베익호가 멩카사르로부터 탄중페락 항구에 도착해 정박 중이었다. 이 배는 스마랑, 탄중프리옥을 거쳐 팔렘방까지 가는데, 파당으로 가는 승객들은 탄중프리옥에서 다른 배로 갈아타야 했다. 하야티의 배편과 여정은 자이누딘이 결정한 것이었다.

전날 밤 하야티는 물룩과 함께 배를 탈 때 필요한 물건과 음식을 사러 나갔다. 수라바야에서 자카르타까지 철도가 연결되어 낮에 출발하거나 밤에 출발하는 편이 있었지만, 자이누딘은 자카르타에서 편의를 제공할 가족이 없으니 하야티가 배편으로 곧장 파당까지 가는 것이 더 안전하다고 생각했다.

물룩은 자이누딘이 왜 그런 결정을 했는지 참으로 의아했다. 자이누딘도 그 질문을 받으면 고개를 저으며 한숨지을 뿐이었다. 월요일 아침에도 그는 뻣뻣하고 차가운 말투로 하야티를 대했다.

"하야티, 잘 가요. 아마 탄중페락에는 내가 배웅을 나가지

---

63   네덜란드령 동인도 시대부터 실존했던 네덜란드 해운사.

못할 것 같아요. 말랑에서 해결해야 할 일이 있어 나도 오늘 아침 출발해요. 이따 오후 3시쯤 물룩 형이랑 탄중폐락으로 출발하면 될 거예요. 그리고 고향에 도착하면 그곳 다툭 어르신과 가족들에게 안부 전하는 것도 잊지 마세요."

그는 하야티에게 대답할 틈도 주지 않고 성큼성큼 방을 나가 분주한 길가에서 차를 잡아타고 곧바로 말랑으로 출발했다. 하야티는 못 박힌 듯 꼼짝 않고 서 있었다. 물룩은 그 슬픈 장면을 바라보며 고개를 가로저었다.

하야티는 착 가라앉은 심정으로 녹색 비단에 덮여 책장 위에 걸려 있는 그림을 구슬프게 바라보다가 축 처진 채 발걸음을 돌렸다. 방에 들어간 그녀는 거의 두 시간을 앉아 한 통의 긴 편지를 썼다.

3시가 되어 그들은 출발 준비를 마쳤다. 하야티는 아직도 눈물이 그렁그렁했다.

"추억의 증표로 이 집에서 뭔가 하나 가져가도 될까요, 물룩 씨?"

하야티의 목소리에 서글픔이 묻어났다.

물룩은 대답 대신 가까운 벽에 걸린 그림을 하나 가지고 왔다. 자이누딘이 그려져 있었다.

"이걸 가지고 가세요. 조금은 추억거리가 되겠죠."

그렇게 말하는 그도 먹먹한 심정이었다.

그녀는 그림을 짐 상자가 아닌 보따리에 넣었다.

"왜 상자에 넣지 않으세요?"

물룩이 물었다.

"나중에 다시 꺼내 보기 편하니까요."

하야티의 대답이었다.

그들은 택시를 잡아타고 탄중페락으로 향했다. 배에 도착하자 물룩은 갑판에 올라가 여인을 위해 자리를 잡았다. 화물이 많지 않으면 배는 저녁 6시경에 출항할 터였다. 하지만 이번에는 화물이 많아 선적에 시간이 걸려 출항은 저녁 9시까지 지연되었다. 그리고 평소대로라면 배는 다음 날 아침 7시에 스마랑 항구에 도착할 예정이었다. 다행스럽게도 물룩은 휴가를 맞아 발릭파판에서 파당으로 가는 한 부부를 선상에서 만나 그들에게 하야티를 부탁할 수 있었다. 오후 5시쯤 물룩은 '바촉'이라 부르는 멩카사르 출신 짐꾼 두 명에게 탄중프리옥까지 가면서 먹고 마실 물과 음식을 사 오도록 시켰다.

이제 배에서 내려야 할 시간이 되자 물룩은 매우 격앙된 심정으로, 갑판 난간에 서서 번잡한 수라바야 항구를 내려다보는 하야티에게 다가갔다. 그녀의 눈에서는 눈물이 흐르고 있었다.

"하야티!"

물룩이 입을 열었다.

"솔직히 말해 당신 혼자 배를 태워 보내는 마음이 영 편치 않아요. 나도 이참에 함께 고향에 돌아갔으면 싶어요. 하지만 내 능력도, 상황도 여의치가 않네요. 그러니 나를 용서해줘요. 그리고 마음 약하게 먹지 마세요."

하야티는 물룩의 말에 오랫동안 대답하지 못했다. 눈물이 폭포처럼 쏟아졌기 때문이다. 그녀는 울어서 갈라지는 목소리로 간신히 대답했다.

"자이누딘이 진심으로 나를 쫓아냈어요, 물룩 씨."

"마음 굳게 먹어요, 아씨! 신이 계시다는 걸 잊지 마세요. 그분은 자신의 종을 항상 사랑하세요."

"인샬라, 물룩 씨!"

"나는 이제 내려야 해요. 그리고… 안녕히 가세요."

"아, 안녕히… 계세요!"

물룩이 돌아서서 배에서 내리려는데 하야티가 다시 그를 불러 세웠다.

"물룩 씨! 이 편지를 자이누딘에게 전해주세요. 그리고 내 말도 꼭 전해주세요. 죽음으로 우리가 정말 헤어지게 되는 날까지 하야티가 그를 기억할 거라고요!"

물룩은 크게 한숨을 내쉬며 편지를 받고서 이내 넘어질 듯한 걸음으로 배에서 내렸다. 멀어져가는 그의 모습이 보이지 않을 때까지 하염없이 바라보던 하야티의 충혈된 눈에서는 눈물이 끊이지 않고 흘러내렸다.

밤 9시가 되자 비로소 배가 스마랑을 향해 출항했다. 선상에는 선장 1명과 항해사 11명, 무전기사 1명, 사무장 1명, 사무원 5명, 그리고 인도네시아인 직원들과 짐꾼, 일반 선원 등 80명의 승무원이 타고 있었고, 승객은 유럽인 어른 22명과 어린이 5명, 그리고 하야티를 비롯한 갑판의 승객이 대략 100명 정도였다. 친절한 멩카사르 바촉들이 짐을 옮겨놓아준 자리에서 짐 상자에 기대앉은 하야티는 처량한 기분에 휩싸였다. 그녀는 보따리에서 꺼낸 자이누딘의 초상화를 시간 가는 줄 모르고 들여다보았다.

배가 항해를 시작한 지 한 시간쯤 후 그녀는 다시 갑판 난간으로 나가 점멸하는 항구의 불빛과 그것이 넓디넓은 바다 수면에 심긴 것처럼 반사되는 모습을 바라보았다.

몇 시간 후 선상의 승객들도 모두 잠들고 그 적막함 속에서 배를 전진시키는 기계들이 내는 소리만 들려왔다. 그 누구도 알라가 태초부터 미리 계획하여 이제 곧 벌어질 사건에 대한 어떠한 불안이나 의심도 없이 곤히 잠들어 있었다.

26. 하야티의 마지막 편지

다음 날인 10월 20일 화요일에 자이누딘이 말랑에서 돌아왔다. 그는 어두운 얼굴로 곧바로 서재로 들어갔다. 그는 거기서 책들을 닦고 책상 위에 널린 종이들을 정리하는 물룩을 발견했다.

"물룩 형."

그가 급히 말을 걸었다.

"이리 와서 앉으세요. 드릴 말씀이 있어요."

물룩은 들고 있던 닭털 총채를 즉시 내려놓고 자이누딘 앞에 놓인 의자에 앉으며 주머니에서 하야티가 남긴 편지를 꺼냈다.

"물룩 형! 사실을 말하면 하야티를 그렇게 보낸 뒤 지금까지 내 마음속에서는 엄청난 전쟁이 벌어지고 있어요. 나는 그녀를 보낸 것을 후회해요. 하야티를 곁에 두지 않고서는 살아갈 수 없다는 걸 잘 알기 때문이죠. 어젯밤 1시쯤 말랑의 호텔에서 내 이름을 부르는 하야티의 목소리에 잠에서 깼어요. 그 목소리를 들은 뒤부터 더 이상 잠을 이룰 수 없었어요. 너무 불안했어요. 그래서 나는 그 감정을 감당할 수 없어 오늘 아침 곧바로 돌아온 거예요. 물룩 형! 하야티에 대한 내 사랑은 머리카락 한 올만큼도 망가지지 않았어요."

자이누딘의 말에 물룩의 얼굴이 붉게 달아올랐다. 그는 답답한 마음을 털어놓았다.

"나는 선생님이 하신 행동을 이해할 수 없어요! 그동안 선생님은 하야티를 그리워하면서 통곡하고 슬퍼하셨잖아요! 신께서 이제 선생님과 저 여자분이 합법적으로 맺어질 기회를 주셨는데 오히려 선생님은 사랑하는 마음과 높은 인격을 가진 남자라면 절대 내놓을 리 없는 형벌을 그분에게 내렸어요. 아무리 잔혹한 법관조차도 그런 벌은 내리지 않아요. 그분이 떠나고 나니 이제야 여전히 그분을 사랑한다고 하시네요! 선생님, 화내지 마세요, 하지만 가끔 선생님은 정말 어린아이처럼 행동하세요."

"그래요, 물룩 형! 내 잘못이에요. 평온해야 마땅할 사랑의 감정을 내 복수심이 망쳐버렸어요. 솔직히 말하면 하야티가 없는 세상에서 내 고통이 멈출 리 없어요."

"그분도 마찬가지예요! 이 집을 떠나는 발걸음이 천근만근 무거웠다고요. 출발하기 직전까지도 선생님에게 전해달라고 한 말은 어디를 가더라도 선생님을 기억하겠다는 거였어요. 이 편지도 전해달라고 했고요!"

자이누딘은 편지를 펼쳐 온 마음을 다해 읽기 시작했다.

내 생명을 가진 자이누딘!

자이누딘, 당신이 내게서 떠난 뒤 나는 이제 어느 하늘
아래 몸을 의지해야 할까요? 당신 마음속에서 내 이름
을 진작 지워버렸다면 내 삶은 이제 무슨 의미가 있을
까요!

나는 당신이 그토록 오랫동안 품어온 꿈을 이루도록
내 모든 힘과 노력을 다해 당신의 명예를 지키며 당신
곁에 살고 싶다는 큰 희망을 품었어요. 내가 당신에게
저지른 잘못들을 모두 보상하고 싶었어요. 하지만 이
꿈은 이제 영원히 꿈으로만 남게 되었어요.

그 희망을 향해 나아가는 문을 당신이 닫아버렸기 때
문이에요. 그토록 오랜 시간을 거치며 당신 마음속에
자리잡고 만, 그래서 순결한 사랑의 감정을 늘 억누르
게 만든 병적인 복수심으로 나를 의심하면서 당신은
내가 그 문에 들어가는 것을 허락하지 않았어요. 그 복
수를 위해 당신은 내 희망의 끈을 빼앗아가는 너무나
잔인한 결정을 내렸어요. 당신의 희망 역시 거기 함께
걸려 있었는데 말이죠.

자이누딘, 내 말을 믿어주세요, 당신이 정한 그 형벌은
나 한 사람만을 향한 것이 아니에요. 그것은 나뿐 아니
라 우리 둘 모두에게 내리는 형벌이에요. 왜냐하면 나

는 당신이 아직 나를 사랑한다고 믿기 때문이에요.

자이누딘! 만약 내가 없다면 당신의 인생 역시 의미를 잃을 거예요. 믿어주세요!

내 마음속에는 하나의 거대한 자산이 있어요. 당신 역시 그게 무척 필요해요. 그 자산을 나는 누구에게도, 심지어 아지즈에게조차 나눠주지 않았어요. 그것은 바로 사랑이란 이름의 자산이에요. 나는 당신에게 그것이 부족하다는 걸 알아요. 나는 당신의 인생에 매순간 행복을 전해줄 수 있어요. 만약 성실함만을 따진다면 그 어떤 여자도 이 세계에서 나와 겨룰 수 없어요. 왜냐하면 나는 눈물과 고통 속에서 자라났고 슬픔과 비탄으로 이미 마음을 갈가리 찢겨본 적이 있기 때문이에요. 그리고 만약 당신이 내 요구를 허락해줄 용의가 있다면, 만약 내가 당신께 가까이 가는 것을 용납할 용의가 있다면 나 역시 당신에게 어떤 보상이나 대가를 요구하지 않겠어요. 당신에게 행복을 주고 그토록 오랫동안 흘린 눈물을 그치게 하면, 그 보상으로 내가 원하는 것은 오직 그분, 전능하신 알라뿐이에요. 내가 신에게 바라는 두 번째 보상은 마치 반얀나무가 드리운 그림자 밑에서 부드러운 아침 바람을 맞으며 안전하고 평화롭게 자라는 작은 들풀처럼 오직 당신 곁에서 살게 해주는 거예요.

자이누딘! 당신은 왜 나를 용서하지 않는 거죠? 오, 신이여! 이 세상에서 내가 사랑하는 사람이 당신 말고는 아무도 없다는 걸 나는 이미 깨달았어요. 다른 사람과 살면서 나는 단 한 번도 마음의 평화를 얻지 못했어요. 당신을 한 번 좌절시켰던 그 사람도 이제 그 사실을 깨닫고 스스로를 벌했어요. 그는 내 몸은 취할 수 있었지만 마음만은 영원히 가져갈 수 없었어요. 당신을 처음 알게 된 그날부터 내 마음은 오직 당신만을 위한 것이었으니까요.

만약 당신이 내 잘못을 용서해준다면 우리 집안 어른들의 몰이해와 교만했던 태도도 잊어주세요. 만약… 만약 정말로 당신이 용서해준다면 당신의 꿈 역시 이루어질 거예요. 그 모든 일이 벌어진다면 당신은 다른 이들이 아직 손댄 적 없는 순결한 내면과 깨끗한 영혼을 가진 한 여자를 얻게 될 거예요. 한 번도 사람들에게 마음을 빼앗겨본 적 없고 '잃어버린 나의 보석'이란 낙인도 찍히지 않은, 당신이 2년 전, 3년 전에 사랑했던 그 바티푸의 소녀, 당신 서재 벽에 걸려 있는 그 그림 속의 여인을 말이에요.

축복된 삶이라는 이름의 꿀로 가득 찬 사랑의 잔을 신

은 우리 앞에 놓았어요. 잔에 채워진 그 꿀을 우리 두 사람이 마셔 완전히 비우면, 우리는 살아서도 즐겁고 죽어서도 행복하게 활짝 웃는 얼굴로 영원한 내세에 들어갈 수 있었을 거예요. 하지만 당신은 그 잔을 사정 없이 발로 차버렸어요. 잔은 떨어져 깨져버렸고 내용 물도 다 쏟아지고 말았어요. 그로 인해 나는 물론 당신도, 아직 살아 있긴 하지만 한낱 너울거리는 그림자에 지나지 않는 삶을 살게 되었어요. 그리고 우리가 죽음을 맞이할 때 그 모든 걱정과 회한을 껴안고서 가겠죠. 당신이 그토록 잔인하게 내 잘못을 끝내 용서해주지 않은 다른 이유가 있나요? 내가 저지른 배신 때문에 벌써 신께서 내게 고통의 형벌을 연이어 안기셨는데도 요! 당신이 승승장구할 때 나와 남편이 거지가 되어 길에 나앉은 모습을 직접 보셨잖아요? 당신과 결혼하지 않은 결과 내가 어떤 고통을 겪었는지 당신 집에 얹혀 사는 동안 충분히 보셨잖아요?

모든 게… 모든 게 사라져버렸어요. 나한테 행복을 가져다줄 거라 믿은 남편도 사라졌어요. 내가 희구했던 즐거움과 꿈도 모두 사라지고 말았어요. 이 모든 것을 감내했는데도 또다시 당신 입으로 직접 내 예전 잘못들을 들춰내는 책망의 목소리를 들어야 했어요. 내가 잘못을 저지른 것은 분명한 사실이지만 우리가 잘못을 진심으로 회개하면 그 죄악이 아무리 크다 해도 신조차 반드시 용서해주시잖아요.

자이누딘, 어제 당신 서재에 앉아 있던 여인이 누구인지 아시나요? 송곳처럼 폐부를 찌르는 말, 모든 과오와 죄악을 들쑤시며 회한의 말을 쏟아부은, 당신이 아무런 배려도 없이 그 마음을 산산조각 내버린 사람 말이에요.

그 여인은 이제 모든 힘을 소진해 더 이상 손가락 하나 까딱할 수 없는, 오감마저 잃어 아무것도 느낄 수 없는, 아무 의욕도 없이 너울거리는 그림자에 지나지 않아요. 눈은 뜨고 있지만 빛을 잃어 반짝이지 않고 귀는 열려 있지만 듣는 말을 전혀 이해하지 못해요. 몸은 살아 있는 껍데기일 뿐 내면의 힘이 모두 사라져버렸어요.

당신에게 상처받은 여인은 그렇게 되어버렸어요. 그 눈물과 고통을 당신이 전혀 돌아보지 않던 바로 그 여인이에요. 당신이 억센 팔을 휘둘러 복수의 크리스 단검으로 그녀의 심장을 깊이 찔러 피가 뿜어져 나와요. 온몸의 피가 마르도록 계속 흘러나와 그 영혼조차 함께 흘러나가고 말았어요. 당신에게 상처받은 여인은 결국 그렇게 되어버렸어요.

하지만 당신이 내 등에 퍼부은 그 모든 복수, 당신의 모든 과오를 나는 용서합니다. 모두 잊어버리고 모두 용서합니다. 그 이유는 내가 당신을 사랑하기 때문이에요. 그리고 당신이 그리한 것 역시 사랑 때문임을 알아서예요. 내 마지막 바람은 당신이 마음의 평화를 되찾아 이미 지나가버린 과거의 낙담을 털어버리고, 내 사죄를 받아들여 용서해주는 것뿐이에요. 그래서 나를 당신 마음속 원래의 자리에 돌려놓아주세요. 내가 당신을 사랑하는 것처럼 나를 사랑해주고 나를 잊지 마세요.

당신은 내게 고향에 돌아가라 하면서 재혼할 때까지 최선을 다해 돕겠다고 약속하셨죠.

자이누딘! 당신이 없으면 재물과 도움이 무슨 의미가 있겠어요? 내가 당신 가까이 있지 않으면요?

당신이 요구한 대로 나는 고향으로 돌아가요. 하지만 자이누딘, 고향으로 가면서 단 두 가지만 당신에게 기대하고 싶어요. 첫 번째는 내가 예전에 몇 날, 몇 년, 몇 번의 계절이 지나더라도 당신을 기다리겠다고 처음 약속한 대로 당신이 고향에 돌아오는 거예요. 그리고 두 번째는 나 죽을 때 그 자리에 있어주세요. 평생 오직 하늘에만 달려 있던 운을 한탄하며 눈감게 해주세요.

잘 있어요, 자이누딘! 잘 사세요. 아, 내가 이 세상에서
정말 사랑한 사람! 당신 집을 떠난 뒤에도 나는 늘 당
신 이름을 입에 담고 살겠어요. 얼마 후 내세에서 신을
마주할 때에도 내 기도 속에 늘 당신이 있을 거예요.
알라의 손 위에 있는 우리 수명을 그 누가 알겠어요!
내가 먼저 죽는다면 무덤에 찾아와 기도문을 읽어주세
요. 당신 손으로 오색 크로톤을 심어, 고통과 비탄 속에
살다가 그리움과 복수심에 무너져버린 한 젊은 여인이
거기 묻혔다는 증표를 만들어주세요.

이 편지에 죽음이란 말을 왜 이리 많이 썼을까요? 자이
누딘, 나도 잘 모르겠어요. 어쩌면 죽음이 이미 가까이
다가와 있기 때문일까요? 만약 내가 당신보다 먼저 죽
게 된다면 아무쪼록 마음 아파하지 말고, 우리가 이 땅
에서 실로 많은 어려움을 겪었지만 내세에 우리 다시
만나 더 이상 죽음도 막을 수 없고 인간이 정한 관습과
규례로도 갈라놓을 수 없는 관계를 맺도록… 오히려
신에게 드릴 흠 없는 기도를 완성시켜요.

잘 있어요, 자이누딘. 내가 가장 좋아하는 말로 이 편지
를 마치려 해요. 왜 샤하다[64] 문구를 외우며 인생을 마

64   이슬람의 신앙 고백문.

감하는 것 같은 느낌이 드는지 모르겠네요.

"나는 당신을 사랑합니다. 그리고 만일 내가 죽으면 그 죽음조차 당신 마음속 추억이 되겠죠."

내 안부를 받아줘요.

하야티

편지를 다 읽은 뒤 물룩을 돌아보는 자이누딘의 두 볼은 눈물범벅이 되어 있었다.

"물룩 형!"

그는 한참 동안 눈물을 닦은 다음에야 입을 열었다.

"이따 저녁에 기차편으로 자카르타에 가겠어요. 내일 아침 9시면 탄중프리옥에 도착할 거예요. 수라바야에서 오는 선박은 보통 오전 7시경 입항해요. 하야티를 도로 태워 오겠어요. 이곳으로 도로 데려올게요."

"가장 훌륭한 결정이에요, 선생님."

물룩은 의자에서 일어나 자이누딘에게 다가가 그의 어깨를 쓰다듬으며 말을 이었다.

"아무쪼록 두 분의 슬픔도 이쯤에서 멈췄으면 좋겠어요. 알라께서 두 분 모두 불쌍히 여기시길…."

자이누딘은 그날 저녁 기차편으로 자카르타로 출발해 탄중프리옥에서 하야티를 돌려세워 수라바야로 데리고 돌아올 생각을 굳혔다. 그렇게 되면 세상은 밝아져 안개가 걷히고 비도 그쳐 바야흐로 행복한 삶이 펼쳐지기 시작할 터였다.

하지만 인간의 계획은 운명을 거스르지 못한다!

자이누딘이 출발을 준비하던 오후 3시경에 수라바야 시내에서 발행한 일간지들이 집에 배달되었다. 생각 한켠이 항상 신문사 일에 묶여 있던 사람으로서 그는 신문들을 책상에 올려놓고 곧바로 열어보다가 커다란 활자가 찍힌 1면 기사와 마주쳤다.

'판데르베익호 침몰하다.'

의자에 주저앉은 그는 몸을 떨며 기사를 읽어 내려갔다.

판데르베익호 침몰하다

매초 그 배는 바다 밑바닥을 향해 사라져가고 있다.

수라바야, 10월 20일(아네타[65]), 새벽 1시. 이곳 해군사령부는 판데르베익호로부터 배가 기울어 구조를 요청한다는 연락(S.O.S.)을 받았다. 해군은 연락을 받자마자 곧바로 필요한 구조반을 출동시켰다. 문제의 선박은 저녁 9시에 수라바야를 출발해 스마랑을 향하고 있었다. 침몰 지점은 탄중파키스 북방 15마일 해상이다. 수라바

65　네덜란드령 동인도 식민지 시절 네덜란드 뉴스통신사.

야에서 출동한 해군 항공기 도르니에르는 많은 입수자를 발견했다. 도르니에르와 함께 선박 레아엘호도 구조를 도왔다. 다른 항공기들도 사고 해역으로 출동했다. 얼마나 많은 익사자가 발생했는지는 아직 알려지지 않았다.

자카르타, 10월 20일(아네타). K.P.M. 해운 이사진은 다음과 같은 공지문을 발표했다: 판데르베익호로부터 "S.O.S. 배가 기운다"는 무선 연락이 있었다. 이 선박은 수라바야에서 저녁 9시에 출항해 11시 20분 한 등대선을 지났다. 우리는 이 선박과 무선 연락을 하기 위해 백방으로 노력했으나 최초 구조 요청 이후 판데르베익호로부터 후속 연락은 오지 않았다. 선박이 지나간 예의 등대선으로부터 서쪽 20마일에서 35마일 사이를 수색하기 위해 오늘 아침 두 대의 항공기가 수라바야에서 이륙했고 레아엘호, 예인선 드용호, 메이넌레허르레이헬호 등 다른 선박들도 구조를 위해 사고 해역으로 출발했다. 아침 7시 45분, 도르니에르는 판데르베익호가 수라바야 등대선으로부터 남서쪽 방향 약 22마일 해상에서 침몰했다고 보고했다. 이 항공기는 많은 입수자를 발견했다. 수라바야에서는 여러 지원 선박과 함께 의사들과 간호사들도 출발했다. 침몰한 배의 최대 승선 인원은 250명이다.

43명의 부상자가 도르니에르 항공기편에 구조되어 곧바로 수라바야로 이송되었다. 31명의 인도네시아 승객과 8명의 네덜란드 승객도 어선들에 의해 구조되었다. 그 외에도 구조를 위한 다양한 방법과 노력이 전개되었다. 모로크람방안에는 네덜란드인 2명을 포함해 구조된 승객 43명이 도착했다. 일등항해사는 다른 20명과 함께 투반 근처에 상륙했다. 그는 도착하자마자 수라바야로 전화를 걸어 이 끔찍한 사고가 단 5분 만에 일어나 배의 침몰 원인을 알 수 없었다고 말했다. 아직 발견되지 않은 승객은 유럽인 어른 8명과 어린이 3명, 무선기사 1명, 사무원 2명, 인도네시아인 59명이며 이들을 찾기 위한 노력이 계속되고 있다.

이런 기사들이 신문마다 1면을 장식하고 있었다. 자이누딘은 온몸이 부들부들 떨렸다. 그는 다급한 목소리로 물룩을 불렀다. 물룩 역시 다른 신문에서 기사를 읽은 모양이었다.

"하야티가 사고를 당했어요, 물룩 형!"

"맞아요, 아직 59명을 찾지 못했대요."

"우리 당장 투반으로 출발해요!"

물룩이 대답하기도 전에 자이누딘은 이미 큰길로 내달리고 있었다. 물룩도 뒤따라 달려나왔고 두 사람은 택시를 잡아 타고 사고 지역으로 향했다.

비싸게 임대한 택시가 투반에 들어서자 물룩이 말했다.

"K.P.M. 지점 사무실로 가서 추가로 들어온 내용을 확인하는 게 좋겠어요."

"그래요!"

택시는 K.P.M. 사무실로 향했다. 거기에는 이미 네덜란 드인들을 비롯해 수많은 사람이 몰려와 있었다. 그들은 모두 어두운 얼굴을 하고서 침몰한 배 소식을 기다리고 있었다. 얼마 후 그곳 지점에서 유선으로 긴 공지문을 받았는데 대부분 앞서 보도된 내용이었고, 추가된 것이라곤 바로 직전 라몽안에서 온 전화로 확인된 추가 구조 상황인데 브론동 해안에서 어선들이 많은 인원을 구조했다는 내용이었다. 라몽안과 브론동 지역의 총독부 지소와 경찰의 도움을 받아 부상자들은 치료를 위해 병원으로 이송되었다.

~~~

그들을 태운 택시는 어느새 동부 자바의 라몽안군(郡)을 향했다. 거기까지는 두 시간 정도 걸렸다. 그곳에도 많은 사람이 여기저기 무리를 지어 침몰한 배 이야기를 하고 있었다. 그들은 병원으로 직진했다. 그곳에는 한눈에도 아까보다 훨씬 많은 사람이 모여들어 있었다. 배에 탄 가족의 생사를 확인하기 위해 수라바야에서 왔다고 설명한 뒤에야 그들에게 병원 입장이 허용되었다.

병실에 있는 부상자들 중에는 경상자는 물론 부상이 심한 사람도 보였다. 그들은 여성용 병실로 들어갔다. 많은 사람이 누워 있었고 사납게 우는 아이들을 바쁜 간호사들이 달래는 모습도 보였다. 한 간호사의 안내를 받아 어느 병상에 다다르자 창백한 젊은 여인이 거기 누워 있었다.

하야티였다! 머리와 다리에 잔뜩 붕대를 감았지만… 아직 숨을 쉬고 있었다.

하야티는 어선의 도움으로 구조되었다. 신문기사에 따르면 어선들이 구조한 사람들은 카스리빈호와 블림빙호 53명, 스라팁호 21명, 트루노레조호 22명, 마르주키호 17명, 마트위호 32명 등이었다. 부상당하지 않은 사람들은 곧바로 수라바야로 갈 수 있었지만 부상당한 이들은 군수와 부지사의 명령에 따라 완치될 때까지, 또는 가족들이 데리러 올 때까지 우선 라몽안 병원에서 치료를 받도록 했다.

자이누딘은 물룩과 함께 조용히 서서 정신을 잃고서 깨어나지 못하는 그녀가 눈을 뜨길 기다렸다. 그들이 복잡한 심정으로 그 모습을 바라보고 있을 때 한 여성 간호사가 다가와 속삭였다.

"혹시 성함이 자이누딘 님 맞나요?"

"네, 그런데 어떻게 아세요?"

자이누딘이 물었다.

"여자분이 여기 들어올 때 피가 흐르는 머리를 자신의 슬렌당으로 묶은 상태였어요. 슬렌당을 풀고 붕대로 바꿀 때 둘둘 감은 슬렌당 안쪽에서 그림이 나왔는데 그 밑에 당신의 이름이, 자이누딘이라는 글자가 쓰여 있었어요."

자이누딘은 누워 있는 여인의 얼굴을 사랑 가득한 시선으로 내려다보았다. 하야티가 자신에 대해 어떤 감정을 가지고 있는지 분명히 깨닫는 순간이었다.

"기다리세요. 스스로 눈을 뜰 때까지요."

간호사가 말했다.

"어떻게… 살아나겠습니까?"

물룩이 물었다.

"사람 목숨의 일을 누가 감히 단정할 수 있겠어요?"

간호사의 대답이었다.

"우리가 할 수 있는 일은 그저 최선을 다하는 것뿐이에요."

그들이 하야티 근처에서 반 시간 정도 주변 다른 환자들의 비명과 신음을 듣고 있을 때 그녀가 조금씩 머리를 움직이

더니 얼마 지나지 않아 눈을 떴다. 그녀는 한참 동안 자이누딘의 얼굴을 바라보다가 왈칵 눈물을 쏟았다. 희망의 빛이 순간 엿보였다.

"당신… 자인[66]…."

"그래요, 하야티! 알라께서 우리가 헤어지길 원치 않는 거예요. 의사에게 허락받는 대로 우리 수라바야로 돌아가요."

그녀는 천천히 물룩도 돌아보았다.

"물룩… 씨! 펴, 편지!"

"네, 하야티, 이미 전해주었어요!"

물룩은 금방이라도 울음을 터뜨릴 듯 목이 메었다. 하야티는 다시 정신을 잃었다.

간호사가 이번에는 다른 환자를 보던 의사와 함께 돌아왔다. 의사는 젊은 여인의 안색을 살피고 손목에서 맥을 짚은 뒤 숨소리를 들었다. 한참을 진찰한 의사는 일어섰다.

"좀 어떻습니까, 의사 선생님?"

자이누딘이 걱정스러운 표정으로 물었다.

"상태가 매우 좋지 않아요. 피를 너무 많이 흘렸어요. 지금 열도 높고요."

"필요하다면 제 피를 수혈해주세요. 의사 선생님, 제발 살

66　하야티가 자이누딘을 친근하게 부르는 호칭.

려주세요."

"안타깝게도 여긴 장비가 부족합니다. 방금 전 수라바야에 지원을 요청했으니 의사가 몇 명 더 도와주러 올 거예요."

의사는 그렇게 말하고선 다른 환자를 보러 돌아섰다.

벌써 날이 저물고 있는데 환자는 아직 곤히 자는 중이어서 자이누딘과 물룩은 그 위중함을 알지 못한 채 계속 병상을 지키고 있었다. 하야티는 밤 10시경 다시 눈을 떴다. 이런 일을 잘 알고, 또 죽어가는 사람의 증세를 많이 보아온 사람이라면 그녀의 얼굴에 나타나기 시작한 징후를 보고 눈치챘을 것이다. 눈빛은 흐리고 입술은 말려 올라갔다. 그녀는 고개를 움직여 자이누딘을 가까이 오게 했다. 그가 다가가자 그녀가 속삭였다.

"자인, 당신이… 의사에게 하는 말을… 들었어요. 난… 이제… 시간이 다되었다는 걸… 알아요."

"아니요, 하야티! 당신은 곧 회복해서 수라바야로 돌아가고 우리는 꿈을 이룰 거예요. 행복하게, 둘이서… 살 거라고요! 안 돼요… 하야티! 안 돼요!"

"참아내요… 자인, 죽음의 빛이 이미 내 얼굴에 드리우고 있어요! 나는 죽어도… 당신이 날 사랑한다는 걸 알았으니 여한이 없어요!"

"내 삶은 당신만을 위한 것이오, 하야티!"

"저도요…."

몇 분 후 다시 눈을 뜬 그녀가 고개를 움직여 자이누딘을 가까이 불렀다. 그녀가 속삭였다.

"내 귀에… 신앙 고백을 두 번… 암송해… 주세요."

자이누딘이 샤하다 신앙 고백을 세 번 암송하는 동안 하야티는 처음에는 혀로 따라 했고 두 번째는 눈을 움직여 따랐고 세 번째는… 벌써 이 세상 사람이 아니었다!

물룩은 이 젊은 여인이 마지막 생을 마감하는 것을 아무 말도 못 한 채 조용히 바라보기만 했다. 자이누딘은 어쩔 줄 몰라하며 물룩을 돌아보았는데 그의 눈은 마치 "이럴 리 없어!"라고 말하는 듯했다.

병상 가까이에 서 있던 다른 사람들도 시신에 조의를 표하며 현세와의 이별을 애도했다. 병실에는 잠시 적막이 감돌았다.

얼마 지나지 않아 사람들은 한 명 한 명 자이누딘과 물룩에게 정중히 조의를 표하며 자리를 떠났다. 자이누딘은 격한 마음을 억누르지 못하고 그녀에게 다가가 쪽찐 머리를 쓰다듬으며 그녀의 뺨을 자신의 눈물로 적셨다.

그는 몸을 숙여 마치 오래전 족장을 알현하며 그 손에 입을 맞추던 노예처럼, 그녀의 손을 잡고 움직이지도 좌우를 돌아보지도 않고 있더니 이윽고 그녀의 이마를 다시 한번 쓰다듬고는 이미 창백해진 입술에 입을 맞추었다. 살아서 운명을 만들어갔을 그 입맞춤, 그러나 그녀의 생명은 이미 사라진 뒤였다. 그러고 나서 그도 정신을 잃고 쓰러졌다.

27. 하야티를 보낸 후

물룩은 하야티의 시신과 몸져누운 자이누딘을 데리고 수라바야로 돌아왔다. 하야티는 수라바야에 매장되었다. 그녀의 시신을 운구할 때 많은 사람이 모여들었는데 대부분 수마트라 출신이었다.

시신을 매장한 뒤 남은 것은 추억뿐이었다. 책장 위에 걸린 큰 그림이 아직도 그들을 바라보고 있었다. 머리를 묶었던 피 묻은 슬렌당과 자이누딘의 그림은 바닷물을 먹어 찌들어 버렸고 세 장에 걸쳐 쓴 하야티의 마지막 편지는 자이누딘의 집필 책상에 가지런히 놓여 있었다.

자이누딘은 매일 서재에 앉아 감상에 젖은 채 하야티의 편지를 하염없이 들여다보았다. 그러면서 종종 스스로를 책망했고 그의 안색은 날이 갈수록 어두워졌다.

하야티의 시신을 매장한 지 사흘째 되는 날 자이누딘은 물룩에게 무덤을 돌아보자고 했다. 그들은 함께 가서 도랑을 파고 무덤을 단장하면서 하야티의 유언대로 오색 크로톤도 심었다.

대리석으로 만든 묘비에는 이런 문구가 새겨졌다.

하야티
판데르베익호 사고로 사망하다
1936년 10월 20일

자이누딘은 집으로 돌아가기 전에 묘비를 바라보며 말했다.

"나는 나중에 당신 곁에 묻히리란 희망을 품고 있어요."

그 사건이 있은 후 자이누딘은 점점 더 쇠약해졌다. 숨도 가빠지고 머릿속은 끊임없는 비탄과 회한만이 소용돌이쳤다. 그는 지금의 삶이 조금도 흥미로울 것 없는 지루한 땅에 잠시 머무는 것이라 여겼다. 그는 마치 한시라도 빨리 출발하려고 기차역 광장에서 초조하게 시계만 바라보며 서 있는 사람 같았다. 의욕이 눈에 띄게 줄어 작품에 관심을 갖고 찾아오는 손님을 받는 것도 그다지 좋아하지 않게 되었다. 외출도 거의 하지 않았다.

그는 혼자 방 안에 앉아 말랑 호텔에서 한밤중에 들었던, 그를 부르는 하야티의 목소리를 다시 듣곤 했다. 침몰하기 시작한 판데르베익호 안으로 물살이 세차게 밀려들어오는 소리도 들리는 듯했다. 사람들은 판데르베익호가 왜 갑자기 바다 밑바닥으로 가라앉았는지 끝까지 원인을 알아내지 못했다. 도움을 청하는 하야티의 비명이 귓전을 때리는데 주변 사람들 역시 각자의 영혼을 수습하느라 그녀를 도울 겨를이 없었다.

그때 나는 왜 그녀의 손을 차갑게 놓으며 가버리라고 했을까, 왜 붙잡지 않았을까, 이 집에서 함께 살 수 있도록 허락을 구하며 흐느끼는 그녀를 왜 그토록 모질게 쫓아냈을까, 왜 그녀의 인생을 돌봐주지 못했을까, 왜 그녀가 꿈과 삶의 계획을 되찾도록 돕지 않았을까?

그는 그녀가 사랑에 대해 얼마나 성실하고 강고한 사람인지를 떠올렸다. 거대한 파도가 밀려들던 절체절명의 순간, 자이누딘의 그림과 함께 슬렌당을 머리에 묶던 그녀의 모습….

그 일이 있고 한두 달 동안 자이누딘은 하야티의 무덤에 거의 매일 찾아갔다. 그렇지만 그의 평온한 인생을 기원하며 그가 잘못된 생각을 하지 않도록 물룩이 계속 주시한 덕에, 그 역시 서서히 그 슬픈 사건을 잊기 시작하면서 극단적인 생각 역시 조금씩 줄어들어 마침내 다시 글을 쓰고 소설책을 만들기 시작했다. 내용은 예전에 비해 더욱 깊어지고 흥미로워졌지만 인쇄소로 보내지는 않았다.

28. 맺는말

그로부터 1년 후.

그 사건으로 하야티가 죽은 후 자이누딘은 손님 응대를 거의 하지 않아 친구들도 그를 잘 만날 수 없었다. 그래서 그의 상태나 근황은 사람들에게 그다지 알려지지 않았다.

그러던 어느 날 수라바야 일간지들이 일제히 이런 기사를 실었다.

유명 작가 자이누딘 별세

이름이 널리 알려진 이 젊은 작가는, 이미 우리는 매우 감미롭고도 흥미진진한 그의 작품을 오랫동안 다시 접하지 못했는데, 어젯밤 칼리아신 자택에서 세상을 떠났다. 그는 일전에 판데르베익호 사고로 세상을 떠난 그의 가족, 한 여인 곁에 매장되었다. 많은 친구가 그를 무덤까지 배웅했다.

몇몇 신문사와 작가들이 그의 집을 다녀갔다. 그들은 침통한 표정으로 앉아 있는 여러 수마트라 출신 청년들과 중년 여인들을 만났는데 거기 물룩도 있었다. 신문사 대표들도 다녀갔다. 그들은 조문이 끝난 후, 다른 사람들의 슬픔과 가난에 대해 수많은 글을 쓰고, 헐벗고 가난한 이들의 치유를 위해 발벗고 나섰던 이의 죽음에 대해 물룩에게 물었다. 그것은 그들의 의무이기도 했다.

물룩이 대답했다.

"나의 선생님이자 가장 친한 벗, 그리고 가장 사랑하던 분이 이처럼 급히 곁을 떠나리라고는 미처 생각하지 못했습니다. 어젯밤 그분은 서재에 들어가면서 다음 날 아침 일찍 깨워 달라고 하셨어요. 그런데 새벽 3시경 그가 고통으로 신음하는 소리가 들렸습니다. 저는 곧바로 그의 용태를 보러 갔어요. 숨쉬기가 매우 어려워 보여 즉시 의사를 불렀습니다. 안타깝게도 의사는 병명을 알아내는 데 그쳤을 뿐 치료까지는 못했습니다. 한 작품의 마지막 부분을 쓰던 중에 심장이 너무 거세게 뛴 겁니다. 혀가 오그라들어 아무 말씀도 할 수 없었어요. 그분은 의사 선생님 옆에 누운 채 머리를 돌려 나를 뚫어지게 보았습니다. 마치 하고 싶은 말이 있는 것처럼요. 그런 후 그분은 서류 뭉치를 넣은 가방을 보았습니다. 그러고는 다시 내 얼굴을 한참 동안 바라보셨어요. 마지막으로 그분은 저 벽에 걸린 큰 그림을 바라보셨어요. 그런 후 돌아가셨어요. 영원히 떠나신 겁니다. 시신은 어제 낮에 그가 무척이나 사랑한 하야티의 무덤 곁에 매장했습니다. 그의 명성에 근원이던 분이죠. 무덤에서 돌아온 후 나는 서류 뭉치를 꺼내 읽었습니다.

유언장

나에게는 내 재산을 물려받을 가족이 없습니다. 나의 얼마 안 되는 돈은 은행에 보관되어 있습니다. 모든 돈은 내가 아플 때나 즐거울 때나 몇 해 동안 곁을 지켜준 나의 벗 물룩에게 선물로 전합니다. 멩카사르에 있는 아버지와 어머니의 유산 역시 이를 관리해준 다엥 마시가에게 선물합니다.

내 작품들은 아낙 수마트라 클럽에 양도합니다. 작품들이 출판되어 발생하는 수입과 이익은 꿈을 추구함에 어려움을 겪는 젊은이들을 돕는 데에 사용될 것입니다.

나는 정말 궁금합니다."

물룩은 말을 이어갔다.

"선생님은 왜 이런 유언장을 작성하신 걸까요? 자살이라도 해서 죽을 생각을 미리부터 하신 걸까요? 하지만 하야티가 죽은 후 그분의 건강이 줄곧 좋지 않은 걸 생각하니 그런 궁금증은 금방 없어졌습니다. 입으로는 죽겠다는 말씀을 참 많이도 하셨죠. 그분은 한 작품의 마지막 부분을 쓰다가 돌아가셨어요. 그 마지막 작품이 책상에 놓여 있습니다. '…그리고 내

민족의 위대함과 내 조국의 통일 역시 성취될 것이다. 차별과 혐오의 감정을 버리고 나면 공정하고 행복….' '행복'이라는 단어에서 글이 끊겨 그 뒤 이야기는 사실 불분명합니다. 펜은 그 종이 위에 놓여 있습니다. 지금, 그분은 재물을 남겨주었지만 그게 나한테 무슨 소용이 있겠어요. 나는 고귀하고도 순결한 내면을 지닌 그분, 오랜 기간 알아온 벗이자 선생님을 잃었습니다. 그러니 그런 재물이 무슨 소용이 있겠어요? 나는 그분을, 살아생전 그분의 사상이 된 사람의 무덤 곁에 묻어드렸습니다. 그분은 살아 계실 때 그 무덤을 매일 쓰다듬고 단장하셨죠. 보름달이 뜨면 그분은 또 그곳을 찾아가서 깊은 생각에 잠기곤 하셨어요. 그곳에 그분을 묻어드리고 나니 내 마음이 무척 만족스럽습니다. 이들 나란히 들어선 두 기의 무덤이 처음 찾아오는 분들에게 가르침을 담은 그림이 되고 교훈을 담은 이야기가 되길 바랍니다."

여기까지가 물룩이 한 이야기다.

평생 사랑 때문에 부딪치고 고민하면서도 민족의 영광을 위한 첫 번째 기초석을 세운 선구자 중 한 사람이던 이 위대한 인물은 이렇게 일생의 막을 내렸다. 죽을 때까지도 그는 사랑으로 가득 찬 인물이었다. 그는 세상을 떠났지만 이 땅의 역사는 그의 이름을 잊지 않고 그 기여한 바를 보존할 것이다.

높은 이상을 가진 모든 이의 운명은 이러하리니 그들의

기쁨은 스스로를 위한 것이 아니라 다른 이들을 위한 것이다.

그가 눈을 감은 뒤에야 비로소 사람들은 그가 누구였는지 깨달을 것이다.

아시아문학 시리즈에 포함시킬 인도네시아 작품을 선별할 때 함카의《판데르베익호의 침몰》과 마라 루슬리의《시티 누르바야》(1922)라는 작품 사이에서 고민하지 않을 수 없었다. 두 작품 모두 식민지 시대에 쓰였고, 공교롭게도 둘 다 독특한 전통과 관습을 가진 서부 수마트라 미낭카바우 지방이 배경이었다. 훌륭한 최근작이 없던 것은 아니나 거의 100년 전 소설을 후보에 넣은 것은 이들이 인도네시아 문학을 논할 때 비켜 갈 수 없는, 현대 소설 초창기의 기념비적 작품이란 점에 주목했기 때문이다. 이 중《판데르베익호의 침몰》로 결정한 것은 작가 함카가 인도네시아 문화사는 물론 교육, 종교, 정치사에서 차지하는 비중을 고려한 결과다.

함카는 언론인이자 작가였으며, 이후 이슬람연합체 성격의 정당인 마슈미당을 기반으로 현실 정치에 뛰어든 인물이다. 그는 미낭카바우 지역을 포함한 수마트라의 독립을 도모해 부킷팅기를 중심으로 군사 봉기를 일으킨 PRRI 반란 사건에 연루되어 옥고를 치르기도 했다. 그의 인생을 관통하는 하나의 키워드를 들라면 그것은 '이슬람'이다. 그는 인도네시아 거대 이슬람 조직 중 하나인 무함마디야에 몸담으며 주요 직책을 거친 성직

자였다. 자신을 투옥했던 수카르노 초대 대통령이 실각하고 몇 년 뒤 서거하자 기꺼이 그의 장례식을 집전하기도 했다.

일견 딱딱하고 종교적으로 흐를 것만 같은 그의 작품들은 실상 가슴 설레는 로맨스를 많이 담고 있다. 《판데르베익호의 침몰》에서도 훗날 이슬람 큰 선생으로 추앙받는 성직자가 써내려간 아름답고 섬세한 표현에 감탄하지 않을 수 없다. 종교 지도자 격인 울라마가 연애 소설을 썼다는 점에서 엄숙한 종교인들로부터 비난을 받기도 했지만, 그는 별로 개의치 않았고 종교적으로도 문제가 없다고 생각했다. 이로써 그가 자신의 작품을 통해 이슬람이 사랑과 관용을 가르치는 종교임을 드러내고자 했음을 알 수 있다.

《판데르베익호의 침몰》이 북부 수마트라 메단에서 발행되던 잡지 《민중의 나침반》에 연재된 1938년, 막 서른 살이 된 함카는 이미 무함마디야의 주역이었고 미낭카바우 전통 사회의 관례와 풍습에 있어서도 한 점 하자 없는 인물이었다. 그가 미낭카바우만의 독특한 모계 상속 문화와 그로 인해 파생된 다양한 문제들, 외부인에 대한 고질적인 차별, 여성에 대한 가혹한 속박을 이 책에서 치열하게 비판한 것에 대해, 후대에 그를 연구한 사람들은 무함마디야의 기조 전파에 아닷이라는 단어로 대변되는 현지 전통과 관습이 걸림돌이 되었기 때문이라 분석한다. 함카 스스로도 당시 무함마디야 대회 연설에서 그런 취지의 발언을 한 것으로 알려져 있다.

하지만 이 책에 표출된 함카의 비판 정신은 종교적인 관점을 넘어, 작가가 인간의 본질과 상식에 더욱 주목한 결과다. 늘 주류 사회에 머물며 사람들 칭송에 익숙하던 그가 이 소설에서 아버지의 고향에서조차 아낙피상이라 불리며 굴러 들어온 돌 취급을 받던 자이누딘과, 여성에 대해 촘촘하기 그지없는 전통 사회의 속박 속에서 진정한 자아를 찾기 위해 고군분투하는 하야티를 조명하며 그 상황을 절절히 묘사한 것은 그에게 다른 사람의 입장을 십분 공감하는 각별한 역지사지의 마음이 있었기 때문이다. 어떤 작품이 시대를 관통하는 고전이 되는 것은 그 작품이 발산하는 고결하고도 유려한 아우라가 작가의 공감 능력이란 기초 위에 있을 때 가능하다.

미낭카바우의 전통이 매우 독특하다는 것은 번역에 큰 걸림돌이었다. 그래서 번역 후기를 쓰기 시작할 때 가장 먼저 떠오른 사람이 페페다. 반둥 파라향안 대학을 졸업하고 한양대학교 어학원에서도 공부한 페페의 본명은 푸트리 퍼르마타사리. 한국어 전공이 아니면서도 유창하게 우리말을 구사하는 젊은 통번역사인 그녀는 이 책에 내포된 미낭카바우 지역 전통과 관례를 성심껏 조사해주었다. 여러 차례 퇴고를 거듭하면서 뭔가 위화감이 생기는 부분이나 충분히 이해하지 못하고 쓴 묘사들을 발견할 수밖에 없었는데, 그럴 때마다 나는 내 생각의 흐름에 따라 쭉 이야기하고 페페는 인도네시아인의 감각으로 이야기하면서 문제를 해결했다.

또한 악바르 퍼르다나라는 미낭카바우 출신 변호사가 많은 도움을 주었다. 그는《판데르베익호의 침몰》을 추천해준 사람 중 한 명으로 바쁜 업무 중에도 늘 흔쾌히 자문에 응해주었다. 특히 사전은 물론 건전한 상식과 대화로도 해결되지 않는 미낭카바우의 난해한 관습과 속담 등은 그의 도움을 많이 받았다. 그를 비롯해 주변의 미낭카바우 출신 지인들을 번역 기간 내내 괴롭힌 것은 깊이 반성 중이다. 이 책이 만약 영화라면, 처음 한 세예스24문화재단과 인연을 맺게 해준 사공경 선생님과, 가용한 모든 도움과 응원을 아끼지 않은 아주 작은 한인 문학동아리 '은영동(隱英洞)'의 이은주 시인, 이영미 작가도 엔딩 크레딧에 올라야 한다.

인도네시아의 대표 영화사 팔콘픽처스와 2018년부터 3년 연속 국내 영화 흥행 순위 1위 영화들을 연출한 파자르 부스토미 감독이 제작한 〈부야 함카〉라는 전기 영화의 개봉 계획이 알려졌을 때 참 특별한 우연이라 느꼈다. 부야는 아랍어에 어원을 둔 '아버지'란 의미의 경칭이다. 당초 2020년 개봉 예정이던 이 영화는 코로나19 팬데믹으로 인도네시아 상영관들이 반년 넘게 문을 닫았고 영업을 재개한 다음에도 관객들이 돌아오지 않아 2021년으로 개봉을 연기했는데, 어쩌면 이 책과 영화 〈부야 함카〉는 적도를 사이에 두고 멀리 떨어진 양국에서 때맞추어 서로를 축하하는 의미를 갖는 듯하다.

1860년 암스테르담에서 출간된 네덜란드 소설 《막스 하벨라르》(시와진실, 2019)를 한국외국어대학교 양승윤 명예교수와 공동으로 번역한 적이 있는데, 어쩌다 보니 내 정체성이 80~160년쯤 전에 출간된 작품들만 취급하는 고전 전문 번역가로 고착되는 느낌도 든다. 뭐, 나쁘지 않은 일이다.

지난 몇 년 사이 에카 쿠르니아완의 《호랑이 남자》(오월의봄, 2018), 《아름다움 그것은 상처》(오월의봄, 2017) 같은 인도네시아 현대 소설들이 한국에 소개되었는데, 이 책도 그간 영미권 작품들이 대부분을 차지해온 한국 서점가의 번역서 편식 상황 개선에 기여할 또 하나의 작품으로 자리매김했으면 하는 바람을 품어본다.

같은 목표를 가지고 아시아문학 소개 프로젝트를 진행하면서 이 책을 번역할 기회를 준 한세예스24문화재단에 깊은 감사의 마음을 전한다.

1908년	2월 17일 서부 수마트라 아감의 숭아이 바탕 지역에 해당하는 타나 시라에서 출생. 본명은 압둘 말릭 카림 암룰라.
1916년	자이누딘 라바이 엘 유누시가 디니야 종교학교를 열고 사원을 중심으로 전통적 교육 시스템을 개혁하던 시기에 학교 입학.
1918년	중학교 중퇴.
1920년	부모 이혼.
1922년	부모의 이혼으로 방황하던 아들의 장래를 걱정한 아버지가 파라벡의 울라마 인 셱 이브라힘 무사에게 데려가 뭉아지(코란 읽기) 공부 사사.
1924년	7월 자바섬으로 떠나 같은 미낭 출신인 마라 인탄, 삼촌 자파르 암룰라, 코란 선생 키 바구스 하디쿠수모 등과 교류. 사레캇 이슬람(이슬람연합)에 가입해 HOS 트조크로아미노토, 수료프라노토 등의 교사들과도 교류.
1925년	족자의 무함마디야 큰선생이 미낭카바우에 파견한 자형 수탄 만수르와 함께 지부 구축. 그해 무함마디야 파당판장 지부의 부지부장 취임.
1927년	2월 초 블라완 항구에서 제다로 출발. 메카에 입성하여 7개월간 지내며 이슬람과 아랍어 수학.
1928년	《시바라야》 출간.
1929년	4월 5일 싯티 라함과 결혼. 잡지 《시대의 갈망》을 창간했지만 5호까지 발행하고 폐간. 이 시기에 《이슬람

수호》,《미낭카바우 관습과 이슬람》등 출간.

1931년	벵칼리스에 무함마디야 지부 설립. 마카사르에서 열리는 제21회 무함마디야 대회 준비위원장 취임.
1932년	마카사르에 머물며《이슬람의 의무》,《라일라 마즈눈》등 집필.
1934년	서부 수마트라와 잠비, 리아우를 대표하는 중부 수마트라 무함마디야 대의원회 회원으로 승격.
1936년	마카사르에서 메단으로 돌아와《민중의 나침반》편집장 취임.
1938년	《카바의 보호 아래》출간.
1939년	《판데르베익호의 침몰》,《집을 떠나 델리로》출간.
1944년	1942년부터 시작된 일본군 강점 상황에서 동부 수마트라 주둔 나카시마 중장의 고문 역할.
1945~1949년	인도네시아 독립전쟁 기간에 지역 및 도시 수호 전선 게릴라전 가담.
1949년	가족과 함께 자카르타로 이사.
1950년	메카로 하지 순례를 한 뒤 인근의 아랍 국가를 방문하며 영감을 얻어《성지에서 빛으로 목욕》,《나일 계곡에서》,《다자강 유역에서》등 세 편의 소설 집필.
1952년	미국 외무부 초청으로 미국을 방문한 뒤《미국에서의 4개월》집필.
1953년	키 망운사르코로가 이끄는 문화 사절의 일원으로 태국 방문.
1954년	버마에서 열린 싯다르타 가우타마 열반 2천 년 기념식에 인도네시아 종교부 대표로 참석.
1955년	총선을 통해 마슈미당을 대표하는 헌정 위원으로 선출되어 수카르노의 교도민주주의를 반대하고 모함마

드 낫시르, 모함마드 로음, 이사 안샤리 등과 함께 이
슬람 샤리아법 도입 주장.

1958년   파키스탄 라호르 소재 펀잡 대학에서 열린 이슬람 대
회에 참석한 다음, 수카르노 대통령 이집트 국빈 방문
수행.

1960년   8월 17일 수카르노 대통령의 탄압을 받아 마슈미당이
해산되며 함카를 비롯한 당 지도부 투옥.

1967년   수카르노 실각 후 11월 30일 정부-종교 간 회의를 통
해 종교인 탄압 금지 요구.

1968년   알제리의 아나바 기념 모스크와 스페인, 로마, 터키,
런던, 사우디아라비아, 태국을 연이어 방문.

1969년   모로코의 라바트에서 열린 이슬람 고위급 회의에 인
도네시아 대표로 참석해 팔레스타인-이스라엘 갈등에
대해 논의.

1970년   수카르노 초대 대통령 서거, 장례식 집전.

1974년   6월 8일 말레이시아 민족대학에서 명예 학위 수여.

1975년   인도네시아 울라마 대의원회(MUI) 초대의장 취임.

1976년   동말레이시아 사라왁 쿠칭에서 열린 이슬람 대회 참
석. '말레이 문학에 대한 이슬람의 영향'이라는 제목으
로 말레이시아 국립대학교에서 열린 말레이시아 문화
및 이슬람 세미나 참석.

1977년   라호르에서 열린 무함마드 익발 100주년 기념회와 카
이로에서 열린 울라마 대회 참석.

1981년   5월 19일 인도네시아 울라마 대의원회 의장 사임.
7월 24일 타계. 자카르타 외곽 타나쿠시르 공동묘지
에 안장.

옮긴이 배동선

인도네시아 자카르타에 거주 중인 전문 번역가. 한국외국어대학교 영어과를 졸업했으며, 제18회 재외동포문학상 소설 부문을 수상했다. 《수카르노와 인도네시아 현대사》를 집필했고, 1860년 네덜란드에서 출간된 식민지의 사정을 폭로한 고발 소설 《막스 하벨라르》 완역본을 한국외국어대학교 양승윤 명예교수와 공역했다. 이외에 청비스튜디오와 협업한 '인도네시아 호러 만화(Komik Horer Nusantara)' 시리즈를 인도네시아에 소개했다.

판데르베익호의 침몰

1판 1쇄 인쇄 2022년 1월 3일
1판 1쇄 발행 2022년 1월 10일

지은이 · 함카
옮긴이 · 배동선

펴낸이 · 조영수
펴낸곳 · 한세예스24문화재단

편　집 · 눈씨
디자인 · STUDIO BEAR

출판등록 · 2018년 4월 3일 제2018-000044호
주소 · (07237) 서울시 영등포구 은행로 3 익스콘벤처타워 610호
대표전화 · 02-3779-0900 | 팩스 · 02-3779-5560
이메일 · foundation@hansae.com
홈페이지 · www.hansaeyes24foundation.com